AS MIL PARTES DO MEU CORAÇÃO

Obras da autora publicadas pela Editora Record:

***Série* Slammed**
Métrica
Pausa
Essa garota

***Série* Hopeless**
Um caso perdido
Sem esperança
Em busca de Cinderela
Em busca da perfeição

***Série* Nunca, Jamais**
Nunca, jamais
Nunca, jamais: parte 2
Nunca, jamais: parte 3
***Série* Talvez**
Talvez um dia
Talvez agora

***Série* É Assim que Acaba**
É assim que acaba
É assim que começa

O lado feio do amor
Novembro, 9
Confesse
Tarde demais
As mil partes do meu coração
Todas as suas (im)perfeições
Verity
Se não fosse você
Layla
Até o verão terminar
Uma segunda chance

COLLEEN
HOOVER

AS MIL PARTES DO MEU CORAÇÃO

Tradução

Ryta Vinagre

26ª edição

Galera

RIO DE JANEIRO

2025

CIP-BRASIL. CATALOGAÇÃO NA PUBLICAÇÃO
SINDICATO NACIONAL DOS EDITORES DE LIVROS, RJ

Hoover, Colleen
H759m As mil partes do meu coração / Colleen Hoover; tradução de Ryta
26ª ed. Vinagre. – 26ª ed. – Rio de Janeiro: Galera Record, 2025.

Tradução de: Without merit
ISBN 978-85-01-11574-4

1. Ficção americana. I. Vinagre, Ryta. II. Título.

CDD: 813
18-51370 CDU: 82-3(73)

Vanessa Mafra Xavier Salgado – Bibliotecária – CRB-7/6644

TÍTULO ORIGINAL:
WITHOUT MERIT

Ilustrações: Brandon Adams

Publicado mediante acordo com a editora original, Atria Books, um selo da Simon & Schuster, Inc.

Texto revisado segundo o novo Acordo Ortográfico da Língua Portuguesa.

Direitos exclusivos de publicação em língua portuguesa somente para o Brasil adquiridos pela
EDITORA RECORD LTDA.
Rua Argentina, 171 – Rio de Janeiro, RJ – 20921-380 – Tel.: (21) 2585-2000,
que se reserva a propriedade literária desta tradução.

Impresso no Brasil

ISBN 978-85-01-11574-4

Seja um leitor preferencial Record.
Cadastre-se no site www.record.com.br e receba
informações sobre nossos lançamentos e nossas promoções.

Atendimento e venda direta ao leitor:
sac@record.com.br

Este livro é para Cale Hoover. Porque sou sua mãe e te amo, e às vezes tenho o impulso dominador de envolver você em uma bolha e protegê-lo do mundo. Mas também tenho o impulso dominador de envolver o mundo em uma bolha e protegê-lo de você. Porque, um dia, você vai virar tudo isso de cabeça para baixo.

Estou louca para ver isso acontecer.

[illegible] e outros

Capítulo um

Tenho uma coleção impressionante de troféus que não ganhei. A maioria foi comprada por mim em brechós ou vendas de garagem. Dois deles ganhei do meu pai no meu aniversário de 17 anos. Só um deles eu roubei.

Meu troféu roubado deve ser o que eu menos gosto na minha coleção. Eu o tirei do quarto de Drew Waldrup logo depois que ele terminou comigo. Namoramos por dois meses e foi a primeira vez que deixei que ele passasse a mão sob a minha blusa. Eu estava pensando que seria bom, quando ele baixou os olhos para mim e falou: "Acho que não quero mais namorar você, Merit."

Lá estava eu, curtindo sua mão no meu peito, e enquanto isso ele pensava que jamais ia querer pôr a mão em meu peito de novo. Enfurecida, deslizei o corpo por debaixo do dele e me levantei. Depois de ajeitar a blusa, fui à estante de Drew e peguei o maior troféu que ele tinha. Ele não disse uma palavra. Imaginei que se ele estava terminando comigo com a mão subindo sob a blusa, pelo menos eu devia ganhar um troféu por isso.

Aquele troféu do campeonato distrital de futebol americano foi o começo da minha coleção. A partir dali, passei a escolher troféus ao acaso em vendas de garagem ou brechós sempre que acontecia alguma merda.

Tomei bomba no teste de direção? Primeiro lugar em arremesso de peso.

Ninguém me convidou para ir ao baile de formatura? Elenco estelar em uma peça de um ato.

Meu pai propôs casamento à amante dele? Campeões do time da liga infantil.

Já faz dois anos que roubei meu primeiro troféu. Agora tenho doze deles, embora tenha acontecido muito mais do que doze merdas comigo desde que Drew Waldrup decidiu terminar o namoro. Mas é surpreendentemente complicado encontrar troféus indesejados. E é por isso que estou aqui, em um antiquário da minha cidade, olhando o troféu de sétimo lugar em um concurso de beleza que desejei desde a primeira vez que o vi, seis meses atrás. Tem 45 centímetros de altura e era de um concurso de beleza de Dallas de 1972 chamado Botas e Beldades.

Gosto dele pelo ridículo título de beleza, mas o que me faz amá-lo é a mulher banhada a ouro na parte de cima dele. Ela usa um vestido de baile, uma tiara e um par de botas com esporas. Tudo nele é absurdo. Em particular a etiqueta de preço, 85 dólares. Mas estive economizando desde que pus os olhos neste troféu e, enfim, tenho dinheiro para comprá-lo.

Pego o troféu e estou me virando para ir à caixa registradora quando noto um cara no segundo andar do antiquário. Está reclinado na grade e olha fixamente para mim. Seu queixo está apoiado despreocupadamente em uma das mãos, como se estivesse há algum tempo nesta posição. Ele sorri assim que nos encaramos.

Retribuo o sorriso, o que é um pouco incomum em mim. Não sou do tipo que flerta e, sem dúvida, não sou do tipo que sabe corresponder quando alguém faz isso. Mas o sorriso dele é simpático e ele nem mesmo está no mesmo andar que eu, assim não me sinto ameaçada por qualquer possível constrangimento.

— O que está fazendo? — pergunta ele de cima.

Naturalmente, olho por cima do ombro para saber se o comentário é para mim. Talvez o cara não esteja olhando em minha direção, mas para outra pessoa atrás de mim. Porém, além de uma mãe que desbrava o antiquário com o filho pequeno, não há mais ninguém. E a mulher e seu filho estão olhando para o outro lado, então ele deve estar falando comigo.

Volto a olhar para ele e o cara ainda está me fitando de cima com aquele mesmo sorriso.

— Estou comprando um troféu!

Acho que gosto do sorriso dele, mas está meio longe para saber se me sinto atraída. Sua confiança é atraente. Ele tem o cabelo preto, meio picotado e bagunçado, mas não estou criticando, porque acho que não penteio o cabelo desde ontem de manhã. Ele veste um casaco cinza com capuz, as mangas arregaçadas acima dos cotovelos. Tatuagens cobrem o braço em que seu queixo descansa, mas não consigo distinguir os desenhos daqui de baixo. Deste ângulo ele parece meio novo demais e meio tatuado demais para quem procura antiguidades em uma manhã qualquer de um dia útil, mas quem sou eu para julgar? Neste momento, eu deveria estar na escola.

Eu me viro e finjo fazer compras, mas tenho consciência de que ele me observa. Tento ignorar, mas de vez em quando olho para ter certeza de que ainda está ali. Ele está.

Talvez trabalhe aqui e por isso não vai embora nunca, mas isso não explicaria por que não para de me olhar. Se esta é a ideia dele de sedução, ele seduz de um jeito estranho. Infelizmente, porém, sinto atração pelo que é estranho e pouco convencional. Assim, durante todo o tempo em que percorro a loja, tento fingir que ele não me afeta, quando na realidade estou muito afetada. Sinto seu olhar fixo a cada passo que dou. Os olhares não deviam ter peso, mas meus passos ficam mais pesados só de saber que os olhos dele estão em mim. Até meu estômago parece mais pesado.

Já olhei de tudo na loja, mas ainda não quero pagar e sair porque estou gostando muito deste jogo.

Sou aluna de uma escola pública muito pequena que fica em uma cidadezinha muito pequena. Quando digo pequena, estou sendo generosa. A média é de 20 alunos em cada série. Não de cada turma. Na *série*.

Minha turma do último ano inteira consiste em 22 alunos. Doze meninas e dez meninos. Oito desses dez meninos são da minha turma desde meus 5 anos. Isto estreita bastante as opções de namoro. É difícil achar atraente alguém com quem você passou quase todo dia da sua vida desde que se entende por gente.

Mas não sei quem é este cara que faz de mim o centro da sua atenção. O que significa que já me sinto mais atraída por ele do que por qualquer pessoa de toda a minha escola, simplesmente porque não o conheço.

Paro em um corredor que proporciona uma visão livre de onde ele está e finjo me interessar por uma das placas exibidas em uma prateleira. É uma antiga placa branca com a palavra BURACO e uma seta apontando para a direita. Ela me faz rir. Ao lado dela, está uma placa antiga que parece de posto de gasolina. Diz LUBRIFICANTES. Isso faz com que eu me pergunte se alguém juntou de propósito as placas sexualmente sugestivas ou se foi por acaso. Se eu tivesse dinheiro, compraria as duas e começaria uma coleção de placas sexualmente sugestivas para meu quarto. Mas meu hábito com os troféus já é bem caro.

O garotinho que esteve andando pela loja com a mãe agora está parado perto de mim. Ele parece ter 4 ou 5 anos. A idade do meu irmão mais novo, Moby. A mãe disse a ele, pelo menos dez vezes, para não tocar em nada, mas ele pega o porco de vidro que está na prateleira a nossa frente. Por que as crianças são atraídas por objetos frágeis? Seus olhos brilham enquanto ele examina o porco. Fico satisfeita em saber que sua curiosidade seja mais importante para ele do que obedecer às ordens da mãe.

— Mãe, posso ficar com isso?

A mãe está em um corredor vasculhando uma prateleira de revistas antigas. Nem mesmo se vira para ver o que ele tem nas mãos. Simplesmente diz: "Não".

Prontamente cai uma sombra nos olhos do menino e ele franze a testa quando vai devolver o porco à prateleira. Mas suas mãozinhas se atrapalham quando ele tenta baixar o objeto e o porco escorrega, espatifando-se a seus pés.

— Não se mexa — digo a ele, alcançando o menino antes de sua mãe. Abaixo-me e passo a catar os cacos de vidro.

A mãe o pega no colo e o coloca a alguma distância para que ele fique fora do alcance do vidro.

— Eu te falei para não tocar em nada, Nate!

Dou uma olhada no garotinho e ele encara os cacos de vidro como se tivesse perdido o melhor amigo. A mãe coloca a mão na testa como quem está exausta e frustrada, depois se abaixa e me ajuda a catar os cacos.

— Não foi ele que fez isso — digo a ela. — Fui eu que quebrei.

A mulher olha novamente o filho e o garotinho me olha como se não soubesse se isso é um teste. Dou uma piscadela para ele antes de ela se virar de volta para mim e digo:

— Não o vi aqui. Esbarrei nele e caiu.

Ela fica surpresa e talvez até se sinta meio culpada por pressupor que aquilo tenha sido obra do filho.

— Ah — diz ela.

Ela continua a me ajudar a pegar os pedaços maiores de vidro. O homem que estava na caixa registradora quando entrei aparece do nada com uma vassoura e uma pá de lixo.

— Vou tirar isso daqui — diz ele. Mas então aponta uma placa na parede que diz QUEBROU, PAGOU.

A mulher segura a mão do garotinho e se afasta. O menino olha por cima do ombro e sorri para mim, e graças a isso sinto valer a pena ter assumido a culpa. Volto minha atenção para o homem da vassoura.

— Quanto custa?

— Quarenta e nove dólares. Mas só vou cobrar trinta de você.

Deixo um suspiro escapar. Já não tenho tanta certeza se o sorriso do garotinho vale trinta dólares. Devolvo meu troféu de beleza a seu lar e tiro da prateleira um troféu muito mais barato e muito menos atraente. Levo até o caixa e pago pelo porco quebrado e pelo meu troféu de primeiro lugar no boliche. Quando o homem me entrega a sacola e o troco, vou para a porta. É no momento em que eu abro a porta que me lembro do cara que estava me observando da grade do segundo andar. Olho para cima antes de sair pela porta, mas ele não está mais lá. De algum modo, aquilo faz com que me sinta ainda mais pesada.

Saio da loja, atravesso a rua e vou a uma das mesas perto da fonte. Morei toda a minha vida no condado de Hopkins, mas raras vezes estive na praça. Não sei o motivo, porque meu amor por ela se solidificou quando colocaram as estranhas placas de cruzamento de pedestres. As placas exibem a imagem de um homem atravessando a rua, mas sua perna é alta demais e é exagerada a tal ponto que pode passar por uma saída boba de um episódio do Monty Python.

Também existem dois banheiros que a prefeitura instalou alguns anos atrás. Eles têm duas estruturas de vidro que parecem cubos altos de espelhos se vistos de fora, mas quando você está dentro, consegue enxergar do lado de fora. É perturbador que uma pessoa possa se sentar na privada, fazendo suas necessidades, enquanto vê os carros passarem. Mas sinto atração por coisas incomuns, então sou uma das poucas pessoas que provavelmente têm orgulho dos banheiros estranhos.

— Para quem é o troféu?

E por falar na atração a coisas estranhas...

O cara do antiquário está de pé a meu lado e posso dizer, com absoluta certeza, que ele definitivamente é muito atraente. Seus olhos têm um tom singular de azul-claro e são a primeira coisa a se destacar nele. Parecem fora de sincronia com a pele marrom-clara e o cabelo bem preto. Olho para o seu cabelo por um momento. Não sei se já vi um cabelo naquele tom de preto em alguém que tem olhos daquele tom de azul. É meio desagradável. Pelo menos, para mim.

Ele ainda está sorrindo, como na grade do antiquário. Faz com que me pergunte se ele sorri o tempo todo. Espero que não. Gosto da ideia de que talvez sorria para mim porque não consegue evitar. Ele aponta com a cabeça a sacola em minha mão e, de súbito, lembro que ele me fez uma pergunta sobre o troféu.

— Ah. É para mim.

Ele vira a cabeça de lado, achando graça ou espantado. Não sei realmente o que está sentindo, mas não me importo com nenhuma das duas coisas.

— Você coleciona troféus que não ganhou?

Concordo com a cabeça, o que o faz rir um pouco, mas é um riso silencioso. É quase como se quisesse esconder o riso. Ele passa as mãos nos bolsos traseiros.

— Por que não está na escola agora?

Não percebi que era evidente que eu ainda estou no ensino médio. Apoio a sacola na mesa vizinha à nossa e tiro as sandálias.

— O dia está lindo. Não quero ficar trancada em uma sala de aula. — Vou até a fonte de concreto, que na realidade nem é uma fonte. É um pedaço de concreto, plano no chão, no formato de uma estrela. A água sai de buracos em volta da estrela, espirrando para o meio. Coloco o pé em cima de um dos buracos e espero que a água me alcance.

É a última semana de outubro, e está frio demais para as crianças brincarem na água, como costumam fazer no verão. Mas não está frio demais para molhar um pouco meus pés. Gosto quando a água bate entre meus dedos. E como não posso pagar uma podóloga, essa é minha segunda opção.

O cara me observa por um momento, mas, sinceramente, já estou me acostumando com isso. Ele começa a parecer minha própria sombra, só que um pouco mais atraente. Não olho direto para ele, que tira os sapatos tranquilamente. Ele se põe a meu lado e coloca o pé em um dos buracos.

Olho para seu braço agora que tenho uma visão mais próxima das tatuagens. Eu tinha razão — são apenas no braço esquerdo. O braço direito não tem uma só tatuagem visível. Mas as do braço esquerdo não são o que eu esperava. São aleatórias, não têm relação uma com a outra, não há nada que as ligue. Uma delas é uma torradeira minúscula da qual sai uma fatia de pão. Fica na face externa do pulso. Estou vendo um alfinete perto do seu cotovelo. As palavras "Sua vez, doutor" abrindo-se por seu braço. Arrasto os olhos para cima e ele agora está olhando os próprios pés. Estou prestes a perguntar seu nome quando a água, inesperadamente, bate em meu pé. Sorrio, recuo um passo e nós dois vemos o jato de água disparar para o meio.

A água bate em seu pé logo depois, mas ele não reage. Só fica olhando o próprio pé até que a água para e passa pelo buraco ao lado dele. Ele ergue os olhos, mas dessa vez, quando me encara, não está sorrindo. Algo em sua seriedade aperta tudo dentro do meu peito. Quando ele abre a boca para falar, me agarro a cada palavra.

— De todos os lugares em que poderíamos estar, estamos bem aqui. No mesmo momento. — Sua voz é cheia de ironia, mas a expressão beira a perplexidade. Ele meneia a cabeça e se aproxima um pouco de mim. Levanta o braço tatuado e alisa uma mecha que se soltou do meu cabelo. O gesto é íntimo e inesperado, parecido com todo este momento, mas não tenho nenhum problema com isso. Quero que ele o repita, mas seu braço cai de volta ao lado do corpo.

Não consigo pensar em um só momento na vida em que fui olhada da forma como ele faz agora. Como se eu o deixasse fascinado. Sei que não nos conhecemos e qualquer que seja a ligação entre nós, provavelmente será estragada no momento em que tivermos nossa primeira conversa de verdade. É possível que ele seja um babaca, ou me ache esquisita, a situação se tornará constrangedora e ficaremos muito felizes ao tomar nossos rumos separados. Em geral, é assim que acontecem minhas interações com os caras. Mas agora, sem saber nada a respeito dele além da intensidade de sua expressão, permito-me imaginar que ele é perfeito. Finjo que é inteligente, respeitoso, divertido e artístico. Porque ele seria todas essas coisas se fosse o cara perfeito. Pelo tempo em que fica parado ali, diante de mim, eu me contento em imaginar que ele possui essas qualidades.

Ele se aproxima e, de súbito, parece que engoli seu coração, porque tenho todas aquelas batidas a mais no meu peito. Seus olhos baixam para minha boca e tenho certeza de que vai me beijar. Torço para que faça isso. O que é estranho, porque literalmente só trocamos duas frases, mas quero que ele me beije enquanto imagino que ele é perfeito, porque isso significa que seu beijo provavelmente será perfeito também.

Os dedos sobem de leve por meu pulso, porém mais parece que ele tem os punhos fechados com força em meus pulmões. Meus arrepios perseguem seus dedos pelo braço acima até que a mão dele está pousada em meu pescoço.

Não sei como ainda estou de pé, sinto as pernas trêmulas e incertas. Minha cabeça está inclinada para trás e sua boca, a centímetros da minha, como se ele hesitasse. Ele sorri e sussurra: "Você me enterra."

Não sei o que significam essas palavras, mas gosto delas. E gosto como sua boca entra em contato suave com a minha logo depois de ele terminar de falar. E eu tinha razão. É perfeito. Tão perfeito que parece um filme antigo, quando o homem que conduz a dança coloca a mão nas costas da mulher e ela curva o corpo para trás contra a pressão do beijo dele, como a letra *C*, enquanto ele a puxa para ele. É exatamente assim.

O cara me puxa para ele enquanto sua língua desliza por meus lábios. E, como nos filmes, meus braços estão pendurados de lado até que percebo o quanto quero estar nisto com ele e enfim começo a corresponder ao beijo. Ele tem gosto de sorvete de hortelã e é perfeito, porque este momento tem uma alta classificação na escala dos meus favoritos, no topo, junto com sobremesa. Isto é quase cômico — este estranho, me beijando como se fosse a última coisa que falta em sua lista de desejos. Faz com que me pergunte o que o levou a fazer isso.

Agora suas mãos seguram meu rosto, como se não tivéssemos mais para onde ir hoje. Ele não tem pressa com seu beijo e, sem dúvida, não liga para quem vê, porque estamos no meio da praça da cidade e duas pessoas já buzinaram para nós.

Passo os braços por seu pescoço e decido que vou deixar que ele continue pelo tempo que quiser, porque não tenho para onde ir agora. Mesmo que tivesse, eu cancelaria meus planos em troca disto.

Justo quando uma de suas mãos desliza pelo meu cabelo, a água espirra embaixo dos meus pés. Solto um gritinho de surpresa. Ele ri, mas não para de me beijar. Agora estamos ensopados porque meu pé não está cobrindo completamente o jato de água, mas não nos importamos. Isto só aumenta o caráter ridículo deste beijo.

O toque do seu celular aumenta ainda mais esse caráter porque, naturalmente, agora somos interrompidos. É claro. Estava perfeito demais.

Ele se afasta e a expressão em seus olhos é meio saciada e faminta ao mesmo tempo. Ele tira o telefone do bolso e o examina.

— Você perdeu seu telefone, ou isso é alguma brincadeira?

Dou de ombros porque não sei que parte ele pensa ser brincadeira. Eu permitindo que ele me beije? Alguém ligando para ele no meio do tal beijo? Ele ri um pouco enquanto coloca o telefone junto da orelha.

— Alô?

O sorriso muda sua expressão e agora ele só parece confuso.

— Quem é? — Ele espera alguns segundos, depois afasta o telefone da orelha e o olha. Em seguida, olha para mim. — É sério. É alguma pegadinha?

Não sei se ele está falando comigo ou com a pessoa ao telefone, então dou de ombros novamente. Ele leva o telefone ao ouvido e se afasta um pouco de mim.

— Quem é? — repete. Ele ri de nervoso e coloca a mão na nuca. — Mas... você está parada bem na minha frente.

Sinto a cor sumir do meu rosto ao ouvir aquela frase. Toda a cor do meu corpo — nesse momento ridículo com esse cara qualquer — se acumula nos meus pés, fazendo com que eu me sinta uma cópia carbono malfeita de Honor Voss. Minha irmã gêmea. A garota que evidentemente está do outro lado da linha.

Cubro o rosto com a mão e me viro, pegando os sapatos e minha sacola. Torço para impor o máximo de distância possível entre nós porque ele deduz que a garota que acabou de beijar não é Honor.

Nem acredito que isso está acontecendo. Acabo de beijar o namorado da minha irmã.

É claro que não fiz de propósito. Tenho a sensação de que ela recentemente começou a sair com outro, porque passou muito tempo fora, mas, de todos os caras do mundo, como eu podia saber que este em particular era ele? Continuo a me afastar às pressas, mas não consigo ir muito longe quando ouço ele correndo atrás de mim.

— Ei!

É por isso que estava me olhando na loja. Ele achava que eu era ela. Por isso perguntou por que eu não estava na escola, porque se ele conhece Honor o suficiente para beijá-la, sabe que ela nunca mataria aula.

Agora tudo faz sentido. Isto não foi uma ligação ao acaso entre dois estranhos. Era ele me confundindo com a namorada e eu me fazendo de uma completa idiota por não perceber imediatamente o que estava acontecendo.

Sinto sua mão segurar meu cotovelo. Não tenho alternativa senão me virar e ficar de frente para ele, porque preciso deixar claro que Honor jamais pode descobrir sobre isso. Quando nossos olhos se encontram, ele não está mais me olhando como se eu o fascinasse. Encara o telefone, depois me olha, volta ao telefone e fala.

— Eu peço mil desculpas — diz ele. — Pensei que você fosse...

— Você pensou errado — solto numa explosão, embora ele tenha errado sem querer.

Honor e eu somos idênticas, mas se ele conhecesse bem minha irmã gêmea saberia que ela nunca seria flagrada em público com a aparência que tenho agora. Não estou maquiada, meu cabelo está uma zona e minhas roupas são as mesmas de ontem.

Ele coloca o telefone no bolso, mas o aparelho volta a tocar. Quando ele o retira, vejo o nome de Honor piscando na tela. Pego o telefone e passo o dedo pela tela.

— Oi.

— Merit? — Honor ri. — O que está havendo? Por que você está com Sagan?

Sagan? Até o nome dele é perfeito.

— Não estou. Eu só... esbarrei nele. Ele achou que eu era você, mas então você ligou e... digamos ele ficou confuso. — Digo tudo isso olhando bem para Sagan. Ele mantém os olhos fixos nos meus e nem tenta tirar o telefone de mim.

Honor ri de novo.

— Que engraçado. Queria poder ter visto a cara dele.

— Foi impagável — digo com frieza. — Mas você devia ter avisado a seu namorado que tem uma gêmea idêntica. — Devolvo o telefone a Sagan. Afasto-me alguns passos e ele está segurando o telefone, incapaz de tirar os olhos de mim. — Não conte a ela o que acabou de acontecer — sussurro. — A ninguém. Nunca.

Ele assente, embora esteja hesitante. Assim que tenho a confirmação de que ele não vai contar a Honor, eu me viro e me afasto. Nada pode superar um constrangimento desses. Nada.

Capítulo dois

Que idiota eu sou.

Mas, meu Deus, foi tão lindamente inesperado. A intensidade dele me apanhou de guarda baixa, e no segundo em que ele me beijou, eu era um caso perdido. Ele tinha gosto de hortelã e era tão quente, depois a água espirrou em nós e foi uma sobrecarga sensorial que desejei que tivesse sido uma overdose. Eu queria tudo. Queria sentir tudo. Aquele beijo inesperado fez com que eu ganhasse vida pela primeira vez em... para falar a verdade, não sei se algum dia estive viva até aquele momento.

E foi exatamente por isso que não percebi que ele achava que estava beijando Honor. Enquanto o beijo significou muito para mim, não era novidade nenhuma para ele. Provavelmente ele beija Honor desse jeito o tempo todo.

O que me confunde, porque ele parecia ser... saudável. Não faz, normalmente, o tipo de Honor.

E por falar em Honor...

Ligo a seta e atendo ao telefone no segundo toque. É estranho que ela esteja me ligando. Nunca ligamos uma para a outra. Quando chego à placa de pare, atendo com um "Oi" entediado.

— Ainda está com Sagan? — pergunta Honor.

Fecho os olhos e solto um sopro mínimo de ar. Não me resta muito fôlego depois daquele beijo.

— Não.

Ela suspira.

— Que estranho. Agora ele não me atende. Vou tentar ligar de novo.

— Tudo bem.

Estou prestes a desligar quando ela fala.

— Ei. Por que você não está na escola?

Solto um suspiro.

— Não estava me sentindo bem, então eu saí.

— Ah. Tá legal. A gente se vê à noite.

— Honor, espere — digo antes que ela desligue. — O que... tem alguma coisa errada com Sagan?

— Como assim?

— Sabe como é. Você está com ele porque... ele está morrendo?

Há um instante de silêncio. Depois ouço a irritação na voz quando ela responde:

— Meu Deus, Merit. É claro que não. Às vezes você pode ser uma tremenda cretina. — Ela fica muda do outro lado da linha. Olho o telefone.

Eu não queria ofender. Estou verdadeiramente curiosa se é por isso que ela namora Sagan. Ela não teve um só namorado com expectativa média de vida desde que começou a namorar Kirk aos 13 anos. Ela ainda está ferida porque esse relacionamento a marcou profundamente.

Kirk era um garoto legal de fazenda. Dirigia um trator, preparava fardos de feno, sabia inverter um disjuntor de eletricidade e, uma vez, consertou a ignição de um carro que nem meu pai conseguia consertar.

Cerca de um mês antes de completarmos 15 anos e duas semanas depois de Honor perder a virgindade com Kirk, o pai o encontrou deitado no chão, no pasto da fazenda, semiconsciente e sangrando. Kirk tinha caído do trator, que o atropelou, ferindo o braço direito. O ferimento não era uma ameaça para sua vida, mas, enquanto recebia tratamento para a lesão, o médico bem competente procurou respostas para o motivo de Kirk ter caído do trator, antes de tudo. De fato, ele tinha sofrido uma convulsão como consequência de um tumor que vinha crescendo no cérebro.

— Possivelmente desde a infância — disse o médico.

Kirk viveu outros três meses. Pelos três meses inteiros em que ele viveu, minha irmã raras vezes saía do seu lado. Honor foi a primeira e última garota que ele amou, e a última pessoa que Kirk viu antes de dar o último suspiro.

Honor desenvolveu um distúrbio doentio como consequência do seu primeiro amor morrendo de um tumor, e depois disso ela achava quase impossível amar qualquer garoto que tivesse a saúde mediana e expectativa de vida normal. Ela passava a maior parte dos dias e das noites em salas de bate-papo na internet com doentes terminais, apaixonando-se loucamente por meninos que tinham uma expectativa média de vida de no máximo seis meses. Nossa cidade é pequena demais para fornecer a Honor um amplo suprimento de pretendentes, mas Dallas fica a menos de duas horas de carro. Com o número de hospitais dedicados a doenças terminais, pelo menos dois garotos estavam ao alcance de uma viagem de carro de Honor. Durante as últimas semanas deles, Honor passou os dias a seu lado, decidida a ser a última pessoa que eles veriam e a última garota que eles amariam antes de dar o último suspiro.

Graças a sua obsessão por ser amada eternamente por doentes terminais, estou curiosa para o que a atraiu a este Sagan. Com base em seu histórico de relacionamentos, creio que seja sensato eu ter presumido que ele é um doente terminal, mas, pelo visto, tirar essa conclusão faz de mim uma cretina.

Encosto na entrada de carros, aliviada por ser a única ali. Sem contar quem mora permanentemente no porão. Pego minha sacola com o troféu. Se eu soubesse, no antiquário, que ia viver o acontecimento mais humilhante de todos os meus 17 anos, teria comprado todos os troféus que eles tinham. Precisaria usar o cartão de crédito de emergência do meu pai, mas teria valido a pena.

Ao atravessar o jardim, olho o letreiro. Não há um único dia desde que nos mudamos em que meu irmão, Utah, não atualize o letreiro com a mesma rapidez e precisão que dedica a cada aspecto da sua vida.

Ele acorda mais ou menos às 6h20 todo dia, toma banho às 6h30, prepara duas vitaminas verdes, uma para ele e outra para Honor às 6h55 toda manhã (se ela não preparou primeiro). Às 7h10 já está vestido e vai ao letreiro atualizar a mensagem diária. Mais ou menos às 7h30, ele faz uma preleção irritante a nosso irmão mais novo, depois vai para a escola ou, se for um fim de semana, vai à academia malhar, fazendo esteira no nível máximo por 45 minutos, seguido por uma série de 100 flexões de braço e 200 de perna.

Utah não gosta de espontaneidade. Apesar do clichê, Utah não espera o inesperado. Conta apenas com o esperado. Ele não gosta do inesperado.

Ele não gostou quando nossos pais se divorciaram, vários anos atrás. Não gostou quando nosso pai se casou de novo. E não gostou especialmente quando soubemos que nossa madrasta estava grávida.

Mas ele gosta de verdade do nosso meio-irmão, que chegou como resultado da dita gravidez. É difícil não gostar de Moby Voss. Não devido a sua personalidade *per se*, mas porque ele tem 4 anos. Em geral é fácil gostar de crianças dessa idade.

A mensagem de hoje no letreiro diz: "Não se pode falar *hmmmm* com o nariz tapado."

É verdade. Eu tentei quando li isto hoje de manhã e ainda tento de novo enquanto caminho até a porta dupla de cedro da entrada de nossa casa.

Posso dizer com certeza que moramos na habitação mais incomum de toda a cidade. Digo *habitação* porque certamente não é uma casa. E neste lugar moram sete ocupantes totalmente incomuns. Ninguém seria capaz de determinar, vendo de fora, que nossa família de sete inclui um ateu, um destruidor de lares, uma ex-mulher que sofre de uma grave agorafobia e uma adolescente cuja estranha obsessão beira a necrofilia.

Ninguém poderia supor nada disso nem mesmo de *dentro* de nossa casa. Sabemos guardar segredos nessa família.

Nossa habitação fica em uma estrada rural asfaltada de uma cidade microscópica no nordeste do Texas. A construção em que moramos foi a igreja mais frequentada da nossa cidadezinha, mas tem sido nossa casa desde que meu pai, Barnaby Voss, comprou a igreja emergente e fechou indefinidamente suas portas à congregação. Isto explica por que temos um letreiro no jardim.

Meu pai é ateu, mas não foi por isso que ele decidiu comprar a casa de adoração hipotecada e arrancá-la das pessoas. Não, Deus não tem nada a ver com essa questão.

Ele comprou a igreja e fechou as portas só porque absoluta e veementemente odiava o cachorro do pastor Brian e, consequentemente, o próprio pastor Brian.

Wolfgang era um enorme labrador preto, incrível no porte e nos latidos, mas que sofria de uma grave carência de bom senso. Se os cachorros fossem classificados em panelinhas de escola, Wolfgang sem dúvida seria o líder dos atletas. Um cachorro barulhento e irritante que passava pelo menos sete, das oito preciosas horas de sono que meu pai precisava toda noite, latindo incessantemente.

Anos antes, tivemos a infeliz honra de sermos vizinhos de Wolfgang quando morávamos na casa atrás da igreja. A janela do quarto dos meus pais dava para o terreno dos fundos da igreja, que também era o território de Wolfgang, onde ele andava com bastante regularidade, principalmente durante as horas em que meu pai preferia que Wolfgang estivesse dormindo. Mas o cachorro não gostava que lhe dissessem o que fazer ou quando dormir. Na verdade, ele fazia exatamente o contrário do que qualquer um quisesse dele.

O pastor Brian tinha comprado Wolfgang quando era só um filhotinho, menos de uma semana depois de um grupo de adolescentes locais invadir a igreja e roubar o dízimo da semana. O pastor Brian achou que um cachorro naquele território impediria roubos futuros. Porém, o pastor sabia muito pouco de adestramento de cães, e muito menos de um cachorro com o intelecto de um jogador de futebol do ensino médio. Assim, no primeiro ano de vida de Wolfgang, o cachorro teve muito pouca interação com as pessoas, além do seu dono. Considerando que Wolfgang fica abaixo da curva quando se trata de intelecto e interação, toda sua energia e curiosidade ilimitadas foram dedicadas unicamente a uma vítima inocente, e talvez imerecida, que ocupava a propriedade logo atrás da igreja. Meu pai, Barnaby Voss.

Meu pai detestou Wolfgang desde o momento que se conheceram. Ele proibiu que eu e meus irmãos tivéssemos alguma interação com o cachorro, e não era incomum para nós entreouvir meu pai ameaçando assassinar Wolfgang em voz baixa. E a plenos pulmões.

Meu pai talvez não seja um crente em Deus, mas acredita ferozmente no carma. Ao mesmo tempo que alimentava a fantasia de matar Wolfgang, ele não queria o assassinato de um animal pairando sobre sua cabeça. Mesmo que este animal fosse o pior que ele já conhecera.

Os sentimentos de Wolfgang eram recíprocos, ou assim se supunha, porque o cachorro passava a maior parte do seu tempo latindo e rosnando para meu pai, sem se importar se era dia ou noite, se era dia útil ou de fim de semana, só de vez em quando se distraía com algum esquilo espertalhão.

Com o passar dos anos, papai tentou de tudo para dar um fim ao assédio incessante, usou protetores auriculares, alertas para que cessasse, até latir para Wolfgang por três horas seguidas em uma sexta-feira onde consumira três doses a mais do que sua habitual taça de vinho noturna. Ele tentou tudo, em vão. Na verdade, meu pai estava tão desesperado por uma noite tranquila de sono que certa vez passou um verão inteiro investindo na amizade com Wolfgang, na esperança de que os latidos, por fim, acabassem.

Não acabaram.

Nada dava certo e, pelo visto, nada jamais daria, porque o pastor Brian se importava consideravelmente mais com Wolfgang do que com seu vizinho Barnaby Voss. Infelizmente para o pastor Brian, sua igreja passava por uma crise financeira, enquanto a loja de carros usados e a sede de vingança do meu pai estavam em alta.

Papai fez uma proposta que o banco não pôde recusar. O pastor Brian foi incapaz de fazer frente com uma arrecadação de dinheiro. Meu pai também conseguiu um desconto em um Volvo usado para o gerente de empréstimos em troca do fechamento da igreja.

Quando o pastor Brian anunciou à congregação que tinha perdido uma guerra de ofertas para meu pai e que papai estaria fechando as portas ao público e se mudando com toda a família para a igreja, nossa família virou assunto na cidade. E desde então isto não parou.

Depois de assinar a papelada há quase cinco anos, meu pai deu ao pastor Brian e a Wolfgang dois dias para desocupar a propriedade. Eles levaram três. Mas, na quarta noite, depois que nossa família se mudou para a igreja, meu pai dormiu 13 horas seguidas.

O pastor Brian foi obrigado a transferir seus sermões de domingo, mas, com a intervenção divina a seu lado, não levou mais de um dia para encontrar um local alternativo. Ele reabriu uma semana depois em um celeiro que era usado por um diácono para abrigar sua coleção de tratores. Nos três primeiros meses, os paroquianos sentavam-se em fardos de feno enquanto o pastor Brian pregava o sermão de uma plataforma improvisada, construída de compensado e pallets.

Por seis meses inteiros, o pastor Brian assumiu a missão pessoal de rezar publicamente por meu pai e sua alma rebelde todo domingo, antes de dispensar a congregação. "Que ele enxergue o erro do seu comportamento", rezavam o pastor Brian e os paroquianos, "e nos devolva nossa casa de adoração... a um preço acessível."

A notícia de estar no topo da lista de orações do pastor Brian foi inquietante para meu pai, porque ele sempre acreditou que não tivesse uma alma, imagine uma alma rebelde. Certamente não queria que os frequentadores da igreja rezassem pela sua suposta alma.

Aproximadamente sete meses depois de transformarmos aquela velha igreja no nosso lar, o pastor Brian foi visto dirigindo um Cadillac conversível seminovo. No domingo seguinte, por coincidência, Barnaby Voss não era mais objeto das orações passivo-agressivas de encerramento do pastor Brian.

Eu estava na agência de carros no dia em que meu pai e o pastor Brian fecharam o acordo. Eu era muito mais nova, mas me lembro como se fosse ontem. "Você para de rezar por minha alma inexistente e eu te dou um desconto de dois mil naquele Cadillac vermelho-cereja."

Já faz vários anos desde que qualquer um de nós ouviu Wolfgang latir à noite, e vários anos desde que meu pai acordava de mau humor. Nossa família trabalhou muito na reforma do interior da igreja, mas ainda existem três elementos impedindo que a habitação pareça diferente da casa de adoração que um dia foi.

1) Os vitrais.
2) A estátua de dois metros e meio de altura de Jesus Cristo pendurada na parede leste.
3) O letreiro da igreja no jardim.

O mesmo letreiro que continua lá na frente todos esses anos, muito depois do meu pai ter trocado o nome no alto do letreiro de "Igreja Luterana do Entroncamento" para "Dólar Voss".

Ele escolheu o nome *Dólar Voss* para a casa porque a igreja é dividida em quatro partes, como as moedas de 25 centavos. E nosso sobrenome é Voss. Eu queria que houvesse uma explicação mais inteligente.

As portas de entrada dão no Quarto Um. Trata-se da antiga capela convertida em área de estar e em uma cozinha bem grande, ambas reformadas para refletir seus novos usos, a não ser pela estátua de dois metros e meio de Jesus Cristo em uma cruz que ainda fica na parede leste da sala de estar. Utah e meu pai trabalharam incansavelmente em um verão para desmontar a estátua de dois metros e meio, mas não adiantou. Ficou evidente, depois de dias de tentativas frustradas de retirá-la da parede da sala, que a cruz de Jesus Cristo fazia parte da estrutura da construção e não podia ser removida sem que também se retirassem os pregos e toda a parede leste da casa.

Meu pai não se animou com a ideia de perder uma parede inteira. Ele gostava de ficar ao ar livre, mas acreditava firmemente que interiores e exteriores deviam continuar segregados. Em vez disso, tomou a decisão de que o Jesus Cristo de dois metros e meio teria de continuar ali. "Traz certa personalidade ao Quarto Um", disse ele.

Ele é ateu, o que significa que a parede não passa disto para ele. Uma parede onde um Jesus de dois metros e meio é o ponto focal. Entretanto, fiz questão de garantir que Jesus fosse vestido de acordo com a data festiva do momento. E é por isso que a estátua de dois metros e meio de Jesus Cristo atualmente está coberta por um lençol branco. Ele está vestido de fantasma.

O Quarto Dois, que comportava três salas da escola dominical, desde então recebeu paredes e agora é dividido em seis quartos bem pequenos, com tamanho suficiente para conter uma criança, uma cama de solteiro e uma cômoda. Meus três irmãos e eu ocupamos quatro dos seis quartos. O quinto é um quarto de hóspedes e o sexto é o escritório do meu pai. Que, na verdade, nunca foi usado.

O Quarto Três é o antigo salão de jantar transformado em quarto principal. É onde meu pai dorme profundamente pelo menos oito horas toda noite com Victoria Finney-Voss. Victoria mora em Dólar Voss há quatro anos e dois meses. Três meses antes da conclusão do divórcio dos meus pais e seis meses antes do nascimento do quarto filho do meu pai e, assim espero, o último, Moby.

O último quarto de Dólar Voss, o Quatro, é o mais isolado e controverso de todos na casa.

O porão.

Sua configuração se parece muito com um pequeno apartamento, que consiste em um banheiro com chuveiro, uma cozinha minúscula e uma pequena área de estar com um sofá, uma televisão e uma cama de casal.

Minha mãe, Victoria Voss, favor não confundir com a atual esposa do meu pai, de mesmo nome, ocupa o Quarto Quatro. É uma infelicidade que meu pai tenha se divorciado de uma Victoria e se casado imediatamente com outra, mas não tanto quanto o fato infeliz de que as duas Victorias ainda moram em Dólar Voss.

O amor do meu pai pela atual Victoria Voss não era tanto uma relação substituta, mais parecia uma sobreposição, e esta é a principal fonte de discórdia que ainda existe entre os três adultos.

É raro que minha mãe, Vicky, suba dos seus aposentos no Quarto Quatro, mas sua presença é sentida por todos. Mas ninguém é tão sensível ao novo arranjo habitacional quanto a atual esposa do meu pai, Victoria. Ela ficou insatisfeita com a ocupação do Quarto Quatro por minha mãe desde o dia de sua mudança para Dólar Voss.

Estou certa de que é complicado ter de morar em uma casa com seu marido e a ex-mulher dele. Mas provavelmente não é nem de perto tão difícil quanto foi para minha mãe, assolada pelo câncer, descobrir que meu pai dormia com sua enfermeira da oncologia.

Mas isso foi há vários anos e meus irmãos e eu há muito tempo superamos os erros que meu pai cometeu com nossa mãe.

Na verdade, não superamos. Nem um pouco.

Apesar disso, Dólar Voss precisou de vários anos para ser reformada e renovada para abrigar adequadamente toda a família Voss, mas pelo menos meu pai é paciente.

Apesar dessa realidade, nós, a família Voss, somos muito parecidos com uma família normal, e Dólar Voss é muito parecida com uma casa normal, a não ser pelos vitrais, a estátua na parede e o letreiro de igreja.

O pastor Brian atualizava fielmente o letreiro todo sábado com frases inteligentes como NÃO ABRA TANTO A MENTE OU SEU CÉREBRO PODE CAIR e SERMÃO DESTA SEMANA: 50 TONS DE REZA.

Às vezes me pergunto o que o povo da cidade pensa quando passa de carro e lê os dados e citações diárias de Utah. Ontem, por exemplo, quando o letreiro dizia A EFÍGIE NA MEDALHA DO PRÊMIO NOBEL DA PAZ RETRATA TRÊS HOMENS PELADOS.

De vez em quando acho engraçado, mas, geralmente, só é constrangedor. A maioria dos moradores da nossa pequena cidade pensa que nosso lugar não é ali, morando numa antiga igreja. Nossos atos só reforçam esses sentimentos. Creio que meu pai, na verdade, tentou fazer uma reforma no último ano e deixar nossa casa mais parecida com um lar do que com uma igreja. Ele passou duas semanas instalando uma linda cerca branca de ripas em volta do terreno.

A cerca branca não adianta grande coisa para deixar o lugar parecido com uma casa. Agora parece que moramos em uma igreja antiga que tem uma cerca branca deslocada. Apesar disso, nota 10 pelo esforço, papai.

Vou para meu quarto e fecho a porta. Largo a sacola no chão perto da minha cama e me jogo nela. São quase três horas da tarde, o que significa que Moby e Victoria logo estarão de volta. Depois, Honor e Utah. E em seguida meu pai. Depois, jantar em família. Que alegria.

Hoje já foi de mais. Não sei se vou suportar mais alguma coisa.

Vou ao banheiro e procuro nas gavetas algum remédio para dormir. Normalmente não tomo quando não estou doente, mas a única coisa em que consigo pensar para me fazer passar pela noite sem a obsessão por meu beijo no namorado de Honor são algumas gotas de NyQuil. E é exatamente o que encontro embaixo da pia.

Tomo uma dose e depois, de volta ao meu quarto e debaixo das cobertas, mando uma mensagem para o meu pai.

Eu: Não estou me sentindo bem. Saí cedo da escola e fui para a cama. Devo perder o jantar.

Coloco o celular no silencioso e o coloco embaixo do travesseiro. Fecho os olhos, mas nem assim paro de ver Sagan na minha frente. Honor e eu não somos mais tão íntimas como antigamente, então não é incomum que eu não tenha conhecimento do seu novo namorado. Notei que ela tem saído mais do que o habitual, mas não perguntei por quê. Pelo que sei, ela nunca o trouxe a nossa casa, então eu não fazia ideia de quem ele era quando o vi hoje.

Se eu tivesse visto seu rosto antes do incidente na praça da cidade, todo esse constrangimento poderia ter sido evitado. Eu saberia imediatamente quem ele era. Se ele tivesse pelo menos uma gota de decência no corpo, terminaria com ela e jamais colocaria os pés nessa casa. Até parece que eles estão apaixonados. Mal se conhecem; só tem duas semanas. Qualquer um em seu juízo perfeito não ia querer se intrometer entre irmãs. Ainda mais gêmeas.

Mas também duvido que ele tenha qualquer interesse em mim. Foi realmente um engano. Ele achava que eu era Honor. Se ele soubesse que eu era a irmã dela, nunca teria dito coisas perturbadoras e enjoativas de tão doces como "Você me enterra" pouco antes de enfiar a língua na minha garganta. Provavelmente ele está rindo da confusão. É provável que, no fim, ele tenha contado a Honor o que aconteceu e os dois estejam rindo disso.

Rindo da pobre e ridícula Merit que achou que o cara bonito estava a fim dela.

Detesto ficar tão constrangida com isso. Eu devia ter dado um tabefe nele quando me beijou. Se tivesse feito, também estaria rindo agora. Em vez disso, eu me joguei para cima dele e consumi o máximo que pude daquele beijo, e dele. É uma sensação que quero experimentar de novo. E é isto que mais me incomoda. A última coisa que quero é que exista algo me dando motivos para invejar minha irmã. Só de pensar em Sagan beijando Honor como me beijou hoje, fico com inveja; meu sangue escorreria verde de veneno se alguém me apunhalasse agora.

Sempre tive medo de que acontecesse algo assim. Que alguém supusesse que eu era ela e eu, de algum jeito, acabasse passando vergonha. Na verdade, a única coisa que nos distingue é que ela usa lentes de contato e eu não. Não importa que eu tenha feito todo o possível para me diferenciar de Honor, inclusive cortar e tingir o cabelo, passar fome, comer demais, sempre parece que temos o mesmo peso, a mesma aparência, a mesma voz.

Mas não somos iguais.

Não sou nada parecida com minha gêmea idêntica, que prefere corações de cadáver àqueles que são plenamente funcionais.

Não sou nada parecida com meu pai, Barnaby, que virou nossa vida de cabeça para baixo, simplesmente porque odiava um cachorro.

E certamente não sou nada parecida com meu irmão Utah, que passa cada momento em que está acordado vivendo um presente exato, perfeito e pontual por fora, para compensar todas as imperfeições interiores que vivem em seu passado.

E, finalmente, sem nenhuma sombra de dúvida, estou a uma boa distância da minha mãe, Vicky, que passa seus dias e noites no Quarto Quatro vendo Netflix, lambendo o sal das batatas fritas, vivendo da aposentadoria por invalidez, recusando-se a deixar a casa onde o ex-marido e sua nova esposa, Victoria, continuam a levar sua vida no andar de cima, principalmente nos Quartos Um e Três.

O NyQuil começa a fazer efeito assim que ouço a porta da frente se abrir. A voz de Moby atravessa o corredor e a de Victoria vem logo em seguida, dizendo a ele para lavar as mãos antes do lanche.

Estendo a mão para a mesa de cabeceira e pego meus fones de ouvido. Neste momento, prefiro dormir ouvindo Seafret a escutar o som da minha família.

Capítulo três

Eu realmente esperava nunca mais ter que ver Sagan. Esperava que eles terminassem antes de ela o trazer para perto da família e fazer as apresentações. Essa esperança durou um dia, até que minguou. E agora já minguou há quase duas semanas.

Nessas duas semanas, perdi a conta de quantas vezes Sagan esteve em nossa casa. Ele veio jantar todas as noites, tomou café da manhã diariamente e esteve presente na maior parte do tempo entre as duas coisas.

Não falei uma só palavra com ele desde a manhã em que ele apareceu pela primeira vez em nossa casa, apenas um dia depois de ele estar com a língua na minha boca. Saí do meu quarto, ainda de pijama, e vi que ele estava sentado à mesa. Assim que nos olhamos, eu me virei e abri a geladeira. Parecia que meu coração era uma bolinha de pinball quicando dentro do peito.

Consegui passar pelo café da manhã naquele dia sem pronunciar uma palavra que fosse. Depois que todos pegaram suas coisas e saíram, soltei um leve suspiro de alívio até perceber que ele ainda estava na cozinha e tive a impressão de que ele não ia embora, como todos os outros. Ouvi Honor se despedir dele. Eu não estava olhando para os dois e isso me fez perguntar se eles trocaram um beijo de despedida. Mas não fiquei curiosa o bastante para me virar e testemunhar. Minha curiosidade era por que ele não estava saindo com ela. Era meio estranho que ele ficasse em uma casa que não estava acostumado depois de a namorada partir para a escola, mas foi exatamente o que ele fez.

Depois que todos saíram, menos ele, peguei um pano para limpar a bancada. Não precisava de limpeza, mas eu não sabia o que fazer com as mãos, nem com os olhos. Ele se levantou e pegou os três copos que ainda estavam na mesa. Entrou com eles na cozinha e colocou a meu lado enquanto despejava o conteúdo na pia.

O silêncio no ambiente era muito pesado. Fez com que o momento entre nós parecesse muito mais dramático do que deveria.

— Quer conversar sobre o que aconteceu? — Ele abriu o lava-louças como se tivesse o direito de lavar os pratos da casa. Colocou os três copos na primeira prateleira e fechou o aparelho. Enxugou as mãos em uma toalha e a largou no balcão enquanto esperava por uma resposta minha. Eu me limitei a negar com a cabeça, sem interesse em levantar esse assunto de novo.

Ele suspirou, depois falou.

— Merit. — Olhei nos olhos dele, o que foi uma péssima ideia porque ele baixou a cabeça e me olhou como quem se desculpa, o que tornou impossível sustentar qualquer forma de raiva injusta que eu tivesse por ele. — Sinceramente, eu peço desculpas. Eu só... pensei que você fosse ela. Se soubesse, nunca teria te beijado.

Ele parecia sincero no pedido de desculpas, mas eu, por mais que tentasse negar a sinceridade, não conseguia deixar de analisar a última parte. "Se soubesse, eu nunca teria te beijado."

De algum modo, isso mais parecia uma ofensa do que um pedido de desculpas. E eu sabia que a história toda era idiota e claro que tinha sido um engano. Honor não sabe o que aconteceu, e eu devia rir da situação. Mas não conseguia. Era difícil rir de algo que me afetou daquele jeito. Mas fiz o melhor que pude para fingir.

— Está tudo bem — falei, dando de ombros. — É sério. Aliás, foi um beijo desajeitado. Ainda bem que foi acidental, porque eu estava a dois segundos de te dar um tabefe na cara.

Algo na expressão dele vacilou. Deixei escapar um sorriso forçado ao me virar e ir para meu quarto sem olhar para trás, sem olhar para ele.

Foi a última vez que nos falamos.

Nós não nos falamos no café da manhã, não nos falamos no jantar, não nos falamos quando ele permaneceu em nossa sala de estar, vendo televisão.

Mas só porque não nos falamos, não quer dizer que eu não sinta algo toda vez que ele olha para mim. Estou constantemente tentando controlar minha pulsação porque me sinto culpada por estar atraída por ele. Não gosto de ter inveja de Honor. Procuro dizer a mim mesma que não foi por ele que me senti atraída. Foi pela ideia de um estranho me desejando o bastante para me beijar com toda aquela paixão com que ele me beijou naquele dia. É isso que invejo. A ideia disso tudo. Não tem nada a ver com Sagan ou com quem ele é, como pessoa. Nem mesmo o conheço o bastante para saber se gosto dele ou não. E nem quero saber disso, e é por isso que eu o evito.

Mas sei que ele não parece fazer o tipo de Honor. E não existe absolutamente nenhuma química entre os dois. Ou talvez isso seja apenas uma ilusão otimista da minha parte.

Venho fazendo o máximo para tolerar toda a situação, mas isto me deixa infeliz. Entretanto, tenho a sensação de que minha tolerância agora não seria tão grande, porque a infelicidade adora companhia, e a coisa que mais sinto ultimamente é infelicidade.

Apesar de passar da meia-noite, estou com a porta de casa aberta, olhando nos olhos assustados de Wolfgang. Aquele mesmo cachorro que aterrorizou meu pai por tantos anos da minha infância.

Que surpresa deliciosa.

Meu pai não reparou, mas já faz algum tempo que não vou à escola e tenho trocado a noite pelo dia. Acordei alguns minutos atrás, depois de todos terem adormecido. Fui ao Quarto Um em busca de comida, mas, antes de entrar na cozinha, ouvi o que pareciam arranhões na porta dupla da entrada de nossa casa. Como não temos nenhum animal da variedade quadrúpede, é de se pensar que meu primeiro instinto seria notificar meu pai de um possível invasor. Em vez disso, imediatamente abri a porta para investigar a questão. Se minha vida fosse um filme de terror, eu seria a primeira a morrer.

Wolfgang estava ganindo a meus pés, coberto de lama, tremendo da chuva e, pelo jeito, terrivelmente perdido. Vários trovões abalaram a casa e me acordaram algumas vezes quando a tempestade começou a cair no início da noite. Ele deve ter ficado assustado e partiu correndo até acabar no único lugar que conhecia, além daquele onde mora.

Eu nunca havia tocado no cachorro, desde que recebemos a ordem de ficar longe dele, quando crianças. Estendi a mão, mas com hesitação. Certa vez papai nos disse que testemunhou Wolfgang devorar uma escoteira inteira. Agora percebo que era uma mentira, claro, mas com a visita de Wolfgang essa noite e a atrocidade do momento sendo realçada pela escuridão, tenho certo medo de que Wolfgang pressuponha que escondo pastilhas de hortelã no bolso.

Mas ele não me devora, nem mesmo parcialmente. Na verdade, acontece bem o contrário.

Ele me lambe.

É uma passada rápida da língua, que pega meu mindinho, depois o solta, como se fosse mais uma proposta de paz do que um aperitivo. Abro um pouco mais a porta e Wolfgang reconhece como um gesto de boas-vindas, corre para dentro, atravessa imediatamente o Quarto Um e vai direto para a porta dos fundos. Depois passa a bater a pata na porta como se quisesse acesso ao quintal.

Sempre supus que Wolfgang fosse um cachorro ignorante, e me surpreende que ele encontre o caminho de volta a seu antigo território. Mas fico ainda mais surpresa que ele prefira ficar do lado de fora, no quintal, a permanecer aqui dentro, onde está seco. Eu perguntaria por que tomou a pior decisão, mas ele é um cachorro.

Abro a porta dos fundos e Wolfgang gane mais uma vez, depois empurra a porta de tela até que se abre, como se estivesse em uma missão. Acendo a luz do quintal e o observo descer a escada e correr pela chuva até a casa de cachorro que não foi transferida nem usada desde que ele foi despejado por meu pai anos atrás.

Quero avisar a Wolfgang que pode haver aranhas ou outros ocupantes que desde então tomaram posse da sua antiga residência, mas parece que ele não se importa. Desaparece dentro da antiga casa de cachorro e observo por um momento para saber se ele vai voltar correndo, mas ele não faz isso.

Fecho a porta de tela, depois a porta dos fundos e passo o ferrolho. Vou devolver o cachorro ao pastor Brian de manhã. Isto se ele não descobrir como escalar a cerca do quintal e voltar para casa sozinho.

Preparo um sanduíche para mim e ligo a televisão, mas ainda não achei nada de interessante para assistir quando acabo de comer. Dormi tanto naquela noite que me sinto cheia de energia; nem mesmo penso em Honor e seu namorado. Decido usar minha explosão de energia incomum para limpar meu quarto.

Coloco os fones de ouvido e começo a limpeza, mas é surpreendente quantas músicas falam do amor proibido ou de beijar alguém. Mudo de música sempre que minha cabeça parte na esperança de acender uma lembrança independente. Pulo as músicas até chegar a "Ocean", depois pego uma camiseta velha para limpar todos os meus troféus. Sempre que compro um troféu novo, tiro a poeira dele e refaço a arrumação. O novo troféu de boliche que comprei duas semanas atrás vai para a frente, no meio. No fundo da prateleira, pego o troféu de futebol que roubei de Drew Waldrup. Coloco de lado, para quando eu for trocar a roupa de Jesus Cristo ainda essa noite.

Passo as próximas horas desfrutando de uma casa solitária em que todos dormem. Tomo um banho sem ser interrompida. Vejo os dez primeiros minutos de oito programas diferentes na Netflix. Posso ter algum distúrbio de atenção, porque nunca consigo passar por um programa inteiro sem ficar entediada. Faço uma palavra cruzada e meia antes de empacar em um sinônimo de quatro letras para *palavra*. Quando percebo o primeiro raio de sol brilhando por um dos vitrais, decido trocar as roupas de Jesus Cristo antes que alguém acorde.

Pego tudo de que preciso. Coloco a escada na sala de estar e subo, segurando meu troféu de futebol roubado. Retiro o rolo de fita adesiva do pulso e coloco o troféu na mão direita de Jesus, depois prendo ali com a fita. Ajeito o boné dos Packers no alto de sua coroa de espinhos. Quando termino, desço da escada e me afasto para admirar minha criação.

Normalmente, dou um apelido temporário a Jesus, dependendo do tema dos trajes. No mês passado, ele foi chamado de "Fantasma Sagrado", por motivos óbvios. E agora, considerando que está vestido de torcedor dos Packers, com camisa do time e tudo, um boné do Wisconsin e agora o troféu desaparecido de Drew Waldrup, acho que eu o batizo de Packers Cristo.

— Papai e Victoria vão ficar irritados quando virem isto.

Eu giro o corpo e uma Honor de banho recém-tomado e vestida olha fixamente para Packers Cristo. Abro um sorriso, porque foi exatamente por isso que fiz todo esse esforço. Meu pai é um torcedor fanático dos Cowboys e incessantemente fala do jogo noturno entre Dallas e Green Bay. Ele vai ficar muito irritado por eu ter vestido Jesus Cristo de torcedor dos Packers.

Por outro lado, Victoria ficará chateada por eu ter simplesmente vestido Jesus. Ao contrário do meu pai, Victoria acredita em Deus. E em Jesus. E na santidade da religião. Ela detesta quando fantasio Jesus. Diz que é sacrilégio e uma falta de respeito.

Eu discordo. Seria falta de respeito se o verdadeiro Jesus Cristo estivesse em nossa sala e eu o obrigasse a trocar de roupa o tempo todo. Mas este Jesus é falso, feito de madeira e plástico. Tentei explicar isso a Victoria. Disse a ela que também é muito errado venerar falsos ídolos. Vestir este ídolo de Jesus por diversão, em vez de venerá-lo, na verdade obedece aos seus ensinamentos.

Ela não entende desse jeito. Mas é evidente que sua resistência não me convenceu a parar.

Levo a escada de volta à garagem, assim me livro das evidências. Meu pai deve acordar a qualquer minuto, embora esteja claro que sou a única na casa que ainda faz algum esforço para vestir

Jesus Cristo. Honor não parece se importar com a vida eterna desde que ficou obcecada por doentes terminais, alguns anos atrás.

Honor e eu podemos ser idênticas, e ter maneirismos idênticos, mas não podíamos ser mais diferentes. Muitos gêmeos idênticos completam as frases um do outro, sabem o que o outro está pensando e têm interesses em comum. Mas Honor e eu nos confundimos demais. Tentamos ao máximo ter a vida padrão de gêmeas idênticas, mas simplesmente desistimos quando chegamos à puberdade.

E então, quando ela começou a namorar Kirk, a morte dele colocou um muro ainda maior entre nós, porque, até aquela altura, tínhamos vivido quase tudo juntas. Depois da morte de Kirk, ela vivia coisas que eu não tinha experimentado. Apaixonar-se, perder a virgindade, sentir a dor da perda. Depois disso, não parecia mais que estávamos no mesmo nível. Ou, pelo menos, ela sentia estar em um nível diferente do meu. E quanto mais o tempo passa, mais nos afastamos.

Volto da garagem para a cozinha e meus passos vacilam quando vejo Sagan.

Ele está de costas para mim, sentado à mesa de nossa cozinha. De nossa casa. Em uma hora do dia muito imprópria. Quem visita a namorada às sete da manhã? Ele está se tornando um hóspede constante em Dólar Voss, o que me deixa com uma inveja cada vez menor da minha irmã sempre que ele decide ficar aqui. Quem, em seu juízo perfeito, voltaria de boa vontade a essa casa? Ele não conheceu minha família? Será que está cego por seu amor não correspondido por Honor?

Ele está curvado, intensamente concentrado no bloco de desenho que tem à frente. Quando percebi que ele era de fato um artista, ri da minha sorte. Eu torcia para que fosse um artista pouco antes de ele me beijar, mas é conveniente que quanto mais tempo passo perto dele, mais perfeito ele parece. É carma por me sentir atraída pelo namorado da minha irmã gêmea.

Moby entra na cozinha e se arrasta à mesa. É bem possível que ele seja a única parte dessa família que me traz alegria, mas é fácil gostar das crianças de 4 anos. Ainda há muito tempo para Moby me decepcionar.

— Bom dia, amiguinho. — Sagan mexe no cabelo de Moby, mas o garoto não é uma pessoa matinal, apesar da idade. Ele afasta a cabeça e sobe na cadeira ao lado dele. Sagan arranca uma folha de papel em branco do bloco sobre o qual esteve recurvado. Desliza a folha de papel na frente de Moby e pega um lápis de cor em um cesto que tem diante dele, instantaneamente ganhando a atenção dele. Não existe uma criança de 4 anos na terra que não adore um lápis de cor e uma folha de papel. Moby sempre tenta copiar os desenhos de Sagan. O que é cômico, considerando os temas mórbidos que o namorado de Honor sempre desenha. Ontem mesmo encontrei uma imagem que ele desenhou de Honor. Ela estava sentada em um túmulo vazio, passando batom. Ao fundo, ele escreveu "Até que a morte nos separe".

Nunca sei o que significam os desenhos dele, mas me fascinam. Só não quero que ele saiba disso. Também não quero que ele saiba que sempre que ele faz um desenho para Honor e ela larga por aí como se não significasse nada, eu o roubo. Agora tenho vários desenhos dele, embrulhados em um roupão e metidos no fundo da minha cômoda. Às vezes eu os olho e finjo que retratam a mim, e não Honor.

Estou certa de que aquele que ele desenha agora também acabará no fundo da minha gaveta, porque Honor não valoriza o lado artístico do namorado.

Moby olha para mim e tapa a boca, murmurando algo que só eu devia ouvir. Ele sempre cobre a boca com a mão aberta quando conta um segredo a alguém, em vez de colocar em concha em volta da boca. Isso é tão lindo que não temos coragem de dizer que nunca conseguimos entender uma palavra do que ele diz. Mas dessa vez não preciso entender, porque sei exatamente o que está me pedindo.

Dou uma piscadela para ele e pego a caixa de donuts em cima da geladeira. Restam dois, assim coloco um na boca e passo o outro a Moby. Ele pega o donut da minha mão e de imediato vai comer embaixo da mesa. Nem preciso dizer a ele para se esconder da mãe. Ele já sabe que qualquer coisa de gosto bom para ele é proibido para Victoria.

— Você sabe que está ensinando que ele coma porcaria escondido, não é? — Utah entra na cozinha com seu ar superior de sempre. — Se ele tiver obesidade mórbida quando crescer, a culpa será sua.

Discordo dessa teoria, mas não digo nada em defesa dos meus atos. Estragaria minha série de três dias sem falar. Porém, apesar da falta de uma réplica de minha parte, Utah está enganado. Se Moby tiver obesidade mórbida quando crescer, a responsabilidade será toda de Victoria. Ela eliminou grupos alimentares inteiros da dieta dele. Não permite que ele consuma açúcar, carboidratos, glúten ou qualquer ingrediente que termine em *ose*. O coitado do menino come aveia integral no café da manhã todo dia. Sem manteiga, nem açúcar. Isso não pode fazer bem a ele.

Pelo menos eu ofereço doces a ele com moderação.

Utah passa por mim a caminho de sua vitamina. Pega da mão de Honor e se curva para lhe dar um beijo rápido de agradecimento no alto da cabeça. Ele sabe que não deve chegar perto de mim com seu animado carinho de irmão.

Se a prova não estivesse em nosso DNA, eu diria que Utah e Honor parecem mais gêmeos idênticos do que ela e eu. São eles que terminam as frases um do outro, têm piadas particulares e passam a maior parte do tempo juntos.

Utah e eu não temos nada em comum além de sermos as únicas pessoas na família Voss que conhecem seu segredo mais sombrio e mais profundo. Mas como é algo que nunca discutimos desde o dia em que aconteceu, agora nem chega a ser um fio de união entre nós.

E não somos nada parecidos na aparência. Honor e eu somos mais parecidas com a nossa mãe. Ou pelo menos como mamãe era quando mais nova. O cabelo era de um louro mais vibrante, mais parecido com o nosso agora. Mas ela não vê o sol há tanto tempo que notei que a cor ficou opaca. Utah se parece com papai, tem cabelo castanho e a pele clara. Honor e eu também temos um tom de pele mais claro, mas não tanto quanto a de Utah. Ele precisa usar protetor solar quando fica ao ar livre por mais de meia hora, ou terá queimaduras. Acho que Honor e eu temos sorte, porque ficamos bronzeadas com muita facilidade no verão.

Moby é uma mistura de todos nós. Às vezes é parecido com papai, às vezes com Victoria. Na maior parte do tempo, porém, ele me lembra aquele passarinho de um comercial de detergente que vi no ano passado. Não é uma semelhança ruim. O passarinho é uma graça.

Utah se senta e se curva para olhar embaixo da mesa.

— Bom dia, amiguinho. Está animado com o dia de hoje?

Moby limpa a cobertura pegajosa da boca com a manga da camisa e concorda com a cabeça.

— Estou!

— O quanto está animado? — pergunta Utah.

— Muito animado! — diz Moby, sorrindo de orelha a orelha.

— O quanto está animado?

— Animado pra caramba! — grita Moby.

Não há nada de significativo no dia de hoje para ficar animado. Esse diálogo ocorre diariamente entre Utah e Moby. Utah diz que é importante estimular as crianças no início do dia, mesmo que não haja nada de significativo nele. Ele diz que ajuda a fomentar um ambiente neurológico positivo, seja lá o que isso signifique.

Utah quer ser professor e já tem planejada toda a grade da faculdade. Assim que se formar no ensino médio, daqui a seis meses, ele tem uma folga de dois dias no fim de semana, e começa as aulas na universidade local na segunda-feira seguinte. Honor também se matriculou para começar as aulas dois dias depois da formatura.

E eu? Ainda estou me questionando se vou à aula hoje, que dirá à faculdade daqui a seis meses.

É incomum ter três irmãos que estão no último ano do ensino médio ao mesmo tempo. Minha mãe deu à luz Utah em agosto e um mês depois engravidou de mim e de Honor. Aparentemente, essa história de que a amamentação impede uma mulher de ovular é só boato.

Quando chegou a vez de Utah começar na escola, ela e meu pai decidiram segurá-lo por um ano para que eles pudessem colocar todos na mesma série, ao mesmo tempo. Não faz sentido lidar com horários diferentes quando você pode ter um horário só para seus três filhos.

Acho que eles não pensaram muito no futuro para considerar o pagamento de três anuidades universitárias ao mesmo tempo. Mas isso não teria importância. Meus pais não têm dinheiro para pagar nem uma só anuidade universitária, e muito menos três. Quando começarmos a faculdade, será crédito estudantil ou nada para mim. Honor e Utah não precisam se preocupar com anuidades porque, se continuarem como estão, eles têm vários pontos à frente de qualquer outro na turma quando se trata de competir para ser o melhor aluno. Não há dúvida de que um irmão Voss ficará entre os dois melhores da turma e conseguirá as cobiçadas bolsas de estudos que acompanham os prêmios. É apenas uma questão de qual deles se sairá melhor. Voto em Utah, simplesmente porque ele corre um risco menor de se preocupar com doentes terminais entre hoje e a formatura.

Não sou uma pessoa de natureza competitiva, e assim as notas nunca significaram tanto para mim quanto significam para os dois. Eu costumava ficar em algum lugar no meio da turma quando se trata da média de notas, mas tenho certeza de que minha média caiu nas últimas duas semanas. Não voltei à escola desde o dia em que saí cedo e fui à praça. Pode ser que eu volte, mas estou mais inclinada a não fazer isso.

Utah vai se mudar daqui a um ou dois meses, mas provavelmente isso não afetará sua média. Utah não é de gostar de farra e de deixar as notas caírem. Além disso, provavelmente ele ainda ficará aqui a maior parte do tempo, porque não vai muito longe. Está reformando o piso de nossa antiga casa — aquela localizada bem atrás desta. Assim que terminar, vai se mudar para lá. Na realidade, a paz e a tranquilidade darão a ele ainda mais tempo para estudar. E limpar. E passar suas roupas a ferro. Ele deve ser o aluno do último ano do ensino médio mais impecavelmente vestido que já vi em uma escola pública que não exige uniforme. Sinceramente, vou ficar feliz quando ele se mudar para nossa antiga casa. Já faz algum tempo que existe muita tensão entre nós.

Sirvo um copo de suco para mim e me sento à mesa de frente para Sagan. Ele não nota minha presença, mas protege o que está desenhando com o braço aleatoriamente tatuado. Observo algumas tatuagens que ainda não havia notado. Tem uma espécie de escudo, um lagarto mínimo com um olho só. Ou talvez ele esteja piscando. Eu perguntaria a ele o que significam, mas assim teria de falar com ele. Fico de boca fechada e tento dar uma espiada no que ele desenha. Curvo-me para a frente e procuro ter uma visão melhor. Os olhos dele disparam e encontram os meus. Ignoro a palpitação de energia que o contato com os olhos dele provoca em mim e forço uma expressão inabalável. Ele arqueia uma sobrancelha, pega o bloco e se recosta na cadeira. Ainda está me olhando enquanto meneia a cabeça lentamente para que eu saiba que não tenho o privilégio de vê-lo desenhar.

Eu não quero ver mesmo.

Seu telefone vibra e ele praticamente se atira nele. Abre o aparelho e olha a tela, mas seu rosto continua inexpressivo. Ele silencia a ligação e fecha o telefone. Agora estou curiosa para saber quem o deixou tão ansioso para atender ao telefone, se Honor está sentada bem aqui. Sagan olha para Honor e ela o está encarando. Há um diálogo silencioso entre os dois e saber que eles devem ter segredos íntimos abre um buraco em meu estômago.

Volto minha atenção a Moby, que ainda está escondido embaixo da mesa. Ele conseguiu ficar com mais donut na cara do que dentro da boca.

— Mais um? — Ele fala em voz baixa, de boca cheia. Nego com a cabeça. Moderação. Além disso, os donuts acabaram.

Victoria entra apressada na cozinha.

— Moby, venha comer sua aveia! — Ela grita isso alto o bastante para alcançar todos os quadrantes da casa, mas se prestasse mais atenção no filho do que em maquiagem, notaria que ele já acordou, já se vestiu e já se alimentou.

Victoria pega uma faca na gaveta e uma banana. Passa a lâmina da faca por seu jaleco cor-de-rosa, avaliando a limpeza. Ou a falta dela.

— Ontem foi dia de quem lavar os pratos?

Nenhum de nós responde. Raramente respondemos. Se papai não estiver presente, Victoria é de pouca importância para nós.

— Bom, quem descarregar o lava-louças, trate de verificar se a louça está limpa antes de retirá-la. Está nojenta. — Ela coloca a faca na pia e pega outra na gaveta. Olha todos os enteados na cozinha, sentados em volta da mesa. Sou a única que olha para ela. Ela suspira e descasca a banana.

Não sei o que meu pai vê nessa Victoria. É claro que ela é bonita para a idade, já passou dos 35. Uns bons dez anos mais nova do que minha mãe. Mas as virtudes de Victoria terminam aí. Ela é uma mãe autoritária para Moby. Leva com muita seriedade seu emprego de enfermeira. Não quero dizer que a profissão de enfermeira não seja respeitável. Mas o problema de Victoria é que ela parece não saber separar a vida profissional da vida doméstica. Sempre está em modo de enfermeira com Moby, como se ele fosse doente, mas é um menino de 4 anos muito saudável. E ela sempre usa jaleco cor-de-rosa, embora possa usar qualquer cor ou a estampa que quiser.

Acho que seu jaleco rosa me irrita mais do que qualquer outra coisa nela. Eu até estaria mais disposta a perdoá-la pela atrocidade que cometeu contra minha mãe se ela usasse uma cor diferente só uma vez na vida.

Lembro-me do dia em que ela passou a vestir jalecos cor-de-rosa. Eu tinha 12 anos, estava sentada nessa mesma mesa. Ela saiu do Quarto Três, na época em que o Quarto Três era partilhado por meu pai e minha mãe doente. Victoria foi enfermeira da minha mãe por cerca de seis meses e eu sinceramente gostava um pouco dela. Quer dizer, até especificamente aquela manhã.

Meu pai estava sentado na minha frente, lendo o jornal, quando ergueu a cabeça para ela e sorriu.

— Você fica muito bem de rosa, Victoria.

Sei que eu era nova, mas até as crianças reconhecem um flerte, em particular quando envolve um dos seus dois genitores casados.

Desde esse dia, Victoria só usou jalecos em tons de rosa. Costumo me perguntar se o caso deles começou antes ou depois daquele momento de sedução na cozinha. Às vezes a curiosidade me consome tanto que quero perguntar a eles a hora exata em que os dois começaram a estragar a vida da minha mãe. Mas isso significaria que íamos discutir abertamente um segredo e, nesta família, não fazemos isso. Enterramos nossos segredos numa sepultura mais funda do que aquela na qual Victoria quer que minha mãe caia.

Eles mantiveram o caso em segredo por pelo menos um ano. Tempo suficiente para perceber que o câncer da minha mãe, afinal, não ia matá-la, mas não o bastante para impedir que Victoria engravidasse. Meu pai, a essa altura, ficou entre a cruz e a espada. Qualquer que fosse a decisão dele, ainda sairia dessa como um imbecil. Por um lado, ele podia decidir não abandonar a esposa que tinha acabado de derrotar um câncer. Mas se escolhesse a esposa, significaria abandonar a nova amante grávida.

Isso já faz muito tempo, não sei como ele acabou tomando essa decisão. Não tenho muitas recordações de qualquer briga acontecendo entre os adultos. Mas me lembro quando minha mãe e meu pai discutiram onde iam morar sua nova esposa e o filho. Ela sugeriu que ele se mudasse para nossa antiga casa atrás de Dólar Voss e a deixasse ali, cuidando de nós, as crianças. Ele se recusou, alegando que ela não era mental ou fisicamente competente para cuidar dos filhos sem a assistência dele. E infelizmente ele tinha razão.

Minha mãe sofreu um acidente de carro quando estava grávida de mim e da minha irmã e nunca se recuperou plenamente. Para nós, as filhas, ela é a mesma pessoa de sempre, considerando que não a conhecemos antes do acidente. Mas sabemos que ela mudou graças ao modo como papai se refere às coisas. Ele diz, "Antes do acidente, quando sua mãe podia...", ou "Antes do acidente, quando tirávamos férias...", ou "Antes do acidente, quando ela não estava tão doente...".

Ele nunca falou nada disso por maldade, acho que não. Era apenas a realidade. Existe a Victoria Voss de "antes do acidente" e a Victoria Voss que conhecemos como mãe. Se a gente não contar o problema nas costas, os dois anos de luta contra o câncer no cérebro, um leve mancar no andar, uma ansiedade social grave que a manteve no porão por mais de dois anos, algumas cicatrizes no braço direito e sua incapacidade de passar um dia inteiro sem tirar pelo menos dois cochilos, ela é relativamente normal.

Antigamente tentávamos fazê-la sair do porão e interagir conosco o tempo todo. Da última vez que ela saiu foi para comparecer ao enterro de Kirk, e só porque Honor implorou aos prantos que ela fosse. Depois disso, quando o primeiro ano de sua reclusão passou e mamãe parecia se sair muito bem com sua vida no porão, não tivemos alternativa senão aceitar o fato. Utah, Honor e eu vemos como mamãe está diariamente. Meu pai ainda compra todos os seus mantimentos e Honor e eu cuidamos para que a minicozinha esteja plenamente abastecida. Ela não tem conta nenhuma para pagar porque meu pai cobre as despesas de toda a casa.

O único problema que surgiu nos dois anos desde que ela se tornou reclusa foi sua saúde. Felizmente, meu pai encontrou um médico que faz visitas domiciliares, quando necessário. E como mamãe se recusa a ver um psiquiatra para tratar a fobia social, não temos alternativa senão aceitar. Por enquanto. Tenho a sensação de que no próximo ano, depois que os três filhos estiverem fora de casa, Victoria vai exigir que minha mãe se mude daqui. Mas essa é uma batalha que ninguém quer travar prematuramente, até porque meus irmãos e eu seremos os primeiros a sair em defesa de nossa mãe.

Victoria se resignou a fingir que minha mãe não existia. Assim como meus irmãos e eu fingimos que Victoria não existe. Não vemos sentido em fazer amizade com uma mulher que desprezamos simplesmente porque ela é mãe do nosso meio-irmão mais novo.

Desde o dia em que Victoria entrou em nossa vida, a família não foi mais a mesma. E embora consideremos papai responsável por metade dos problemas que passamos, ele ainda tem que nos amar. Então fica mais difícil culpar meu pai no lugar de Victoria, que nem mesmo gosta de nós.

Victoria recolhe as bananas e as coloca em camadas por cima da tigela de aveia de Moby.

— Moby, venha comer seu café da manhã!

Moby sai de baixo da mesa e se levanta.

— Não estou com fome. — Ele usa a manga da camisa para limpar o açúcar de confeiteiro da boca. Não há como esconder que ele acaba de devorar um donut e não tem sentido tentar esconder que fui eu que dei a ele.

— Moby — diz Victoria, examinando o filho. — Mas você está todo coberto de quc... — Lá vem. — Merit! Já te falei para não dar donuts a ele.

Olho com inocência para Victoria justo quando meu pai entra na cozinha. Ela gira o corpo para encará-lo, agitando a faca que usou para fatiar as bananas.

— Merit deu um donut a Moby como café da manhã!

Meu pai passa gentilmente os dedos pelo pulso de Victoria e pega a faca. Inclina-se, dá um beijo no rosto dela, depois baixa a faca no balcão, localizando-me em sua multidão de filhos.

— Merit, já conversamos sobre isso. Se fizer de novo, vai ficar de castigo.

Concordo com a cabeça, supondo que isso encerre o assunto. Mas Victoria não para por aí, porque um donut como café da manhã é o equivalente ao Armagedom e merece todo o pânico.

— Você nunca os coloca de castigo. — Ela o acusa. Pega a tigela de aveia e leva à lixeira. Furiosa, despeja o conteúdo da tigela no lixo. — Nunca vi você cumprir realmente uma punição que fosse, Barnaby. É por isso que eles agem desse jeito.

Eles são os três filhos mais velhos do meu pai. E é a verdade. Ele é cheio de ameaças vazias e muito pouco cumprimento. É o que mais gosto no meu pai.

— Querida, pegue leve. Talvez Merit não soubesse que não devia dar um donut a ele hoje.

Nada irrita mais Victoria do que meu pai ficar do nosso lado em uma briga.

— É claro que Merit sabe que não deve dar donuts a ele. Mas ela não me dá ouvidos. Nenhum deles me ouve. — Victoria joga a tigela na pia e se abaixa para pegar Moby no colo. Coloca o filho na bancada ao lado da pia e molha um guardanapo para limpar os restos de donut em seu rosto. — Moby, você não pode comer donuts. Eles fazem mal para você. Deixam você sonolento e quando você fica sonolento, não consegue se sair bem na escola.

Pouco importa o fato de que ele tem 4 anos e não está numa escola de verdade.

Meu pai bebe sua xícara de café, depois mexe no cabelo de Moby.

— Ouça o que sua mãe está dizendo, amiguinho. — Ele leva o café e o jornal à mesa, sentando-se a meu lado. Olha para mim de um jeito que diz que não está satisfeito comigo. Eu só o encaro esperando que ele exija que eu peça desculpas, ou me pergunte por que infringi de novo uma das regras de Victoria.

Mas ele não faz isso. O que significa que minha greve de fala vai entrando pelo quarto dia.

Pergunto se alguém vai notar meu caráter taciturno. Não tenho o hábito de dar um gelo em ninguém. Tenho 17 anos. Não sou uma criança. Mas me sinto invisível nessa casa na maior parte do tempo e estou curiosa para saber quanto tempo vai levar até alguém reparar que não pronuncio uma palavra que seja.

Sei que é meio passivo-agressivo, mas não estou fazendo isso para provar argumento nenhum a eles. Simplesmente é para provar um argumento a mim mesma. Pergunto-me se consigo passar por uma semana inteira. Certa vez vi uma citação que dizia: "Não torne sua presença conhecida. Torne sua ausência notada."

Ninguém nessa família nota minha presença ou minha ausência. Todos eles notam Honor. Eu nasci depois, e isso faz de mim uma cópia desbotada do original.

— O que vai entrar no letreiro hoje, Utah? — pergunta meu pai.

Já é bem ruim que todos os ex-paroquianos dessa igreja ainda guardem ressentimento contra meu pai por ter comprado a casa, mas o letreiro enterra a faca ainda mais fundo. Tenho certeza de que as citações diárias que não têm nada a ver com o cristianismo incomodam as pessoas. A citação de ontem dizia CHARLES DARWIN COMEU CADA ANIMAL QUE DESCOBRIU.

Preciso procurar essa informação no Google porque parece louca demais para ser verdade. É verdade.

— Você verá em cinco minutos — diz Utah. Ele toma o que resta do seu shake e se afasta da mesa.

— Espere — diz Honor. — Talvez seja melhor você não atualizar o letreiro hoje. Sabe como é, em sinal de respeito.

Utah olha inexpressivamente para Honor, o que indica a ela que nenhum de nós sabe do que ela está falando.

Ela olha meu pai.

— O pastor Brian morreu ontem à noite.

De imediato volto minha atenção para meu pai com essa notícia. Raras vezes ele demonstra emoções e não sei que emoção isso provocará nele. Certamente haverá alguma coisa. Uma lágrima? Um sorriso? Ele olha Honor estoicamente enquanto absorve a notícia.

— Morreu?

Ela assente.

— Foi, eu vi no Facebook agora de manhã. Infarto.

Meu pai se recosta na cadeira, segurando a xícara de café. Baixa os olhos para a xícara.

— Ele morreu?

Victoria coloca a mão no ombro do meu pai e lhe diz algo, mas me desligo dela. Até o momento, eu tinha me esquecido completamente do aparecimento de Wolfgang ontem à noite.

Cubro a boca com a mão porque de súbito quero contar a todos sobre o cachorro que apareceu no meio da noite, mas me sinto sufocar.

Eu não tive nenhuma reação à notícia do falecimento do pastor Brian, mas perceber que seu cachorro voltou ao único outro lar que conheceu na vida me dá vontade de chorar. O que isso diz sobre mim?

Uma vez, no meio de uma briga, Honor me chamou de sociopata. Faço questão de procurar essa palavra depois. Pode haver alguma verdade nisso.

— Não acredito que ele morreu — diz meu pai. Ele se levanta e a mão de Victoria desliza do seu ombro e desce por suas costas. — Ele não era muito mais velho do que eu.

É claro que é nisso que ele se concentra. Na idade do pastor Brian. Está menos preocupado com a morte de um homem com quem esteve em guerra durante anos, e mais preocupado por estar perto da idade de alguém velho o bastante para cair morto de infarto.

Utah ainda está parado à porta. Parece viver um estado de incredulidade.

— Não sei o que fazer — diz ele. — Se eu não mencionar seu falecimento no letreiro, as pessoas vão nos chamar de insensíveis. Mas se eu fizer, vão nos acusar de hipocrisia.

É um estranho motivo de preocupação nesse momento.

O namorado de Honor arranca seu desenho do bloco e o olha fixamente.

— Parece que vocês estão ferrados de qualquer modo, então eu simplesmente faria o que tivesse vontade de fazer. — Ele diz tudo isso sem levantar os olhos do desenho. Mas suas palavras ainda assim alcançam Utah, porque depois de uma breve pausa ele sai pela porta da frente na direção do letreiro.

Fico confusa com duas coisas. Uma é a presença constante do namorado de Honor na nossa mesa do café da manhã. A segunda é o fato de que todos dão a impressão de o conhecerem tão bem que não veem absolutamente nenhum problema em tê-lo se juntando à conversa da família. Ele não devia estar nervoso demais para falar? Em especial perto do meu pai. Ele está por aqui há umas duas semanas. Conhecer a família da namorada parece ter combinado muito bem com ele. Detesto isso. Também detesto que ele não pareça do tipo que fala muito, mas as poucas coisas que diz têm mais peso do que se qualquer outra pessoa as dissesse.

Talvez seja em parte por isso que eu decidi fazer greve verbal. Estou cansada de dizer coisas que ninguém se importa. Vou parar de falar e, assim, quando abrir a boca, minhas palavras terão peso. Agora, parece que sempre que falo, minhas palavras dão a volta e retornam para minha boca como um bumerangue, e sou obrigada a engolir o que disse.

— O que é um infarto? — pergunta Moby.

Victoria curva-se e ajuda Moby a vestir o casaco.

— É quando seu coração para de funcionar e seu corpo vai dormir. Mas só acontece quando você é um homem bem velho, como o pastor Brian.

— O corpo dele foi dormir? — pergunta Moby.

Victoria faz que sim com a cabeça.

— Quanto tempo? Quando ele vai acordar?

— Vai demorar muito tempo.

— Ele vai ser enterrado?

— Vai — diz ela, meio irritada com a curiosidade natural do filho de 4 anos. Ela fecha o zíper do casaco. — Calce seus sapatos.

— Mas o que vai acontecer quando ele acordar? Ele vai conseguir sair da terra?

Abro um sorriso, sabendo o quanto Victoria detesta contar a verdade a Moby. Ele faz todas as perguntas normais sobre a vida e Victoria inventa as respostas mais bizarras. Ela fará qualquer coisa para protegê-lo da verdade. Uma vez eu o ouvi perguntar o que significa a palavra *sexo*. Ela lhe disse que era um horrível programa de televisão dos anos 1980 e que ele nunca devia assistir.

Ela coloca as mãos no rosto de Moby.

— Sim, ele pode sair da terra quando acordar. Vão enterrar o pastor Brian com um celular, assim ele pode telefonar quando chegar a hora de cavar para tirá-lo de lá.

Honor engasga com riso e cospe suco para todo lado. Utah lhe passa um guardanapo e cochicha:

— Ela acha que isso é mais saudável do que dizer a verdade a ele?

Todos observamos a conversa, fascinados. Victoria percebe, porque, embora esteja fracassando terrivelmente, se esforça para dar um fim às perguntas de Moby.

— Vamos procurar sua mochila. — Ela o puxa pela mão. Ele para de segui-la pouco antes de os dois chegarem ao corredor.

— Mas se a bateria do telefone dele acabar enquanto o corpo está dormindo? E se ele ficar preso na terra para sempre?

Meu pai segura Moby pela mão, vindo ao resgate da desesperada Victoria.

— Vamos lá, amiguinho. Hora de sair. — Justo quando eles viram o corredor, ouço Moby falar, "Está na hora do seu corpo dormir, papai? Está ficando bem velho também".

Honor ri e penso que o namorado faz o mesmo, mas o riso dele é silencioso e não quero olhar. Tapo a boca porque não sei se soltar o riso contraria minha greve verbal, mas as habilidades maternas de Victoria são, na melhor das hipóteses, cômicas.

Victoria encara a todos nós com as mãos na cintura, enquanto rimos. Sua cara fica tão rosa quanto o jaleco e ela sai rapidamente da cozinha, na direção do Quarto Três.

Eu sentiria pena dela, se ela mesma não tivesse tanta autopiedade.

Utah e Honor preparam suas coisas. Vou à pia e finjo me ocupar, na esperança de que eles não me perguntem se vou à escola hoje. Em geral pego um carro diferente dos dois porque ambos ficam depois da aula. Honor é líder de torcida e Utah... não sei o que Utah faz depois da aula. Vou para o meu quarto, principalmente para não ter de olhar o namorado de Honor porque, sempre que faço isso, sinto um pouquinho da sua boca na minha, daquele dia na praça.

Espero em meu quarto e ouço a porta da frente se abrir e fechar, e então espero mais alguns minutos. Quando a casa finalmente está silenciosa e tenho certeza de que todos se foram, abro a porta do quarto e vou lentamente à cozinha para saber se a barra está limpa. Minha mãe está no porão, mas a possibilidade de ela sair de lá para perguntar por que matei aula é menor do que a probabilidade de os Cowboys derrotarem os Packers essa noite.

E por falar nisso... estou meio decepcionada porque nem meu pai, nem Victoria notaram Packers Cristo antes de saírem.

A caminho da cozinha, o letreiro do lado de fora da janela chama minha atenção. Estreito os olhos para ler o que Utah escolheu exibir.

EXISTEM MAIS FLAMINGOS FALSOS NO MUNDO DO QUE OS VERDADEIROS.

Suspiro, meio decepcionada com Utah. No lugar dele, eu teria prestado minhas condolências ao pastor Brian. Ou não teria atualizado nada. Mas atualizar sem reconhecer a morte do homem que ergueu aquele mesmo letreiro parece um tanto... sei lá... parece algo que as pessoas esperariam de um Voss. Não gosto de validar a percepção negativa que eles têm de nós.

Olho a sala de estar, depois a cozinha, pergunto-me o que vou fazer de mim mesma hoje. Outra palavra cruzada? Estou ficando muito boa nelas. Sento-me à mesa com meu livro de palavras cruzadas preenchido pela metade. Abro na página que terminei na sexta-feira e começo a seguinte.

Estou na terceira pergunta quando a dúvida começa a me invadir. Não é grande coisa, isso vem acontecendo todo dia desde que deixei de ir à escola. O pânico ergue sua cabeça feiosa, fazendo-me questionar minha decisão.

Ainda não sei ao certo por que parei de ir. Não houve um incidente isolado catastrófico nem constrangedor que tenha influenciado minha decisão. Só um monte dos pequenos que se acumularam até que ficou difícil ignorá-los. Isso, combinado com minha capacidade de tomar decisões sem pensar duas vezes. Num minuto eu estava na escola e, no seguinte, decidi que preferia olhar antiguidades a aprender sobre como perdemos terrivelmente a Batalha do Álamo.

Gosto da espontaneidade. Talvez goste dela porque Utah a detesta tanto. Existe algo de libertador em se recusar a se aborrecer com situações estressantes. Não importa quanto raciocínio ou tempo você dedique a uma decisão, ainda assim só estará certo ou errado. Além disso, adquiri mais conhecimento essa semana fazendo palavras cruzadas do que provavelmente conseguiria em todo meu último ano comparecendo às aulas do ensino médio.

É por isso que só faço uma palavra cruzada por dia. Não quero ficar intelectualmente muito à frente de Honor ou de Utah.

Só quando termino a palavra cruzada e fecho o livro é que noto o desenho que ficou na mesa. Está colocado de cabeça para baixo, na frente do lugar em que me sentei esta manhã. Estendo o braço pela mesa, deslizo o desenho para mim e viro o papel.

O desenho dele não faz sentido. O que deu nele para desenhar alguém engolindo um barco?

Viro o desenho e olho o verso. Bem ao pé do papel está escrito: "Se o silêncio fosse um rio, sua língua seria o barco."

Viro novamente para o desenho e olho por um momento, completamente perplexa. Ele se inspirou em mim? Será que ele foi o único nessa casa a notar que não falo desde sexta-feira?

— Ele notou de verdade — sussurro.

Imediatamente bato o desenho na mesa e solto um gemido. Acabo de estragar minha greve de fala.

— Mas que droga.

Capítulo quatro

— Quanto tempo isso vai durar? — pergunto à funcionária do caixa, baixando o saco de vinte quilos de ração de cachorro no balcão.

— De que raça? — pergunta ela.

— É um labrador adulto e preto.

— Só um?

Concordo com a cabeça.

— Talvez um mês. Um mês e meio.

Ah. Eu estava calculando uma semana.

— Acho que ele não vai ficar conosco tanto tempo assim. — Ela me diz o valor e pago com o cartão de débito do meu pai. Ele disse que só pode ser usado em emergências. Tenho certeza de que comida é uma emergência para Wolfgang.

— Precisa de ajuda para levar lá para fora? — Alguém atrás de mim pergunta.

— Não, obrigada — digo, pegando o recibo. Viro-me e dou de cara com a pessoa. — Eu só comprei um saco... Mas que roupa *é essa*? — Eu não pretendia dizer isso tão alto, mas não esperava encontrar o tipo de cara que estou olhando agora.

Por baixo do boné aparecem umas mechas aleatórias de cabelo vermelho, brilhantes demais para ser autênticas. Tão brilhantes que é quase ofensivo. Seu rosto é normal, uma pequena imperfeição aqui e ali. Mas nem dei muita atenção a isso porque meus olhos foram direto ao kilt que ele veste. Acho que não é o kilt em si que está me atormentando, mas a combinação que ele escolheu. Ele veste uma camisa de basquete e tênis Nike verde néon. Uma mistura interessante.

O cara olha a própria roupa.

— É uma camisa de basquete — diz ele com inocência. — Não gosta de Blake Griffin?

Meneio a cabeça.

— Não sou chegada a esportes.

Ele coloca o que parece ser um suprimento vitalício de carne-seca no balcão. Passo os braços pelo saco gigantesco de ração e vou para meu carro.

O carro que me trouxe aqui não é especificamente meu, mas isso porque meu pai nunca fica com um carro por tempo suficiente para qualquer um de nós reclamar a propriedade dele. Os veículos sempre têm rotatividade em nossa garagem, e a única regra é que quem sai da casa primeiro todo dia escolhe primeiro. Acho que é o verdadeiro motivo por trás da extrema pontualidade de Utah.

No mês passado, um Ford EPX 1983 vermelho desbotado apareceu na garagem. É um carro tão ruim que pararam de fabricar praticamente assim que foi lançado. Acho que meu pai teve dificuldade em vendê-lo porque foi o veículo que durou mais tempo lá em casa. E, como raras vezes saio de casa no horário, esse Ford desafortunado foi dirigido por mim mais vezes do que por todos os outros familiares juntos.

Coloco o saco de ração na mala e estou prestes a abrir a porta do motorista quando o cara de kilt aparece do nada. Mastiga um pedaço de carne-seca, avaliando meu carro como se estivesse prestes a roubá-lo. Vai à frente do carro e bate duas vezes o Nike verde néon no pneu dianteiro.

— Você acha que pode me dar uma carona? — Ele me olha, depois se recosta no carro. Apesar do kilt, não há nenhum vestígio de sotaque escocês. Também não há nenhum vestígio de sotaque do Texas. Mas quando ele disse *você*, me pareceu um tanto britânico.

— Mas que sotaque é esse? — pergunto. Abro a porta do motorista e me coloco atrás dela como uma barreira entre nós. Ele parece inofensivo, mas sua confiança não me agrada. Preciso me proteger disso. As pessoas abertamente confiantes não merecem confiança.

Ele dá de ombros.

— Sou de toda parte. — Mas ele diz *toda* com um toque australiano.

— Tooda? Você é australiano?

— Nuunca estive lá — diz ele. — Que carro é esse? — Ele vai até a traseira do carro para ver a marca e o modelo.

— Ford EPX. Está fora de linha — digo a ele. — Para onde precisa de carona?

Ele voltou da traseira do carro e agora está parado do meu lado da porta.

— Para a casa da minha irmã. Fica alguns quilômetros a leste daqui.

Olho-o novamente de cima a baixo. Tenho consciência da estupidez de dar uma carona a um completo estranho. Em particular um estranho de kilt que parece não conseguir situar o próprio sotaque. Tudo nele grita instável, mas minha espontaneidade e a recusa ao pesar as consequências das minhas decisões são as duas coisas de que mais gosto em mim.

— Claro. Vou para o leste. — Sento-me no banco do motorista e fecho a porta. Ele sorri para mim pela janela e corre para o banco do carona. Preciso me curvar por cima do banco para destrancar a porta e ele poder abrir.

— Me dá um segundo para eu pegar minhas coisas. — Ele desata a correr pelo estacionamento até chegar a uma pilha de objetos encostados ao lado da entrada da loja. Pega a mochila e joga no ombro, depois um saco de lixo preto de 100 litros e uma pequena mala de rodinhas.

Concordei em dar uma carona a ele. Não a ele e a todas as suas posses.

Abro a mala e espero que o garoto termine de guardar seus pertences. Quando ele volta para dentro do carro, coloca o cinto de segurança e sorri para mim.

— Pronto.

— Você é um sem-teto?

— Defina sem-teto — pede ele.

— Uma pessoa que não tem uma casa.

Seus olhos se estreitam enquanto ele pensa.

— Defina casa.

Balanço a cabeça.

— Você é a pessoa mais estranha que já conheci. — Ligo o carro e engato a ré.

— É evidente que você não conheceu muita gente. Qual é o seu nome?

— Merit.

— Meu nome é Luck.

Olho abertamente para ele antes de arrancar na rua.

— Luck? Isso é um apelido?

— Não. — Ele abre seu recipiente de carne-seca e me oferece um pedaço. Faço que não com a cabeça. — É vegetariana ou coisa assim?

— Não. Só não quero carne-seca.

— Tenho barras de granola na minha mala.

— Não estou com fome.

— E sede?

— Por quê? Você nem tem uma bebida para me oferecer, se eu estiver.

— Eu ia sugerir um drive thru — diz Luck. — Você *está* com sede?

— Não.

— Quantos anos você tem?

Começo a me arrepender da minha espontaneidade.

— Dezessete.

— E por que não está na escola agora? Hoje é feriado?

— Não. Já acabei o ensino médio. — Não é uma mentira. Acabar e concluir são duas coisas diferentes.

— Eu tenho 20 — diz ele, passando a atenção para sua janela. Seu joelho sobe e desce e ele bate os dedos da mão direita na perna. Toda essa agitação faz com que eu questione minha decisão de dar uma carona até a casa da irmã dele. Tomo nota mentalmente para olhar em suas pupilas, se ele se virar para mim de novo. Seria sorte minha pegar um estranho qualquer que está saindo de um pico de drogas.

— Quantos cachorros você tem? — Ele ainda olha pela janela ao me perguntar isto.

— Nenhum.

Ele me olha e arqueia uma sobrancelha. Aproveito a oportunidade para avaliar suas pupilas. Normais.

— Por que comprou ração de cachorro se não tem cachorro nenhum?

— É para um cachorro que está na minha casa, mas ele não é nosso.

— Está cuidando de um cachorro?

— Não.

— Você o roubou?

— Não.

— De que raça é?

— Labrador preto.

Ele sorri.

— Gosto dos labradores pretos. Onde você mora? — Devo ter feito uma cara que indica o que penso dessa pergunta invasiva, porque ele responde de imediato. — Não quis dizer seu endereço exato. Só para ter uma referência em relação ao mesmo destino.

— Não sei. Não sei para onde você vai.

— Para a casa da minha irmã.

— Onde sua irmã mora?

Ele dá de ombros.

— Por ali — disse ele, apontando na direção que tomamos. Ele pega o telefone no bolso. — Tenho uma foto da casa dela.

— Você não sabe o endereço?

Ele meneia a cabeça.

— Não, mas se puder me deixar em algum lugar na área geral, posso perguntar por aí.

— Área geral de onde?

— A área geral da casa da minha irmã.

Pressiono a testa com a mão. Conheço esse cara há cinco minutos e já me sinto oprimida. Não sei se gosto dele ou se não o suporto. Ele é meio fascinante, mas de um jeito um tanto irritante. Deve ser uma daquelas pessoas que só podem ser toleradas intermitentemente. Como uma tempestade. Só são divertidas se aparecem quando você está no clima para isso. Mas se aparecem quando não são desejadas, como em um casamento ao ar livre, estragam tudo.

— Como é que você já acabou a escola? Você é uma daquelas pessoas que é melhor em tudo do que os outros? Como Adam Levine? Você deve tocar violão.

O que isso quer dizer?

— Não, não toco violão. E não sou melhor em tudo. Não sou tão boa nas perguntas como você.

— Você também não é muito boa nas respostas.

Será que ele está insultando seriamente minhas habilidades de diálogo?

— Respondi a todas as perguntas que você fez.

— Não do jeito que deveria responder.

— Existe outro jeito de responder além de dar a resposta certa?

Ele assente.

— Você está dando respostas curtas, parece não estar interessada numa conversa. Precisa ser uma dobradinha, como uma partida de pingue-pongue. Só que com você mais parece um... boliche. Segue sozinha por uma pista só.

Tenho que rir.

— Você devia aprender traquejo social. Se alguém responde a suas perguntas como quem não quer responder, talvez você deva parar de fazer perguntas.

Ele me encara por um momento, depois abre de novo seu recipiente de carne-seca.

—Não quer um pedaço mesmo?

— Não — repito, cada vez mais nervosa com ele. — Você é idiota? Tipo... clinicamente idiota?

Ele fecha o recipiente e o coloca no chão entre as pernas.

— Não, na verdade sou muito inteligente.

— Então, qual é o seu problema? Você usa drogas?

Ele ri.

— Não as ilegais.

Ele está sorrindo para mim, levando toda a conversa na esportiva. Isto é normal para ele? Ele está completamente à vontade. Faz com que me pergunte que outro tipo de gente ele encontrou na vida para pensar que o que acontece agora é normal.

Saio da rodovia e decido que o melhor curso de ação será deixá-lo no único posto de gasolina da nossa cidade.

— Você tem namorado, Merit?

Faço que não com a cabeça.

— Namorada?

De novo, nego com a cabeça.

— Bom, existe alguém que você ache interessante?

— Está dando em cima de mim, ou só fazendo suas perguntas?

— Não estou dando ativamente em cima de você, mas isso não quer dizer que eu não daria. Você é bonita. Mas agora só estou tentando conversar. Pingue-pongue.

Sopro uma lufada frustrada de ar.

— Você vai atropelar um peru — diz ele, com toda a naturalidade.

Piso no freio. Por que haveria um peru aqui? Passo os olhos a minha frente e a nossa volta, mas não vejo nada.

— Não tem peru nenhum.

— Eu quis dizer metaforicamente.

Mas o quê?

— Nunca diga a um motorista que ele vai atropelar alguma coisa metaforicamente! Meu Deus do céu! — Solto o freio até o carro voltar se movimentar.

— É uma expressão do boliche. Três strikes é um peru.

— Estou perdida.

Ele se senta mais reto e puxa a perna para o banco, de modo a ficar de frente para mim.

— Uma conversa deve ser como o pingue-pongue — repete ele. — Mas conversar com você parece boliche. É uma pista comprida de uma via só. Três strikes no boliche é um peru. E como você não responde minhas perguntas, eu usei o peru como analogia para descrever sua falta de...

— Tá legal! — digo, levantando a mão para fazê-lo calar a boca. — Eu entendi. Sim. Tem um cara. Mais alguma coisa que você queira saber antes de exagerar de novo na explicação de atropelamentos metafóricos?

Já posso sentir a empolgação dele por eu concordar em participar da conversa. Mesmo que seja só para calar a boca do sujeito.

— Ele sabe que você gosta dele? — pergunta.

Nego com a cabeça.

— Ele gosta de você?

Nego de novo com a cabeça.

— Ele não é para seu bico?

— Não — digo de imediato. — Que grosseria a sua.

Mas embora a pergunta dele tenha sido grosseira, me faz parar para pensar. Quando vi Sagan pela primeira vez no antiquário, tive medo de que ele não fosse para meu bico. Mas quando descobri que ele namorava Honor, nunca passou pela minha cabeça que ela não fosse para o bico dele. Detesto pensar que ela o merecia mais do que eu.

— Por que ele não é seu namorado?

Seguro o volante com força. Estou a um quilômetro e meio do posto de gasolina. Mais uma placa de pare e posso deixá-lo na rua.

— Não atropele perus metafóricos — diz ele. — Por que não está namorando esse irmão que você acha interessante?

Irmão? Ele acaba de se referir seriamente ao outro cara como um irmão. A metáfora do peru nem mesmo faz sentido.

— Você usa as analogias de um jeito errado.

— Não fuja da pergunta — diz ele. — Por que você e esse cara não estão namorando?

Solto um suspiro.

— Ele é namorado da minha irmã.

As palavras mal saíram da minha boca e Luck já começa a rir.

— Sua irmã? Puta merda, Merit! Que coisa horrível de se fazer!

Olho de lado para ele. Será que ele pensa que não percebo como é horrível se sentir atraída pelo namorado da minha irmã?

— Sua irmã sabe que você gosta dele?

— É claro que não. E nunca saberá. — Gesticulo para o telefone dele. — Me deixa ver a foto da casa da sua irmã. Talvez eu saiba onde fica. — Estou mais ansiosa que nunca para que ele saia do carro.

Luck rola as fotos no telefone. Justo quando chego à placa de pare, ele me entrega o aparelho.

Só pode ser brincadeira comigo. É uma pegadinha, né? De pronto, coloco o carro em modo de estacionamento. Dou um zoom na foto de Victoria parada na frente de Dólar Voss. A foto parece ter alguns anos, porque a cerca branca que meu pai instalou no ano passado não está ali.

— Parece que a certa altura foi uma igreja — diz Luck.

— Sua irmã é a Victoria?

Ele se anima.

— Conhece?

Devolvo o telefone e seguro com força o volante. Encosto a testa nele. Cinco segundos depois, um carro buzina atrás de nós. Olho pelo retrovisor e o cara de trás levanta as mãos, frustrado. Engato a primeira para arrancar.

— Sim, eu a conheço.

— Sabe onde ela mora?

— Sei.

Luck vira-se para a frente de novo.

— Ótimo — diz ele. — Isso é ótimo. — Ele volta a bater os dedos na perna. — E você vai me levar à casa dela? Agora? — Ele parece nervoso de novo.

— Não é para lá que você quer ir?

Ele assente, mas o gesto é inseguro.

— Sua irmã sabe que você está chegando?

Ele dá de ombros enquanto olha pela janela do carona.

— Não existe uma resposta certa para essa pergunta.

— Na verdade, existem duas respostas certas possíveis. Sim e não.

— Talvez ela não esteja esperando por mim hoje. Mas ela não pode me abandonar sem esperar que a certa altura eu apareça.

Eu nem sabia que Victoria tinha um irmão. Não sei se meu pai sabe que Victoria tem um irmão. E ele é tão... diferente. Não é nada parecido com Victoria.

Pego nossa rua e paro em nossa entrada de carros. Coloco o carro em modo de estacionamento. Luck olha fixamente a casa, ainda tamborilando na perna e com o joelho quicando, mas não faz esforço nenhum para sair do carro.

— Por que ela mora em uma igreja? — Ele pronuncia igreja sem o *r*. *Igueja*. Toda aquela confiança irritante sumiu, substituída por uma vulnerabilidade igualmente irritante. Ele engole em seco, depois pega o recipiente de carne-seca no chão do carro. — Obrigado pela carona, Merit. — Ele segura a porta e olha para mim. — Devíamos ser amigos enquanto estou na cidade. Quer trocar números de telefone?

Faço que não com a cabeça e abro minha porta.

— Isto não seria necessário. — Destranco a mala e saio do carro.

— Posso pegar as minhas coisas — diz ele. — Não precisa ajudar.

Abro a mala.

— Não estou ajudando. Estou pegando o pacote de ração. — Luto para retirar o saco de baixo de todos os pertences de Luck. Depois que consigo segurar bem, vou para a porta de entrada.

— Por que está levando sua ração para a casa da minha irmã? — Como não paro para responder, ele vem atrás de mim. — Merit! — Ele me alcança justo quando coloco a chave na fechadura da porta. Quando destranca, olho para ele. Ainda está de olhos fixos na chave presa à porta.

— Sua irmã é casada com meu pai.

Espero que ele absorva essa informação. Quando absorve, ele recua um passo e vira a cabeça de lado.

— Você mora aqui? Com minha irmã?

Concordo com a cabeça.

— Ela é minha madrasta.

Ele coça o queixo.

— Então isso faz de mim... seu tio?

— De consideração. — Passo pela porta da frente e largo o saco de ração no chão. Luck fica parado na soleira, passa a mão no cabelo, depois segura a nuca.

— Eu já estava imaginando você nua — resmunga ele.

— Agora é uma boa hora para parar de fazer isso.

Luck olha o carro, depois mete cabeça dentro da casa.

— Minha irmã está em casa agora? — Ele fala aos sussurros.

— Ela só vai voltar daqui a umas duas horas. Pegue suas coisas e vou mostrar onde colocar.

Enquanto ele volta para o carro, arrasto o saco de ração pela cozinha e coloco ao lado da porta dos fundos. Encontro duas tigelas antigas e encho de água e comida, depois levo para fora. Wolfgang está com metade do corpo para fora da casinha, deitado sobre o ventre. Empina as orelhas quando ouve a porta dos fundos se fechando, mas não se mexe. Só fica me observando enquanto coloco as tigelas ao lado da casinha de cachorro. Ele não faz nenhum movimento para devorar a comida, embora já esteja um dia inteiro sem ela.

Estendo a mão e acaricio sua cabeça tristonha.

— Está triste? — Jamais vi um bicho de estimação de luto na vida. Eu nem mesmo sabia que eles ficavam de luto. — Bom, você pode ficar aqui pelo tempo que precisar. Vou tentar te esconder do meu pai pelo máximo de tempo possível, mas é melhor não latir a noite toda.

Assim que me levanto, Wolfgang se ergue do chão, o suficiente para alcançar a tigela de comida. Fareja a ração, depois a água, mas volta a se deitar e solta um ganido.

Luck aparece a meu lado.

— Ele já comeu ração dessa marca? — Ele ainda segura sua mala, o saco de lixo e a mochila. Olho para a casa.

— Por que não deixou suas coisas lá dentro?

Ele baixa os olhos para seus pertences e dá de ombros. Aponta o cachorro com a cabeça.

— Qual é o problema dele? Está morrendo?

— Não. O dono dele morreu ontem. Ele apareceu no meio da noite passada porque antes morava aqui.

— Impressionante — diz Luck, virando a cabeça de lado. — Qual é o seu nome, cachorro? — Os olhos de Wolfgang percorrem Luck, mas ele não se mexe.

— Ele não consegue responder. — Acho que não preciso dizer, mas não estou convencida de que Luck compreende a realidade direito. — O nome dele é Wolfgang.

— O quê? — Luck faz uma careta. — Que nome horrível. Ele devia se chamar Henry.

— É claro. — Estou sendo sarcástica, mas, repito, não sei se Luck compreende esse nível de comunicação.

— Você está de luto? — pergunta Luck a Wolfgang.

— Quer parar de fazer perguntas ao cachorro?

Luck me olha, perplexo.

— Você é sempre tão irritadinha assim?

— Não sou irritada. — Dou as costas para ele e vou para dentro de casa.

— Bom, você não é *não* irritada — fala ele em voz baixa atrás de mim.

Depois que entramos, ele me acompanha até o Quarto Dois. Eu o levo ao quarto de hóspedes, de frente para o meu no corredor.

— Pode ficar nesse quarto. — Abro a porta e paro na soleira. — Ou não.

O quarto de hóspedes está tomado de coisas. Sapatos no chão, a cama está desarrumada, tem objetos de toalete na cômoda. Quem está dormindo aqui? Vou ao armário e, ao abrir a porta, descubro várias camisas de Sagan penduradas ali.

— Só pode ser brincadeira.

Como meu pai pode permitir que ele durma na mesma casa de Honor? Isso é mais uma prova de que ele não se importa. Ele nem mesmo se importa se Honor engravidar aos 17 anos!

Luck passa por mim e vai à parede oposta à porta. Vários desenhos estão dispostos na cômoda. Ele se concentra em um desenho de um homem pendurado em um ventilador de teto por uma corda de penas.

— Parece que tenho um colega de quarto mórbido.

— Você não tem um colega de quarto — digo. — Ele não mora aqui. Não sei por que todas as coisas dele estão aqui.

Luck pega uma escova de dentes na mesa de cabeceira.

— Tem certeza de que ele não mora aqui?

— Você pode dormir no escritório do meu pai. — Faço Luck me acompanhar até o fim do corredor. — Tem um sofá-cama. Quando Sagan for embora, você fica no quarto de hóspedes.

— O nome dele é Sagan? — Luck me acompanha para dentro da sala e larga a mochila no sofá. — Posso entender por que você o acha interessante. A arte dele é... curiosa.

— Eu não o acho interessante.

Ele ri.

— No carro, você disse que o achava interessante. Este Sagan não é o namorado da sua irmã?

Fecho os olhos e solto um suspiro de frustração. Eu só disse isso a ele porque pensei que nunca mais o veria de novo.

Luck encosta sua mala na mesa e olha a sala.

— Não é grande coisa, mas já é melhor do que onde eu estava dormindo.

— É melhor você não repetir isso — digo a ele.

Ele me olha como se, de nós dois, a esquisita fosse eu.

— Que isso é melhor do que onde eu estive dormindo?

— Não. A outra coisa. Eu só contei sobre o namorado da minha irmã porque pensei que não voltaria a ver você.

Luck sorri.

— Relaxa, Merit. Sua vida amorosa não me interessa tanto para que eu fique falando dela.

Não sei por que, mas acredito nele.

— Obrigada. Quer conhecer a casa?

Ele assente.

— Mas outra hora. Agora queria guardar minhas coisas.

— Tudo bem.

Eu me viro, esperando que ele queira ter privacidade, mas em vez disso ele diz:

— Por que tem uma estátua de Jesus Cristo na parede da sala de estar? — Ele abre a mala e começa a retirar as roupas. — Ou melhor, por que Jesus está vestido de torcedor dos Packers?

— Antigamente isso aqui era uma igreja. — Sento-me no sofá e o observo desfazer as malas.

— Seu pai é pregador ou coisa assim?

— Na verdade é exatamente o contrário.

— O que é um contrário de um pregador? Um mímico ateu?

— Meu pai não acredita em Deus. Mas ele fez um bom negócio com a igreja, então a gente se mudou alguns anos atrás. Pouco antes de ele começar a dormir com a enfermeira da minha mãe.

Ele olha por cima do ombro.

— Seu pai parece um babaca.

Eu rio.

— É gentileza sua.

Luck tira uma camisa da mala e vai ao armário.

— O que aconteceu depois que sua mãe descobriu o caso?

— Ele se divorciou dela e se casou com a amante.

— Será que a amante é minha irmã?

Concordo com a cabeça.

— Como é que você não sabe de nada disso? Já faz tanto tempo assim que não vê Victoria?

Ele vem ao sofá e se senta a meu lado. Recosta-se no braço do sofá e cruza os braços na nuca.

— Por que você não mora com sua mãe?

— Eu moro. Ela se mudou para o porão.

Espero que seu rosto transpareça o choque, mas ele se limita a erguer uma sobrancelha com despreocupação.

— Ela mora aqui? No porão dessa casa?

Faço que sim com a cabeça.

— Por que você disse que sua irmã te abandonou?

— É complicado.

— Onde estão os seus pais?

— Totalmente mortos — diz ele sem rodeios. — Eu devia tirar um cochilo antes de ela chegar aqui. Já faz algum tempo que não durmo.

Ele parece cansado, mas nunca o vi antes, então não tenho nenhum ponto de referência. Concordo e vou para a porta.

— Boa noite.

Vou para o corredor e penso em como as últimas 24 horas foram esquisitas. Pastor Brian morre, Wolfgang volta, dou carona por acaso a um cara de kilt que porventura é irmão da minha madrasta. Quando esse dia acabar, vai merecer um acréscimo na minha coleção de troféus.

Estou andando para o Quarto Dois e para a porta do quarto de hóspedes. Olho para os dois lados, apesar de não ter ninguém ali além de mim e Luck. E minha mãe, é claro. Abro a porta e examino o quarto em que Sagan está dormindo. Sempre fui meio distraída, mas isso leva a distração a um novo nível. Há quanto tempo as coisas dele estão aqui? Eu simplesmente supus que ele vinha para o desjejum toda manhã e ficava até tarde da noite. Estou surpresa que meu pai tenha permitido isso, mesmo sabendo que às vezes ele é leniente.

Sento-me na cama e coloco o bloco de desenho no meu colo. Sei que não devia olhar as coisas dele, mas me sinto justificada, porque eu não sabia que tínhamos um novo membro em nossa casa. Folheio o bloco, mas todas as páginas estão em branco. Todas, menos uma. Bem no final do bloco, tem um desenho de duas meninas abraçadas.

Depois de um exame mais atento, noto que há mais no desenho. Minha mão vai à boca quando percebo. É um retrato de Honor comigo, uma apunhalando a outra pelas costas.

Por que ele desenhou aquilo?

Viro a página, mas esse não tem título, como tinha aquele dessa manhã.

— O que está fazendo?

De pronto deixo o bloco escorregar do meu colo. Sagan está parado na porta, o que marca o segundo momento mais constrangedor da minha vida. Estranho que os dois incluam Sagan.

Normalmente não sou de xeretar. Não sei como sair dessa com alguma explicação. Levanto-me, com uma consciência aflitiva de que não sei o que fazer com as mãos quando estou tão sem graça. Meus braços ficam rígidos junto do corpo. Cerro os punhos, depois os abro de volta.

— Eu não sabia que você tinha se mudado para cá — digo em voz baixa.

Ele entra no quarto e seus olhos caem no bloco que eu folheava. Seus olhos encontram os meus de novo. Ele está irritado.

— Moro aqui há duas semanas, Merit.

Duas semanas?

Até esse momento, eu não tinha percebido quanto tempo passei sozinha em meu quarto. Por duas semanas, ele esteve morando do outro lado do corredor? E ninguém pensou em me contar?

Ele me encara e eu sustento o olhar, porque não sei mais o que fazer.

Detesto a aparência dele. Detesto seu cabelo. Detesto especialmente sua boca. Seus lábios são estranhos. Eles não têm ranhuras, como a maioria dos lábios. São lisos e rígidos, e eu detesto que sempre que ponho os olhos neles, lembro de como foi quando eles me beijaram.

Mas o que mais detesto nele são os olhos. Detesto o que sinto quando os encaro. Não que os olhos dele sejam acusadores, mas eu sempre afundo na culpa quando ele me olha. Porque, por mais que suas feições individuais me irritem, elas se complementam muito bem. Baixo os olhos para meus pés e desejo que os últimos cinco minutos nunca tenham acontecido. Eu não devia ter entrado aqui. Não devia ter visto o desenho que ele fez. E não devia encará-lo por tanto tempo agora. Porque dei motivo para ele me olhar como me olhou quando pensou que eu era Honor. O fato de que quero isso me constrange mais do que ser flagrada no quarto dele.

Passo apressada por ele, recuso-me a olhá-lo enquanto vou para o corredor. Vou diretamente à porta do meu quarto e abro, depois bato a porta. Jogo-me na cama e sinto as lágrimas que começam a arder em meus olhos. Nem mesmo sei por que estou emotiva. É tão idiota.

Que dia esquisito. Que dia de merda.

Tiro o telefone do bolso para mandar uma mensagem de texto a meu pai. Raras vezes peço alguma coisa a ele, mas isso é uma emergência.

Eu: Você pode passar no brechó quando vier para a cá e ver se eles têm algum troféu?

Espero alguns minutos para saber se ele responde, mas não tem resposta. Infelizmente, isso não me surpreende.

Deito-me na cama, puxo o cobertor e penso na imagem que Sagan desenhou de mim, engolindo um barco, hoje de manhã. É um desenho tão estranho. Detesto o quanto gosto dele. Detesto que por mais que eu me esforce para evitar, gosto de Sagan um pouco mais a cada dia. Parte de mim se pergunta se é dele realmente que eu gosto, ou se apenas sou uma pessoa invejosa. Nunca tive inveja de nenhum namorado de Honor antes. Mas é preciso lembrar que todos eles morreram.

Estou tão furiosa por ele agora morar aqui. Eu estava convencida de que seria fácil evitá-lo, mas com ele morando no quarto de frente para o meu não seria. Estarei sujeita à relação deles e a ele beijar e amar minha irmã.

Sei que meu pai não acredita em Deus, mas, por sorte, o ateísmo não é hereditário. Eu quase nunca rezo, mas sinto que esse momento é tão bom quanto qualquer outro para começar. Viro-me de costas e olho o teto. Dou um pigarro.

— Deus?

Não vou mentir. É esquisito falar com o teto. Talvez eu deva me ajoelhar, como fazem nos filmes.

Jogo as cobertas de lado e me ajoelho no chão, encostada na cama. Baixo a cabeça e tento de novo com os olhos fechados.

— Oi, Deus. Sei que não rezo muito, como deveria. E quando rezo, é sempre por alguma coisa egoísta. Peço desculpas por isso. Mas preciso muito de Sua ajuda. Sei que o Senhor viu o que aconteceu com o namorado da minha irmã algumas semanas atrás. Não consigo parar de pensar nele. Não gosto da pessoa em que estou me transformando por causa disso. Tenho umas ideias irracionais, de que talvez ele estivesse destinado a mim, e não a Honor. Talvez o Senhor o tenha criado como minha alma gêmea e como Honor e eu somos idênticas, a alma dele ficou confusa e se apaixonou por ela. Porque eles não são nada parecidos. Eles não têm nada em comum. Ela nem mesmo gosta do que há de melhor nele. Mas mesmo que eles terminem, de jeito nenhum vai dar certo entre nós. Eu nunca faria isso com minha irmã e, por mais atraída que me sinta por ele, eu nunca poderia me apaixonar por alguém que um dia ficou com Honor. Isto está fora de cogitação. Então, estou apelando para o Senhor, para mostrar a ele o erro de suas maneiras. Estou apelando para o Senhor, para perguntar se o Senhor me mandaria outra pessoa. Alguém que vá tirá-lo completamente da minha cabeça. Não quero mais ter os pensamentos que tenho ultimamente. Ou pelo menos não quero tê-los com o namorado da minha irmã. Eu não me importaria de ter esses pensamentos com outro. Então... é isso. Só estou pedindo uma alma gêmea alternativa. Quem sabe uma distração. Nem me importa se isso tem a ver com outra pessoa. Qualquer interesse que não seja Sagan seria ótimo. Qualquer um que o Senhor puder me mandar.

Abro os olhos, depois me arrasto para a cama. Rezar é tão esquisito. Talvez eu deva fazer isso mais vezes.

— Ah, sim. Amém.

Capítulo cinco

— Merit, acorda.

Eu nem sabia que era possível revirar os olhos antes de abri-los, mas faço essa proeza.

— Que foi? — resmungo, cobrindo a cabeça com o cobertor.

— Você precisa acordar — diz Honor. Ela acende a luz do meu quarto. Pego o celular debaixo do travesseiro para ver que horas são.

— São seis da manhã — digo, irritada. — Ninguém aqui acorda tão cedo.

Sem contar que ela sabe que não vou mais à escola, então, por que eu preciso estar acordada?

— São seis horas da tarde, idiota. É a sua noite de levar o jantar da mamãe. — Ela sai batendo a porta.

Seis da tarde? O que significa que ainda é o dia de hoje. O dia de merda.

Que alegria.

♥

Coloco em um prato colheradas de purê de batata ao lado de um pedaço de frango assado bastante temperado. Pode não existir muita coisa agradável em Victoria, mas seu tempero sempre foi bom. E eu me pergunto como deve ser ter de preparar uma refeição a mais toda noite para a ex-mulher do marido que mora em seu porão.

Eu me viro para colocar um pãozinho no prato, mas esbarro em Sagan, que apareceu atrás de mim.

— Desculpa. — Tento contorná-lo antes de sentir seu cheiro, ou, Deus me livre, olhar em seu rosto. Vou para a esquerda, ele vai para a direita. Ainda atrapalhamos o caminho um do outro. Então vou para a direita e ele vai para a esquerda. Ele está de sacanagem comigo?

Sagan ri da nossa pequena dança, mas só porque consegue respirar quando está perto de mim. Ele só perde o fôlego perto de Honor. Enfim eu me viro, ando para o outro lado e contorno a bancada. Pouco antes chegar à porta, olho a cozinha. Agora Honor está de pé ao lado do namorado, preparando seu prato. Mas ele me encara com uma expressão curiosa.

Ele deve pensar que sou uma cretina, em particular quando acontece algo tão simples como ficar em seu caminho. Não consigo ser como ele e rir disso. Fico frustrada e vou para outro lado.

— Merit?

Não estou nem na metade da escada e ela já sabe que sou eu. De algum jeito ela memorizou os passos de todos na casa. Acho que quando tudo o que você faz é assistir a Netflix e jogar no Facebook, ganha muita proficiência na audição de passos.

— Sim, sou eu.

Ela está sentada no sofá quando desço ao porão. Ela fecha o notebook e o desliza para o chão.

— O que tem para o jantar de hoje?

— Frango com batata de novo. — Entrego o prato a ela e me sento a seu lado no sofá. Ela olha o prato e o baixa na mesa a seu lado.

— Não estou com tanta fome assim — diz ela —, venho tentando perder cinco quilos.

— Talvez você deva sair para correr. O tempo está ótimo.

Ela franze o cenho. Acho que sou a única que ainda tenta encorajá-la a sair de casa. A essa altura, porém, não é bem um encorajamento. É mais uma sugestão sarcástica.

— Você não desce para me ver desde a semana passada. — Ela estende a mão para tirar meu cabelo do ombro, mas hesita antes de tocar em mim. Sua mão cai de volta no colo. — Esteve doente?

Frustrada é uma palavra melhor. Quanto mais velha fico, mais difícil é entender a fobia da minha mãe. Entendo não querer sair de casa, mas se entocar em um porão durante anos enquanto seus filhos continuam a levar a vida no andar de cima mais parece ataque de birra do que fobia social.

— É, não tenho me sentido muito bem — respondo.

— É por isso que não tem ido à escola?

Estreito os olhos um pouco, perguntando-me como mamãe sabe que não tenho ido à escola.

— Seu diretor telefonou hoje para saber de você.

— Ah, é? E o que disse a ele?

Ela dá de ombros.

— Não atendo o celular. Ele deixou uma mensagem na caixa postal.

Suspiro baixinho de alívio. Pelo menos a escola não sabe a extensão da sua fobia social. Eles ainda ligam para ela antes de telefonar para o meu pai sempre que surge um problema.

Minha mãe tira o cobertor do colo e se levanta.

— Pode colocar uma coisa no correio para mim amanhã? — Ela anda pela sala de estar, todo o 1,20m, e pega uma caixa vazia na prateleira. — Prometi mandar uns livros a Shelly.

Minha mãe pode não sair do porão, mas tem mais amigos do que eu e Honor juntas. Ela é obcecada por leitura e se juntou a vários clubes do livro online. Quando não está vendo Netflix, está lendo um livro ou em conversas por vídeo com os amigos de leitura. Às vezes ela me apresenta e me faz falar com eles. Ela tenta ao máximo dar a impressão de uma mãe normal que leva uma vida normal. Mas às vezes, quando sou obrigada a aparecer em um de seus vídeos, tenho o impulso de gritar: "Ela não sai do porão há dois anos!"

— Shelly me disse que me mandou um pacote pelo correio na semana passada. Deve chegar aqui amanhã.

— Trago para cá quando chegar — garanto a ela. Ela escreve um endereço na caixa e, enquanto está de costas para mim, é a primeira vez que noto sua roupa. Está com um longo preto que vai até os pés.

— Vestido bonito. É novo?

Minha mãe assente, mas não revela como conseguiu. Deve encomendar as roupas pela internet, porque não recebe visitas além dos filhos e, de vez em quando, meu pai, quando eles precisam discutir uma questão relacionada a nós. É uma pena também, porque ela é linda para a idade. Não importa que não saia do porão há uma eternidade; ela ainda se cuida muito bem. Passa maquiagem toda manhã e seu cabelo está sempre lavado e arrumado. Ela ainda deve depilar as pernas todo dia, o que não faz sentido nenhum, porque se eu decidisse nunca mais sair de casa, a primeira coisa que faria seria parar de me depilar.

Talvez ela tenha arrumado um namorado virtual. Normalmente eu não apoiaria isso, mas aceito qualquer coisa que possa lhe dar motivação para sair do porão no futuro.

Pego a caixa e vou para a escada. Eu costumava ficar com mamãe por mais tempo, mas ultimamente isso tem sido difícil.

Estou começando a me ressentir dela. Antigamente eu tinha pena e supunha que sua fobia social era algo que ela não podia controlar. Mas, quanto mais o tempo passa e mais da minha vida ela perde por preferir ficar no porão, mais furiosa eu fico. Às vezes tenho tanta raiva quando desço que começo a tremer e preciso sair antes de explodir com ela.

E é a esse ponto que as coisas vão chegar se eu não sair desse porão agora.

— A gente se vê depois, mãe — digo quando começo a subir a escada.

— Merit — ela me chama.

Deixo a porta do porão se fechar atrás de mim.

Victoria está na cozinha, cortando um peito de frango para Moby. Todos os outros já estão à mesa, comendo. Pego um prato para mim, justo quando meu pai passa pela porta de entrada. Agora já são seis e meia e seu jogo de futebol começa às sete, assim ele tem o prato do jantar preparado antes do meu. Quando, enfim, levo minha comida para a mesa, só existe um lugar vago. Ao lado de você-sabe-quem. Honor está de frente para ele, curvada, rindo de algo que ele acaba de dizer. Estou certa de que foi inteligente, seja o que for.

Sento-me e chego a cadeira para a frente. Moby está sentado do outro lado, para meu alívio.

— Como foi seu dia hoje? — pergunto a ele.

Ele mete um pedaço de milho na boca enquanto assente.

— Tyler se deu mal por falar *bastardo*.

A maioria de nós ri, mas Victoria toma um susto.

— Moby, esta é uma palavra feia!

— Tecnicamente, não é — diz meu pai.

Victoria o olha com irritação.

— É sim, quando você só tem 4 anos e diz isso na pré-escola.

— O que é um bastardo? — pergunta Moby.

— Uma criança que nasceu de pais que ainda não se casaram. Você quase foi um — respondo.

Pelo jeito como Victoria reage a meu comentário, parece que bati no menino. Imediatamente ela empurra a cadeira para trás e se levanta.

— Vá para o seu quarto!

Eu rio, porque no início acho que ela está brincando. Mas paro imediatamente porque sua raiva é sincera. Só pode ser brincadeira comigo. Olho meu pai e ele está encarando Victoria, com o garfo parado diante da boca. Volto a olhar para Victoria.

— Ele perguntou o que era um bastardo. Você queria que eu mentisse para ele?

Os olhos de Victoria estão cravados nos meus. Suas narinas talvez estejam infladas. Nunca a vi tão zangada. Sinceramente não falei aquilo por maldade.

— Um bastardo é uma criança nascida fora do casamento — digo a Victoria. — Não é verdade que ele quase foi assim?

Victoria aponta o corredor.

— Você não vai falar desse jeito na frente do meu filho, Merit. Vá para o seu quarto. — Ela olha para meu pai, procurando apoio. — Barnaby?

Recosto-me na cadeira e cruzo os braços. Não vou recuar.

— Então você quer que eu conte mentiras para o seu filho? — Olho para um Moby de olhos arregalados. — Tipo: sexo é um programa ruim de televisão dos anos 1980 e bastardo é o comercial. — Olho para Victoria. — Assim está melhor?

— Merit — Utah diz isso como se eu é que tivesse passado dos limites nessa mesa. Volto a atenção para ele.

— É sério que agora você vai ficar do lado dela?

— Por favor, será que podemos passar por só uma refeição em família sem que estoure uma briga? — Honor fala, frustrada.

— Barnaby? — Victoria se mantém de pé, ainda espera que ele me castigue.

Meu pai envolve o pulso de Victoria com a mão e tenta fazê-la se sentar de novo.

— Vou cuidar dela mais tarde. Vamos comer, está bem?

Victoria se desvencilha do meu pai e pega seu prato. Vai para a cozinha e joga a comida na lata de lixo.

— Guarde os restos! — exclamo para ela.

— Como disse?

Aponto a lixeira.

— Os restos. Wolfgang pode comer.

— Wolfgang? — diz meu pai. — Por que está falando nesse cachorro bastardo?

— E lá vamos nós de novo com essa palavra — Honor murmura.

— É por isso que tem um saco de ração para cachorro na porta dos fundos? — pergunta Utah.

Os olhos do meu pai param no saco de ração. Ele se levanta.

— Aquele cachorro está aqui?

Como uma porção do meu purê de batatas porque não sei se estou prestes a ser mandada para meu quarto e estou com fome.

— Ele apareceu ontem, no meio da noite — digo de boca cheia. Engulo e aponto por cima do ombro com o polegar. — Está no quintal.

— Você o deixou ir para o quintal?! — Meu pai grita.

Victoria joga as mãos para cima.

— Ah, que ótimo. Você fica irritado com ela por deixar que um cachorro vá para o quintal, mas não por chamar seu filho de bastardo?

Levanto o garfo.

— Eu disse que ele *quase foi* um bastardo — explico.

— Por que você sempre faz isso? — cochicha Utah. Fala muito baixo quando diz isso, o que significa que não dirige a pergunta a Victoria, que está do outro lado da cozinha. Não é possível que ele esteja falando comigo.

— Acha que isso é culpa minha?

— Costuma ser — diz Honor. — Não conseguimos ter uma refeição sem que você faça alguma coisa que a irrite.

Eu rio, sem acreditar.

— E isso é culpa minha? — Levanto a voz o suficiente para Victoria ouvir nossa conversa. — Talvez ela fique irritada porque é uma pessoa irracional. Pergunte ao irmão mais novo que ela abandonou.

Faço questão de olhar para Victoria e ver seu rosto. E é claro que esta última frase foi um choque.

— O que você disse agora? — Ela está me olhando como se não tivesse me ouvido, ou não quisesse me ouvir. Abro a boca para repetir, mas meu pai me interrompe.

— Merit — diz ele, mais derrotado do que zangado. — Vá para o seu quarto.

Victoria vira a cabeça lentamente para meu pai.

— Você contou a ela a respeito de Luck?

Ele nega prontamente com a cabeça.

— Não, eles não sabem sobre Luck. Ela só está te provocando.

Agora estou morrendo de vontade de saber o que ela não quer que a gente saiba. Dou mais duas garfadas rápidas na minha batata, para o caso de eu ser obrigada a cumprir meu castigo.

— Não estou fazendo provocação nenhuma. — Engulo, limpo a boca, depois me preparo para explicar. Embora ninguém tenha me pedido isso. — Wolfgang apareceu aqui ontem à noite. Estava chovendo e fiquei com pena dele, então deixei que fosse para o quintal. Depois descobri que o pastor Brian morreu e me esqueci de contar a vocês sobre o cachorro. Fui comprar ração hoje na Tractor Supply e um cara estranho de kilt me pediu carona para a casa da irmã dele, que por acaso era essa casa. O nome dele é Luck, ele é irmão mais novo de Victoria e está dormindo no escritório do papai, porque, pelo visto, agora Sagan mora no quarto de hóspedes. E, goste disso ou não, a definição de um bastardo é uma criança nascida fora do casamento. E, caso tenham se esquecido, Victoria engravidou enquanto papai ainda estava casado com a mamãe, então Moby é praticamente um bastardo.

Quando termino a explicação, todos ficam em silêncio, me encarando. Viro-me para a frente e dedico toda a minha atenção à comida.

— Ele estava de kilt? — pergunta Sagan. Por mais que eu deseje que ele não fale comigo, aprecio que ele tente aliviar a tensão com humor. — De que cor?

Obrigo-me a olhar para ele do outro lado da mesa. Um leve sorriso brinca nos lábios dele.

— Xadrez verde.

Ele assente, apreciando.

— Estou louco para conhecê-lo.

— Meu irmão está aqui? — Agora a voz de Victoria é muito mais baixa. — Luck está aqui? Nessa casa?

Eu ia responder, mas nem preciso, porque Luck está no final do corredor.

— Tecnicamente, não é uma casa — ele diz a ela. — É mais uma igreja reformulada.

Começo a entender o que Luck quis dizer com uma conversa ser uma partida de pingue-pongue, porque todos estamos olhando para Luck e Victoria, esperando pelo reencontro emotivo.

As mãos de Victoria sobem à boca. Meu pai vai até ela e coloca as mãos em seus ombros, tentando desviar sua atenção do irmão mais novo.

— Querida — diz ele num tom tranquilizador. — Vamos convencê-lo a sair do quarto.

Victoria nega com a cabeça e vai a Luck passando por meu pai aos esbarrões.

— Luck, você não pode aparecer assim sem avisar. Você precisa ir embora.

Luck não se mexe. Parece meio surpreso com a reação dela.

— Não vai me dar um abraço primeiro?

Victoria se aproxima um passo dele.

— Vá embora — diz ela. — E da próxima vez que quiser aparecer sem se desculpar primeiro, experimente telefonar. Vai poupar o dinheiro da viagem!

— Victoria — diz meu pai aos sussurros. Ele puxa a mulher na direção contrária. — Vá para o quarto. Chegarei lá em um minuto. — Ela parte imediatamente, tentando esconder que está fungando um pouco quando se afasta de Luck. Meu pai fica de frente para Luck.

Luck sorri e se aproxima, estendendo a mão.

— Você deve ser meu cunhado — diz. Com relutância, meu pai aperta sua mão.

— Barnaby.

— Pensei, sinceramente, que a essa altura ela teria superado aquilo — diz Luck. — Ela tem razão. Talvez eu devesse telefonar primeiro.

— Superado o quê? — pergunta Honor. Luck volta seu olhar para Honor e lhe abre um sorriso de quem a conhece, mas o sorriso desaparece quando ele nota minha presença.

Ele olha novamente para Honor, depois para mim. Em seguida aponta entre nós duas.

— Qual de vocês me deu uma carona hoje?

Levanto a mão.

— Obrigado pela hospitalidade, Merit. — Luck vai até a mesa. Apresenta-se a Utah, Honor, depois Sagan. Quando chega a Moby, ajoelha-se na frente dele. — Você deve ser meu sobrinho.

— Eu sou um sobrinho? — pergunta Moby. — Merit disse que sou um bastardo.

— *Quase* um bastardo — corrijo.

— Luck — meu pai interrompe as apresentações. — Por favor, podemos resolver isso antes que você fique à vontade nessa casa?

Luck se levanta e coloca as mãos nos quadris.

— Ah, claro. Mas... acabo de acordar de um cochilo de quatro horas. Já estava me sentindo em casa. — Ele ri, mas é o único a fazer isso. Essa eu tenho de reconhecer. Luck é de fato divertido.

Ele acompanha meu pai ao Quarto Três. Fico triste por transferirem a conversa do Quarto Um. Eu estava gostando.

— Parece que seu dia foi produtivo — Honor fala comigo. — Pelo menos você não esteve desperdiçando sua vida dormindo o dia inteiro.

Consigo suportar muita coisa, mas a atitude sarcástica de Honor em relação a minha decisão de deixar de ir à escola chega a meu ponto de ebulição. Jogo meu pãozinho no prato.

— Me diz uma coisa, Honor. O que eu perdi essa semana que vai milagrosamente me preparar para a vida depois do colégio?

— Talvez a oportunidade de se formar?

Reviro os olhos.

— Consigo atingir a média antes do Natal.

— Sim, porque é uma alternativa sensata esperar por uma bolsa — diz ela.

— Vai querer me falar do que é sensato? — Eu a desafio. — Seu novo namorado sabe o quanto você foi sensata em seus relacionamentos anteriores?

Honor cerra os maxilares. Toquei numa ferida. Ótimo. Talvez ela desista.

— Isso não é justo, Merit — diz Utah.

— Dane-se — digo em voz baixa. Arranco um pedaço do pão e coloco na boca. — É claro que você vai defendê-la. Ela é sua preferida.

Utah se recosta na cadeira.

— Não tenho uma irmã preferida. Estou defendendo Honor porque você sempre leva tudo para o lado pessoal com seus ataques.

Concordo com a cabeça.

— Ah, é. Esqueci. Gostamos de varrer as coisas para baixo do tapete e fingir que Honor não precisa de terapia.

Ela me olha feio do outro lado da mesa.

— E você se pergunta por que não tem amigos.

— Na verdade, não me pergunto nada disso.

As vozes elevadas que vêm do Quarto Três interrompem nosso carinho entre irmãos. São abafadas demais para distinguir o que dizem, mas fica claro que Luck e Victoria não têm o reencontro que o irmão esperava.

— Mais alguém percebeu o sotaque estranho dele? — pergunta Sagan.

— Obrigada! — digo. — É tão esquisito! Parece que o cérebro dele não consegue decidir se ele foi criado na Austrália ou em Londres.

— Para mim, ele parece irlandês — diz Utah.

Sagan meneia a cabeça.

— Não, é só aquele kilt que está te confundindo.

Eu rio, depois olho para Moby, ainda sentado a meu lado. Ele baixa os olhos, não consigo ver seu rosto.

— Moby?

Ele não levanta a cabeça, porém funga.

— Ei. Por que está chorando?

Moby funga mais uma vez.

— Está todo mundo brigando.

Ai. Nada consegue fazer com que eu me sinta pior do que Moby perturbado.

— Está tudo bem. Às vezes os adultos brigam. Não quer dizer nada.

Ele enxuga os olhos com a manga da camisa.

— Então, por que eles brigam?

Eu queria ter uma resposta para ele.

— Não sei — digo com um suspiro. — Vem, vamos lavar as mãos, escovar os dentes e vou te colocar na cama. — Moby sempre foi de dormir muito. Ele dorme em seu próprio quarto desde os 2 anos. A hora de dormir dele é sempre às sete, mas ouvi Victoria dizer a ele uns dias atrás que deveria mudar para as oito em algumas semanas.

O resto de nós não tem hora para dormir. Meu pai prefere que estejamos em casa às dez da noite em dias de aula, mas depois que vamos para nossos quartos, ele nunca verifica. Raras vezes durmo antes da meia-noite.

Levo Moby ao banheiro e o ajudo a escovar os dentes e lavar as mãos. Seu quarto fica bem de frente para o de Luck que, pela gritaria que continua no outro cômodo, pode ir para o escritório do meu pai de novo em uma hora. Victoria coloca Moby para dormir na maior parte das noites, mas de vez em quando pede a Honor, Utah ou a mim. Gosto de colocá-lo para dormir, mas só faço isso quando Moby me pede. Não gosto de fazer nenhum favor desnecessário a Victoria.

O quarto de Moby tem tema de baleia, o que espero que mude antes que ele comece a dar festinhas de pijama. Já é bem ruim que ele tenha sido batizado com o nome de uma baleia assassina, mas Victoria chegar ao ponto de escolher esse tema para o quarto é pedir que o filho sofra bullying.

Mas Moby gosta de baleias. Ele também adora ter o nome de uma baleia. *Moby Dick* é o livro preferido de Victoria. Eu não confio em pessoas que alegam ter um clássico como seu romance preferido. Sempre acho que estão mentindo para soarem cultos, ou simplesmente não leram outro livro além daqueles exigidos nas aulas de inglês do colégio.

Meu livro preferido é *God-shaped Hole*. Não é um clássico. É melhor do que um clássico. É uma tragédia dos tempos modernos. Nunca li *Moby Dick*, mas quase posso apostar que não te deixa sentindo que tem menos pele do que antes de abrir o livro.

Coloco Moby na cama e puxo o cobertor com tema de baleia até seu queixo.

— Vai ler uma história para mim? — pergunta ele.

Não é de todo inconveniente, então concordo e pego um livro na estante. Escolho o mais fino, mas Moby protesta.

— Não, lê *A perspectiva do rei*.

Esse é novo. Olho novamente a estante, correndo os olhos por eles, mas não vejo nenhum com esse título.

— Não está aqui. Que tal *Boa noite, lua*?

— Esse é para bebês — diz ele. Ele pega um maço de papéis na mesa ao lado da cama. — Lê este aqui. Sagan que escreveu. — Ele o empurra para mim.

Pego os papéis. Estão grampeados no canto superior esquerdo. No meio da primeira página, está escrito:

A Perspectiva do Rei

De Sagan Kattan

Sento-me na beira da cama e passo os dedos pelo alto da página.

— Sagan escreveu uma história para você?

Moby concorda com a cabeça.

— É uma história real. E tem rima!

— Quando foi que ele te deu isso?

Moby dá de ombros.

— Tipo 7 anos atrás.

Isso me faz rir. Moby é a criança de 4 anos mais inteligente que conheço, mas não consegue aprender o conceito de tempo, nem que sua vida dependa disso.

Deito ao lado de Moby e me apoio na cabeceira. Normalmente não fico tão à vontade quando o coloco para dormir, mas talvez eu esteja mais empolgada com a hora da história do que Moby. Parece que estou entrando em um dos segredos do namorado de Honor. Isso me deixa muito mais animada do que deveria. Puxo os joelhos para cima e descanso as páginas nas coxas.

— A perspectiva do rei — digo em voz alta. Olho para Moby. — Por acaso você sabe o que quer dizer *perspectiva*?

Ele faz que sim com a cabeça e rola de lado, ficando de frente para mim.

— Sagan falou que é tipo colocar os globos oculares de alguém dentro da sua própria cabeça.

— Chegou bem perto — digo. — Estou impressionada.

E estou mesmo. Não tanto com Moby, mas por Sagan ter se dado ao trabalho de escrever uma história para ele. E evidentemente por explicar seu significado.

Moby se senta reto e vira a página para mim.

— Lê isso!

Na página seguinte, aparece a imagem de uma ave. Parece um pássaro cardeal.

— É a história de um pássaro? — pergunto a Moby.

— Lê logo! — diz ele.

Viro a página de novo.

— Tudo bem. Nada de *spoiler*.

A perspectiva do rei

Temos a história de um rei
E esta história é um fato
Uns dizem que é cilada
Outros que é só um boato

Chamavam o homem de rei Flip
Mas ele não se chamava assim
Seu nome era Filipileetus
Difícil de falar, é sim
O rei Flip tinha gosto
Por coisas caras de comprar
Gostava de tudo que brilha
E qualquer coisa para ostentar

De todas as terras do mundo
Tinha o mais lindo castelo
Mas isso não o impedia
De querer outro mais belo

Ele comprou uma cidade chamada Perspectiva
E obrigou seu povo a um castelo erguer
No alto da montanha mais elevada
Ele não ligava se ia aborrecer

Ele decidiu fazer uma inspeção
Quando o trabalho enfim terminou
Mas quando chegou a Perspectiva
Estava exatamente como deixou

Ele não encontrou um castelo
Na montanha, não se situava
Não ficava na praia
No continente, também não estava

Logo se enfureceu
E procurou se vingar
De todos que o enganaram
Seu exército se pôs a marchar

Quando todo o povo foi morto
Um cardeal vermelho apareceu
"Rei Flip, o que você fez?
Matou seu bom povo, receio eu."

O rei Flip tentou explicar
Que a cidade merecia a morte
Porque o castelo não foi construído
Ou ele veria com seus olhos fortes

O pássaro disse, "Rei, você apenas supôs.
Nenhum esforço fez
De olhar de outra perspectiva.
Não olhe com seus olhos desta vez."

O pássaro o levou para onde
O castelo devia ficar
Depois afastou uma pedra
E fez o rei Flip se ajoelhar

Porque dentro da montanha estava o castelo
O mais magnífico já construído
O rei Flip nem acreditou no que viu
E de culpa ficou corroído

Matou tantas pessoas
a quem devia proteção coletiva
Simplesmente porque não enxergou
O castelo de sua perspectiva

"Escondam os corpos!", gritou o rei Flip.
"Esconder é o que importa!
Coloquem dentro da montanha.
E fechem para sempre a porta!"

O exército do rei escondeu os corpos
E daquelas terras teve uma fuga altiva
O rei voltou ao antigo castelo
E nunca mais falou de Perspectiva

Alguns dizem que a cidade nunca existiu
Outros dizem que é mentirosa a narrativa
Mas olhe qualquer mapa e verá
Que não existe uma cidade chamada Perspectiva.

Volto à primeira página do poema, um tanto chocada pelo que acabei de ler. Isto é um poema para crianças? É tão mórbido, talvez até mais do que a arte que ele cria. E ainda há o fato de que agora Moby acredita ser uma história verídica!

— Você sabe que isso é ficção, não sabe? — Olho para Moby, mas ele tem os olhos fechados. Eu nem tinha percebido que ele adormecera enquanto eu lia. Coloco a história em sua mesa de cabeceira. Apago a luz antes sair do quarto e vou diretamente ao Quarto Um. Sagan está na cozinha ajudando Honor a lavar os pratos.

— Qual é o seu problema?

Os dois olham para mim, mas estou olhando diretamente para ele.

— Esta é uma pergunta em aberto? — pergunta ele.

— Você chacinou toda uma cidade de gente inocente!

Ele assente e a compreensão marca sua expressão.

— Ah, você leu para Moby.

— É perturbador! E agora é a história preferida dele.

— Do que você está falando? — Honor me pergunta.

Aponto para seu namorado mórbido.

— Ele escreveu um poema para Moby, mas é a pior história infantil que já li.

— Não é tão ruim assim. — Ele se defende. — Tem uma mensagem boa.

— Tem? — pergunto, perplexa. — Porque a mensagem que peguei era de que um governante materialista não ficou feliz com os camponeses que contratou para construir seu castelo, então matou todos eles, escondeu seus corpos em uma montanha e continuou com sua vida feliz.

Honor faz uma careta para mostrar o quanto está perturbada. Tomo nota mental para nunca fazer essa expressão. Ver a expressão nela me faz saber o quanto ficaria pouco atraente em mim.

— Então, você deixou passar a mensagem — diz ele. — É um poema sobre a perspectiva.

— Do que estamos falando? — pergunta Utah ao entrar na cozinha.

— Da história que escrevi para Moby.

Utah ri enquanto pega um refrigerante na geladeira.

— Adorei essa história — diz ele, pouco antes tomar um gole. Ele enxuga a boca. — Não posso ouvir isso a noite toda — diz ele, referindo-se à discussão que ainda vinha do Quarto Três. — Querem ir nadar?

— Nós vamos — diz Honor, referindo-se a ela e Sagan. — Qualquer coisa para sair dessa casa.

Todos olham para mim. Ninguém me convida verbalmente, mas, pelo jeito que me olham, suponho que este seja o jeito de perguntar se eu gostaria de ir com eles.

— Vou ficar por aqui — digo, declinando de seu convite não verbal. Nunca fui nadar no hotel com Honor e Utah. Eles nem me convidam mais, mas como estou parada ali, na frente deles, provavelmente se sentem pressionados. Quando rejeito o convite, Honor parece aliviada.

— Como você quiser — diz ela, jogando o pano de prato na bancada.

Sagan ainda me olha, mas com certa curiosidade na expressão.

— Tem certeza de que não quer ir? — pergunta ele.

O fato de que ele parece valorizar minha companhia me dá vontade de mudar de ideia. É evidente que Honor e Utah preferem sair sem mim. Eles não acham que minha presença acrescente em nada. Para eles, sou só inconveniente. Mas, pelo modo como ele me olha, parece que de fato valoriza minha presença.

Isso me confunde. Dá vontade de ir nadar com meus irmãos pela primeira vez desde que eles começaram a ir, no dia em que Utah tirou a carteira de habilitação.

A porta do Quarto Três se abre e Luck aparece. Ele entra na cozinha de mãos nos bolsos. Meu pai e Victoria estão bem atrás. Meu pai pigarreia ao se dirigir a todos nós.

— Luck vai passar um tempo conosco. Victoria e eu agradeceríamos se vocês todos o acolhessem bem.

É estranho, porque embora pareça que Luck venceu a discussão, seu comportamento diz o contrário.

— Bem-vindo — diz Utah a ele. — Está com vontade de nadar?

— Vocês têm uma piscina? — pergunta Luck.

Utah nega com a cabeça.

— Não, mas tem um hotel na cidade com piscina indoor aquecida e Honor tem seus contatos.

— Legal — diz Luck. — Vou colocar uma bermuda. — Ele vai saindo da cozinha, mas se vira para mim. — Você vai também, não é? — Ele fala como se fosse um pedido para não o deixar sozinho com meus irmãos.

Sou a única com quem ele teve alguma interação além de um "Olá, como vai?". Então concordo.

— Tá, eu vou.

Sagan está quase saindo quando me ouve aceitar o convite de Luck. Olha-me por cima do ombro em um momento de pausa, depois continua andando.

— Onde está Moby? — pergunta Victoria.

— Já o coloquei para dormir. — Deixo que seja o fim da nossa conversa e vou para meu quarto.

Mais cedo, eu tinha lamentado ter encontrado Luck na loja, mas agora parece que finalmente posso ter um amigo nessa casa. Nunca vou nadar com Utah e Honor porque parece que eles não querem que eu vá, mas se eu não for essa noite, talvez Luck crie laços com os outros três e eu volte a ser a ovelha negra.

Pego um maiô e uma camiseta enorme e volto para o corredor. Sagan está saindo do quarto e para quando me vê. Abre a boca, mas antes que ele diga o que quer, Honor abre a porta. A boca de Sagan se fecha.

Agora vou passar o resto da noite me perguntando o que ele ia dizer.

Eles saem atrás de Utah e Luke. Paro no banheiro e pego algumas toalhas. Antes de chegar à porta de casa, olho a estátua de Packers Cristo.

Será que Deus atende às orações antes que sejam feitas? É por isso que Luck está aqui? Ele é a distração de Sagan que pedi quando rezei?

— Você é responsável por esse sacrilégio em forma de roupas?

A voz do meu pai me arranca dos meus pensamentos. Ele está a uma curta distância, de olhos fixos na estátua.

— Não — minto. — Deve ter sido uma imaculada concepção do guarda-roupa.

Vou fechar a porta de casa e ouço a voz abafada do meu pai do outro lado.

— Se os Cowboys perderem, você está de castigo!

A possibilidade de os Cowboys perderem é grande. A possibilidade do meu pai cumprir, de fato, uma ameaça não é.

Capítulo seis

Um dos veículos mais utilizados da nossa garagem é o Ford Windstar. Comporta sete pessoas, mas ao ritmo de crescimento de nossa casa esse mês, logo vamos precisar de um *upgrade*. Fui a última a entrar no furgão, mas o namorado de Honor se sentou atrás e deixou vago um dos bancos do meio para mim. Luck está no outro. Honor está no banco do carona e Utah dirige.

Moramos no meio do nada, em uma cidade pequena demais para ter um hotel com piscina. São quase 20 quilômetros até a loja mais próxima e uma distância ainda maior até o hotel. Será uma viagem de pelo menos 24 quilômetros. Mas em uma área rural como essa, só gastamos 30 minutos até chegar lá.

— E então... — diz Utah. — Você é irmão de Victoria?

— Meio-irmão — ele explica.

Dou uma risadinha baixa porque parece que ele, assim como nós, nutre o mesmo sentimento por Victoria.

— De onde você é?

— De todo lugar — responde Luck. — Victoria e eu temos o mesmo pai e mães diferentes. Ela morou com a mãe dela e eu morei com nosso pai e minha mãe. Nós nos mudamos muito até meus pais se divorciarem.

— Lamento saber disso — declara Honor.

— Tudo bem. Acontece com todo mundo — comenta ele, sem rodeios.

Ninguém pergunta mais nada depois desse comentário.

— Você não me disse que tinha uma gêmea idêntica, Merit — diz Luck, voltando a atenção para mim.

— Você falou o tempo todo enquanto estávamos no carro — respondo, virando a cara e olhando pela janela. — Não sobrou muito espaço para encaixar toda a minha história de vida.

— Isso não é verdade, porque sua história de vida era precisamente o que eu tentava conseguir de você — replica ele, rindo.

— E você não chegou muito longe, não foi?

— O suficiente para saber tudo sobre o cara que é seu crush — diz ele.

Minha cabeça vira repentinamente na direção dele. Levanto uma sobrancelha, alertando, para que ele saiba que foi longe demais com esse comentário.

— Peraí. — Honor se vira no banco e olha para mim. — Você tem um crush?

Reviro os olhos e volto a olhar pela janela.

— Não.

— Quem é? — Honor dirige a pergunta a Luck.

Coço o jeans, nervosa, torcendo para ele não abrir a boca. Eu não o conheço. Ele pode gostar de me deixar sem graça.

— Não consigo lembrar o nome dele — diz Luck. — Pergunte a Merit.

Honor se vira no banco.

— Merit não me conta coisas assim. — Sua voz tem um tom acusador.

Olho para Luck e ele está me encarando.

— Vocês duas têm uma dinâmica estranha para gêmeas idênticas.

— Não temos, não — discordo. — Existe um falso estereótipo ligado aos gêmeos.

— Exatamente. — concorda Honor. — Nem todos os gêmeos têm coisas em comum além da aparência.

— Acho que vocês duas têm mais em comum do que você pensa — diz Sagan do banco traseiro. Honor olha por cima do ombro e o fuzila. Queria me virar e olhar sério para ele também, mas sinto coisas quando o olho, ao contrário de Honor. Nem mesmo sei se Honor sente atração por ele. Ela não o olha como eu olharia se ele fosse meu namorado. E se namorássemos, eu estaria sentada no banco traseiro com ele, e não na frente, onde ela está.

Eu me sinto mal por ele. Investiu muito mais nessa relação do que ela. Sei disso simplesmente pelo jeito como ele me beijou quando pensou que estava beijando Honor. Ele se mudou para nossa casa e se comprometeu, e ela só está esperando aparecer um cara menos saudável.

Luck se vira e fica de frente para o namorado de Honor.

— Onde você se encaixa nessa família?

— Ele se encaixa comigo — diz Honor do banco da frente, respondendo à pergunta.

Se ele fosse meu namorado, eu deixaria que respondesse as perguntas feitas a ele.

— Como você e Honor se conheceram? — Luck pergunta a ele.

Ainda olho pela janela, mas ouço com atenção. Nunca fiz essa pergunta, só entreouvi fragmentos de conversas.

— Tive uma reação alérgica a alguma coisa que comi — diz Sagan. — Acabei no hospital e foi lá que conheci Honor.

Luck se vira para a frente.

— Você estava hospitalizada também? — pergunta ele a Honor.

Honor se limita a negar com a cabeça, mas não explica por que estava no hospital. Penso rapidamente em contar a Luck que Honor estava lá se despedindo de outro namorado quando, sem saber, pôs os olhos em Sagan, pressupondo erroneamente que ele estava prestes a encontrar seu fim.

— Honor visitava um amigo — diz Sagan, agora respondendo por Honor.

Eles não podem responder à porcaria das perguntas por si mesmos?

Durante alguns minutos ninguém fala nada, embora eu tenha mil perguntas para Luck e outras mil para Sagan. Quando paramos no estacionamento do hotel, enfim Utah lança uma pergunta por cima do ombro.

— Por que você e sua irmã se odeiam tanto?

— Meia-irmã — explica Luck. — Ela ainda está chateada comigo por uma coisa que fiz cinco anos atrás.

— E o que você fez? — indaga Honor, enquanto solta o cinto de segurança.

— Eu matei o nosso pai.

Minha mão para no cinto de segurança. Levanto a cabeça e Luck abre seu cinto e a porta da minivan. Ele sai, mas ficamos petrificados com este último comentário. Depois que ele sai da van, ajeita o kilt e olha para todos nós dentro do carro.

— Ah, sem essa. Estou brincando.

Honor solta um suspiro.

— Isso não tem graça. — Ela diz antes de abrir a porta.

♥

Quando entramos, Honor vai à recepção e toca a campainha. Alguns segundos depois, uma de suas amigas de escola, Angela Capicci, aparece vindo do escritório dos fundos.

Nunca gostei da Angela. Ela era um ano mais velha que a gente, mas ela e Honor eram amigas casuais desde crianças. Considerando que a maioria de nossos amigos não tinha permissão para ir a nossa casa devido aos boatos (infundados ou não) sobre nossa família, as amizades que eu e Honor formamos com os outros quase sempre são casuais. Sou mais reservada que Honor. Não tenho tanta competência para esconder minha aversão, e sempre nutri esse sentimento por Angela. É o tipo de garota que permite que a atenção dos caras a valorize. E pelo jeito que ela está olhando Luck neste momento, deve estar carente.

— Oi — diz ela a Luck com um sorriso sedutor. — Você é novo por aqui?

Luck assente e retribui seu sorriso sedutor.

— Acabei de desembarcar.

Ela ergue uma sobrancelha, sem saber como responder ao comentário dele. Olha de novo para Honor.

— Meu turno termina às onze. Se ainda estiverem aqui, encontro vocês.

— Precisamos chegar em casa às dez — diz Honor. Ela ergue o cartão-chave. — Obrigada por isso.

Angela assente, voltando seu olhar para Luck.

— Sempre que quiser... — diz ela, a voz derramando convite. Seus olhos continuam grudados em Luck enquanto vamos ao banheiro para trocar de roupa. Honor e eu entramos no das mulheres e de imediato ela tira a blusa e se troca sem entrar em um dos reservados. Sou um pouco mais recatada e a ideia de alguém entrando no banheiro enquanto estou me espremendo no maiô é suficiente para me obrigar a entrar numa cabine. Tiro a calça jeans e a camiseta quando Honor pergunta o inevitável.

— E aí, de quem Luck estava falando?

Paro por um momento, depois passo a vestir o maiô.

— Do que você está falando?

— Na van. — Ela elucida o que eu já sabia. — Ele contou que você disse que tinha um crush. Eu o conheço?

Fecho os olhos e tento imaginar o inferno que seria se eu admitisse que meu crush é o namorado dela. Seria o fim do pouco relacionamento que temos como irmãs. Abro a porta do reservado, vestindo a camiseta.

— Ele estava mentindo. Não tem ninguém. Eu nem saio de casa; como poderia conhecer alguém?

Honor fica meio decepcionada com minha resposta. Ela também está... deslumbrante.

— Esse biquíni é novo? — pergunto. Ela está de biquíni vermelho e preto. Cobre seu corpo tão bem quanto um biquíni pode cobri-la, e a cor e o modelo são perfeitos. Baixo os olhos para minha camiseta enorme, que recobre meu traje de banho de uma peça só, simples e que veste mal, e franzo a testa.

— Já tenho há alguns meses. — Ela passa as mãos por dentro do sutiã para ajeitar o decote. — Você nunca vem nadar com a gente, então não tinha visto.

— Sabe que não gosto de nadar — digo em voz baixa.

Honor dobra os jeans e os coloca na bancada da pia. Nossos olhos se encontram no espelho.

— É por isso que você não vem?

Embora pareça o contrário, a pergunta é retórica. Honor sabe que o motivo para eu não nadar com eles não tem nada a ver com o que sinto na água. Não venho por causa do meu relacionamento tenso com ela e Utah. Um estranhamento que já dura cinco anos.

Ela sai do banheiro e espero um instante antes de acompanhá-la. A última coisa de que preciso é testemunhar a expressão do namorado dela quando Honor aparecer com aquele traje de banho.

Noto que, às vezes, me refiro a ele, mentalmente, como "o namorado dela", em vez de Sagan. Pergunto-me se eu um dia vou parar de me referir a ele desse jeito e não por seu nome. Na verdade, gosto do nome Sagan. É inteligente e sexy, e eu queria que não combinasse com ele, mas combina. Combina muito bem. É por isso que quero me referir a ele apenas por seu título. O namorado de Honor. É menos apelativo.

Quanto otimismo da minha parte.

Tiro a camiseta e me olho no espelho. Olho meu maiô e me pergunto por que tudo fica melhor em Honor, apesar de sermos idênticas. Ela fica mais bonita nos vestidos, melhor de jeans, mais alta de saltos, mais sensual de roupa de banho. Temos o mesmo corpo, o mesmo rosto, o mesmo cabelo, somos iguais por fora, mas ela trata do visual com mais maturidade e sofisticação do que jamais consegui.

Talvez seja porque Honor é mais experiente que eu. Ela tem três anos à minha frente quando se trata de perder a virgindade. Talvez seja por isso que ela tem esse ar de confiança que me falta. O único cara com quem já saí foi Drew Waldrup e ele nem mesmo chegou nas preliminares. Não saí desse fiasco com a confiança muito elevada. Na verdade, saí mortificada.

Pelo menos fiquei com um troféu.

Sei que estou sendo ridícula. Perder a virgindade não torna você mais mulher do que uma virgem. Só significa que seu hímen foi rompido. Uau.

Visto novamente a camiseta. Não vou nadar na frente do namorado de Honor assim, com Honor *daquele jeito*.

Os quatro estão na água quando chego à área da piscina. Fico de cabeça baixa, sem querer olhar nos olhos de ninguém enquanto me aproximo. Nem mesmo tenho certeza se ainda quero nadar, então me sento na beira da parte rasa e deixo as pernas balançando na água. Observo os quatro nadando por uma boa meia hora, ignorando os pedidos de Luck para me juntar a eles. Quando me recuso pela terceira vez, ele finalmente vem nadando até mim. Sorri e fica de costas para a parede, observando Utah e Sagan disputarem uma corrida de uma extremidade à outra da piscina. Agora Honor está sentada na beira da parte funda, esperando para declarar o vencedor.

— Vocês duas são idênticas, não é? — pergunta Luck, rodando na água e ficando de frente para mim.

— Por fora.

Ele estende a mão e puxa a bainha da minha camiseta.

— Então, por que está escondendo seu maiô com esta camiseta?

— Eu me sinto mais à vontade vestida.

— Por quê?

Reviro os olhos.

— Você não para de fazer perguntas.

Ele gesticula para Honor.

— Se as pessoas podem ver Honor, podem ver você. É a mesma coisa.

— Somos pessoas diferentes. Ela está de biquíni. Eu não.

— É algum lance religioso?

— Não. — Não o conheço nem a meio dia e ele já emparelhou com Utah e Honor na escala da irritação.

Ele se inclina e praticamente sussurra.

— É por causa de Sagan? É ele quem te deixa pouco à vontade?

— Eu nunca disse que fico pouco à vontade. Só disse que fico mais à vontade de camiseta.

Ele inclina a cabeça.

— Merit. Existe uma enorme diferença entre os níveis de autoconfiança seu e da sua irmã. Estou tentando entender a origem disso.

— Não existe diferença nenhuma. Nós só somos... ela é mais extrovertida.

Ele se impulsiona para fora da água, sentando-se a meu lado na borda da piscina. Utah também sai, mas só porque seu telefone toca. Ele atende à ligação e se afasta.

Honor e Sagan ainda estão na parte funda, mas agora ele ajuda Honor a boiar de costas. As mãos dele estão embaixo da água, com as palmas nas costas dela. Ele ri enquanto lhe ensina os movimentos. Minha garganta queima pelo ciúme que tento engolir.

— Você deixa tudo óbvio demais — diz Luck.

— O quê?

Ele aponta para os dois com a cabeça.

— O jeito como olha para ele. Precisa parar com isso.

Fico constrangida que ele tenha notado. Mas não reconheço a verdade em seu comentário. Em vez disso, volto nossa conversa para ele.

— Por que Victoria odeia você?

Pela primeira vez, a tristeza aparece em sua expressão. Ou talvez seja arrependimento. Ele bate a perna direita e joga água por uma boa distância.

— Papai não se envolveu tanto em nossa vida e minha mãe tinha problemas para me controlar. Ela pensou que Victoria talvez pudesse ajudar, então fui morar com ela quando tinha quase 15 anos. Não se passou nem uma semana e eu roubei todas as suas joias e penhorei.

Espero que ele explique o resto da história, mas ele não acrescenta mais nada.

— É isso? Você pegou umas joias quando era mais novo, ela te expulsou e vem se recusando a falar com você há cinco anos?

Ele balança para lá e para cá, e sua fala é arrastada:

— Boooom, foi mais do que apenas algumas joias. Ao que parece, o que peguei tinha sido passado por gerações do lado materno dela e significava muito para Victoria. Quando ela me confrontou, eu fui insensível. Eu era um vagabundo querendo bancar meu vício em maconha. Tivemos uma tremenda briga e fui embora. Nunca mais voltei.

— Você não falava com ela desde que isso aconteceu?

— Não. Nunca fomos assim tão próximos.

— Por que ela perdoou você hoje?

— Contei a ela que minha mãe morreu e que eu não tinha mais para onde ir. — Ele faz uma pausa. — E consegui localizar um dos anéis dela. Entreguei e pedi desculpas. E isto foi sincero, porque realmente me sinto mal pelo que fiz. Acho que esse tempo todo ela só queria um pedido de desculpas.

É estranho como Victoria precisa que as pessoas peçam desculpas, mas nem uma vez se desculpou com qualquer um de nós por desfazer nossa família.

— E agora?

— Acho que agora preciso conhecer meus sobrinhos e sobrinhas.

— Não chame a gente assim. É muito esquisito.

— Esquisito por quê?

Dou de ombros.

— Não sei. Só acho que nunca conseguiria olhar para você como um tio.

— Sente atração por mim?

Acho graça, e talvez até um pouco de agonia. Luck é bonito e estaria mentindo se dissesse que não pensei nisso hoje, mais cedo, antes de descobrir que ele era meio-irmão de Victoria. Mas agora que tenho consciência disso, não tenho um pingo de atração. Eu nem consigo alimentar isso por tempo suficiente para brincar, como ele.

— Não fique se achando.

Ele ri.

— Mais fácil falar do que fazer.

Volto a olhar para Honor e o namorado. Ambos estão boiando de costas na água, de mãos dadas. Faz com que me pergunte se existe uma diferença entre mim e Honor quando se trata de coisas simples, como dar as mãos. Será que eu seguraria a mão de Sagan do mesmo jeito? Honor e eu beijamos do mesmo jeito? Será que ele seria capaz de distinguir? Ele achou o nosso beijo na fonte diferente de todas as outras vezes que a beijou? Será que ele um dia vai confundir nós duas?

— Você consegue nos distinguir? — pergunto a Luck.

Ele faz que não com a cabeça.

— Na verdade, não. Mas vocês duas são muito diferentes, é provável que eu não levasse muito tempo para saber quem é quem.

— Somos diferentes como? Você só nos conhece há algumas horas.

— Eu simplesmente sei. Cada uma tem sua própria vibe. Sei lá, é difícil de explicar. Você parece... mais séria do que ela.

— Quer dizer que ela parece mais divertida do que eu.

Ele me olha incisivamente.

— Não foi nada disso que falei, Merit.

— Eu sei, mas este é o consenso. Eu sou a gêmea caladona e irritada. Ela é a gêmea divertida e extrovertida.

— Ainda não conheço nenhuma das duas o bastante para fazer essa distinção.

— Bom, não vai levar muito tempo para perceber. E aí Honor será sua favorita e você vai sair com ela, Sagan e Utah, e os quatro vão virar melhores amigos.

Ele me cutuca com o ombro.

— Pare com isso. Não é nada atraente.

Eu rio.

— Que bom. Você não devia se sentir atraído por sua sobrinha.

— Se continuar com essa atitude autodepreciativa, não terá com o que se preocupar. — Ele olha para Honor. — Vocês têm nomes estranhos. Qual é a desses nomes?

— Falou o cara que se chama Luck — respondo. — O que sua mãe estava pensando? — Assim que digo isso, me arrependo. Provavelmente ele ainda lamenta a perda recente e aqui estou eu levantando esse assunto. — Me desculpe — digo em voz baixa. — Isto foi insensível.

— Não se preocupe. Ela era uma pessoa horrível. Há anos que eu não a via.

— Pensei que você morasse com ela. E que por isso veio para cá, porque ela morreu.

Ele ergueu uma sobrancelha.

— Não, isso foi o que eu disse a Victoria. Mas não morei de verdade em lugar nenhum desde que Victoria me expulsou. Entrei em um ônibus para o Canadá e fiquei com um amigo meu.

Alguns meses e uma identidade falsa depois, consegui um emprego em um navio de cruzeiro. Venho fazendo isso nos últimos cinco anos.

— Você trabalhou em cruzeiros?

Ele concorda com a cabeça.

— Já estive em 36 países diferentes, até agora.

— Isso explica o sotaque esporádico.

— Talvez sim. Eu gostava de me reinventar em cada cruzeiro. O trabalho e a rotina eram monótonos, assim eu fingia que era alguém diferente em cada viagem. Peguei 14 sotaques diferentes. Tem sido assim há tanto tempo que agora me confundo quando tento falar normalmente.

Eu o encaro por um momento, enquanto ele observa a água.

— Você é... interessante.

Ele endireita as costas e bate as mãos nos joelhos.

— Quer dizer... depende do ponto de vista. — Ele fica de pé em um salto. — Volto daqui a pouco. — Ele pega uma toalha e sai da área da piscina sem maiores explicações. Fico olhando até que a porta se fecha depois da sua passagem. Quando me viro, Sagan é o único na piscina e está nadando na minha direção. Tento encontrar outra coisa para olhar, mas só consigo ficar mais constrangida. Obrigo-me a olhar nos olhos dele e tento ignorar a súbita batida caótica da minha pulsação.

— Por que você não entrou? — pergunta ele.

— Eu estava conversando com Luck. — Sinto-me exposta por não estar na água. Pulo na piscina e me deixo cair até o fundo, depois volto e fico de frente para ele. Quando enfim venho à tona, empurro o cabelo para trás e abro os olhos. Honor está saindo da área da piscina.

— Aonde ela vai? — pergunto, virando para ele.

— Ela precisa ir ao banheiro. — Ele vai para a parte mais rasa da piscina e se senta. Tem pouca profundidade, assim seus ombros ainda estão acima da água. Sento-me ao lado dele, para não ter de olhá-lo. Meu queixo fica só um pouco acima da água. O ambiente agora silencioso contrasta com o gritante de alguns minutos atrás. A quietude só piora minha pulsação, assim me obrigo a romper o silêncio.

— Qual é a sua história?

Ele se vira na água e fica de frente para mim. Tem umas gotas em sua boca, mas elas rolam quando ele sorri.

— Pode ser mais específica?

Engulo em seco.

— Por que você se mudou para nossa casa?

— Te incomoda que eu more com vocês?

Dou de ombros.

— Honor só tem 17 anos. É meio cedo para ela morar com o namorado.

— Não sou namorado dela.

Ele diz isso como se não tivesse problemas com o fato de ela manter as opções em aberto.

— Você não está morto o bastante para que ela queira que seja oficial?

Ele não ri. Eu sabia que não ia rir. Foi um golpe baixo. Ele recua para a parede e fico agradecida. As conversas são muito mais fáceis quando ele não está no meu campo de visão.

Ainda não suporto o silêncio e me vejo desejando a volta de Utah e Honor. Tento levantar o assunto que tem menos chance de me lembrar que ele fica com Honor todos os dias.

— Por que seu nome é Sagan? Seus pais são fãs do Carl Sagan, o astrônomo?

Ele se volta para mim com os olhos meio arregalados.

— Estou impressionado que você saiba quem ele é. E não, não fui batizado em homenagem ao astrônomo, mas eu não teria me importado muito com isso. Sagan é o sobrenome de solteira da minha mãe.

Levanto os braços à minha frente e afasto a água de mim em ondas.

— Não conheço tanto assim o Carl Sagan, meu pai tinha um livro dele. *Cosmos*. Às vezes eu folheava quando era criança.

— Li todos os livros dele. Acho Carl fascinante, mas sou suspeito para falar por causa do nome. — Ele desaparece embaixo da água, depois sobe, ajeitando o cabelo para trás. — Qual é seu nome do meio, Merit?

— Não tenho. Nossos pais pretendiam ter uma filha só e dar o nome de Honor Merit Voss. Mas éramos duas, assim eles deram um nome para cada uma; nem se incomodaram com nomes do meio.

Sagan me encara com a cabeça virada de lado e a expressão tomada de curiosidade.

— O que foi?

Ele sorri um pouco, depois fala.

— Você tem um pontinho castanho no olho direito. Honor não tem.

Fico surpresa por ele ter notado. Pouquíssimas pessoas percebem. Na verdade, não sei se alguém já notou essa diferença antes. Ele é muito observador. O que me faz questionar o desenho que encontrei em seu bloco e o que o motivou a desenhar eu e Honor nos apunhalando nas costas. Mergulho novamente para me livrar dos arrepios. Quando volto à tona, envolvo meu corpo com os braços e o olho para ele. Mas não consigo pensar em nada para dizer. Ou talvez eu tenha coisas demais a dizer e não saiba por onde começar.

Sagan sorri para mim por um momento de um jeito agradecido, depois levanta a mão e afasta fios do meu cabelo molhado que estão grudados no rosto.

— Isto foi o máximo que você falou comigo desde que nos conhecemos. — Ele fala com despreocupação.

Seus dedos não se demoram nada, ao contrário da sensação deles. E do seu olhar fixo. E os arrepios que subiram por meu braço depois que ele tocou meu rosto.

Concordo com a cabeça, meio sem graça com o comentário.

— É. Não sou de falar muito.

— Percebi.

Sinto duas coisas ao mesmo tempo. Primeiro, o peso da minha atração por ele. É tão forte que parece uma âncora querendo me puxar para baixo da água. Mas depois me sinto muito defensiva com relação à minha irmã. Se eu tivesse um namorado e ele tocasse o rosto de Honor como Sagan acaba de tocar o meu, acharia muito inadequado.

Uma pessoa não pode deixar de se sentir atraída por outra, mas pode evitar seus atos com relação a outra pessoa. Tirar o cabelo do meu rosto enquanto me olha do jeito como ele estava olhando é, sem dúvida, um ato que ele devia ter controlado. Sei disso, porque desde o momento em que descobri que ele era namorado de Honor, tenho feito tudo que posso para reprimir minha atração por ele, por respeito a minha irmã. Mas parece que ele não se esforça muito, porque me olha agora como se quisesse me puxar para baixo da água e soprar seu ar em meus pulmões.

Olho a porta, por cima do ombro, querendo que um deles volte. Qualquer um deles. A essa altura, eu aceitaria até Utah. É sufocante ser a única no ambiente com Sagan.

Viro de frente para ele de novo e me obrigo a fazer mais perguntas. Talvez descubra algo de terrível sobre ele que me faça parar de sentir essa atração.

— Você nunca disse por que se mudou para nossa casa.

Ele abre um sorriso forçado de lábios rígidos.

— É uma história meio deprimente.

— Ué, isso me deixa ainda mais curiosa.

Ele estreita os olhos como quem avalia se sou digna de confiança, depois simplesmente me dá uma resposta sucinta.

— No momento, a situação da minha família é meio complicada. — Ele não explica.

— Quer dizer que eles são piores do que o pessoal lá de casa?

— Sua família não é tão ruim assim — diz ele.

É claro que ele acredita nisso. Não é ele a pessoa obrigada a morar lá. Está naquela casa por escolha.

— Tá legal, pense o que quiser, porque, do meu ponto de vista, não há muitos motivos para me gabar deles.

A expressão dele não dá nenhuma pista dos seus pensamentos. Ele só me olha, calmo como a água que nos cerca. Nossos joelhos se tocam brevemente e me provocam um calafrio. Noto os mesmos arrepios subindo pelos braços dele quando seu olhar para na minha boca. Exatamente como aconteceu no dia em que ele me confundiu com Honor e criou este monstro dentro de mim com seu beijo. Preciso que ele se afaste alguns quilômetros. Ou se jogue em cima de mim.

Como ele está se jogando para seu telefone.

Em um momento estava aqui, e agora não está mais.

Ele sai da piscina assim que o telefone toca. Nunca vi alguém tão ansioso com o telefone. Quero descobrir por que ele fica assim, mas também torço para nunca descobrir, porque significaria que precisaríamos ter outra conversa.

Sagan atende ao telefone enquanto sai da área da piscina. Agora fico sozinha. É meio horripilante, então saio da água e pego a última toalha. Também pego o cartão-chave e minhas coisas e vou para o banheiro me trocar.

Honor tem o rosto recém-maquiado e no momento escova o cabelo junto da pia. Ela já tirou o biquíni.

— Todo mundo está pronto para ir embora?

— Mais do que pronto — digo, fechando a porta do reservado ao entrar.

— Vou ficar na van — diz ela indo para a porta.

Acabo de trocar de roupa, mas não me dou ao trabalho de escovar o cabelo ou me maquiar, como fez Honor. Simplesmente não dou a importância que ela dá.

Quando volto à recepção para devolver a chave, Sagan está no saguão, ainda ao telefone. Honor entrega suas roupas secas, ele sorri para ela, depois vai para o banheiro. Honor e Utah estão do lado de fora e mais uma vez... fico totalmente sozinha. Porque não encontro a funcionária da recepção em lugar nenhum.

— Angela — digo, batendo o cartão-chave no balcão. Não sei se devia apenas deixar o cartão no balcão e sair, ou se devo esperar que ela volte a seu posto.

— Estou indo — diz ela, meio animada demais. A porta de um escritório se abre e ela escapole com um sorriso largo. Ela penteia o cabelo com os dedos.

— É só para devolver isto. — Deslizo a chave pelo balcão até ela. Estou prestes a me dirigir à saída, mas paro quando Luck sai do escritório de onde Angela acaba de vir. Ele ainda está com a bermuda que usou na piscina. Olho para Angela, mas ela vira a cara rapidamente, ajeitando a blusa de trabalho para dentro da saia. Olho para Luck de novo.

— Está todo mundo pronto? — pergunta ele despreocupadamente, como se eu não tivesse acabado de interromper o que estava acontecendo naquela sala.

Faço que sim com a cabeça, e não falo nada. Apenas me afasto em silêncio porque fico sem reação.

Isso realmente acabou de acontecer?

Luck estava no meio de uma conversa comigo só 15 minutos atrás, quando se levantou e se afastou. Como — em um intervalo tão curto — ele acabou fazendo sexo com uma garota que nem mesmo conhecia, no escritório de um hotel?

Fico furiosa; nem mesmo sei por quê. Não dou a mínima para quem transa com Luck. Nem mesmo o conheço. Fico ainda mais irritada com o fato de que nem mesmo sei nada sobre sexo, e muito menos uma rapidinha com um cara que nunca vi na vida. Pra mim o sexo parece uma coisa monumental. Deveria levar meses para acontecer e ele o realiza em 15 minutos.

Quando chego à van, a porta já está aberta. Honor está sentada em um dos bancos do meio, então guardo o outro para Sagan e, dessa vez, me sento no banco traseiro. Não sei se agora quero ficar sentada ao lado de alguém.

Sagan sai do hotel e se acomoda no banco da frente.

— Onde está Luck? — pergunta Honor.

— Foi se vestir — diz Sagan.

— Ele se atrasou — acrescento. — Estava ocupado trepando com Angela no escritório dos fundos.

Honor se vira no banco, de olhos arregalados.

— Como é que é? Angela está namorando Russell!

Não dou a mínima.

— Está mesmo? — pergunta Utah. — Esse não é o irmão mais velho do Shannon?

Honor se vira no banco.

— Eles namoram tipo há dois anos. Não acredito que ela faria isso com ele! — Suas palavras fazem parecer que ela está aborrecida por Angela ter traído o namorado, mas a voz está ávida demais com a possibilidade de ter acontecido. Honor sempre adorou uma fofoca. É uma das muitas coisas que ela tem em comum com Utah.

Enfim Luck volta para a van, vestindo a camiseta enquanto se senta. Ele fecha a porta e Honor não perde tempo.

— Você realmente fez sexo com a Angela?

Luck se vira no banco e fica de frente para mim.

— Sério, Merit?

Sinto-me culpada por contar a eles. Parece que saí direto para a van com uma fofoca, mas só contei porque eu estava... sei lá. Por que contei a eles?

Luck se endireita no banco.

— Não sou de me gabar.

— Ela tem namorado — diz Honor.

— Que lindo — completa Luck sem nenhum interesse.

— Você vai deixar as coisas ainda piores para nós — diz Honor.

— E o que isso quer dizer?

— A família Voss já tem uma péssima reputação por aqui, graças ao papai e à Victoria. Agora colocamos você no bolo e você é um galinha.

Luck ri.

— As pessoas não fazem sexo nesta cidade?

— Fazem — digo. — Mas em geral tem um processo de análise de mais de um minuto.

— Ah, tá bom, o sexo não significa tanto para mim como deve significar para vocês.

— E se significar alguma coisa para Angela? — pergunta Honor.

Luck vira a cabeça para Honor.

— Pode acreditar em mim. Não significa.

— Isso fala muito a respeito de seu desempenho — digo, rindo.

Luck se vira e abraça o banco, olhando para mim.

— E por falar em sexo — seu olhar é um desafio —, você já transou com aquele seu crush? Como é mesmo o nome dele?

Balanço a cabeça, pedindo em silêncio para ele calar a boca, mas sei que eu o aborreci por ter começado toda esta conversa. Ele pode muito bem meter Sagan nisso só para se vingar de mim.

— Você ficou sem graça — diz ele, estreitando os olhos. — Ainda é virgem, Merit?

Infelizmente, é provável que eu seja a única virgem de todos eles. Mas não vou discutir isso agora.

— É? — pergunta Luck de novo.

— Pare com isso — diz Sagan do banco da frente. Sua voz tem um tom de autoridade chocante.

Luck ergue uma sobrancelha, depois se vira lentamente. Sagan olha pelo retrovisor e seus olhos encontram os meus. Não sei o que está passando pela cabeça dele, mas seus pensamentos não parecem favoráveis a mim. Ele sustenta meu olhar por alguns segundos, depois se vira. Fecho os olhos e pressiono a testa nas costas do banco de Luck.

Eu não devia ter vindo. Por isso nunca saio com eles. Nunca acaba bem.

Capítulo sete

É meia-noite, como em qualquer outro dia, mas hoje o dia parece estar durando o dobro.

Voltamos da piscina pouco depois das 22h. Sagan tomou banho primeiro, depois foi Honor. Utah tem um banheiro em seu quarto, assim ele e Luck se revezaram para usar o chuveiro. Quando consegui um chuveiro livre, não tinha sobrado água quente. Nem pude lavar o cabelo, mas, sinceramente, não me importo. Vou tomar banho quando todos saírem amanhã.

Peguei na minha cômoda o desenho que Sagan fez esta manhã e pendurei na parede, ao lado da minha cama. Decidi que quero vê-lo o tempo todo. Estou olhando agora, sentada no chão ao lado da parede que separa meu quarto do de Honor. Ela e Sagan discutem e quero ouvir cada palavra. Porém, só consigo pegar fragmentos porque Sagan fala baixo demais em suas réplicas. Honor é quem levanta a voz. "Você sabia disso quando nos conhecemos!", ela grita.

Ele responde algo inaudível, depois ela fala: "Você parece meu pai."

Ele continua falando e ela perde completamente o controle. "Não sou!", grita. "Eu o conheci antes de conhecer você, então não se atreva a me deixar com sentimento de culpa!"

Ah.

Isso parece ruim.

Alguns segundos depois, a porta do quarto de Honor bate. Em seguida, a porta do quarto de Sagan também. Depois alguém bate na minha porta.

Eu me assusto porque deve ser Honor e a última coisa que quero é que ela me veja sentada no chão ao lado da parede, entreouvindo sua conversa.

Abro a porta, mas não é Honor. É Luck.

— Ah — digo. — Oi.

— Posso entrar?

Abro mais a porta e ele atravessa o portal, avaliando meu quarto. Fecha a porta enquanto eu o avalio. Ele veste moletom azul-escuro e uma meia de cada modelo. Está sem camisa, mas usa um cachecol.

— Por que você está de cachecol?

— Está frio no meu quarto.

— Por que não veste uma camisa?

— Estão todas para lavar.

Ele é tão objetivo, como se um cachecol sem camisa fosse completamente normal. Vai a minha cama e se joga nela, apoiando a cabeça com a mão.

— Está chateada comigo? — pergunta.

— Chateada com você? — Sento-me na cama e relaxo, encostada na guarda. — Não. Por quê?

Ele rola de costas e vê o desenho que pendurei. Estende o braço e toca nele.

— Eu não sou muito popular.

Dou uma risada.

— Ah, sim, somos dois. Você está seguro aqui.

Ele continua acompanhando o desenho com o dedo.

— Sagan desenhou isso para você?

— Foi. — Não sei por que, mas há um pouquinho de culpa em minha resposta. Talvez porque Sagan não devesse fazer desenhos para a irmã da namorada. Sei que foi inocente para ele, mas minha reação a esse gesto não teve inocência nenhuma. Só me fez gostar ainda mais dele do que antes do desenho.

— Entendo por que você gosta dele — diz Luck. Ele rola de lado. — Ele dá em cima de você?

— Não — respondo prontamente. — Ele gosta da Honor. Duvido até que me enxergue.

— Você é cega? Não estava no carro hoje quando ele te defendeu?

— Ele não estava me defendendo. Só queria que todo mundo parasse falar de sexo.

Luck meneia a cabeça.

— Ele ficou na defensiva quando perguntei se você era virgem. Acho que seus sentimentos podem ser recíprocos.

Luck não tem ideia do que está falando. Está aqui há menos de um dia.

— Ele não estava me defendendo.

— Tudo bem. Pode me emprestar uma camisa?

— Olha no meu armário.

Luck se arrasta para fora da cama e vai ao armário. Passa o polegar pelas roupas.

— Estou entendendo por que você é virgem. Tem alguma coisa além de camisetas sem graça?

Ignoro a ofensa.

— Provavelmente não. Gosto de camisetas.

Ele tira do cabide uma das minhas preferidas e veste. É uma camiseta roxa que diz "Pergunte sobre minha camiseta roxa".

Ele fica com o cachecol e volta a se sentar na cama, mas se apoia na cabeceira, ao meu lado.

— Eu nunca disse que era virgem — elucido.

Ele descansa o queixo no ombro e me olha com um sorriso malicioso.

— Nem precisava. Você fica pouco à vontade sempre que falo a palavra.

Reviro os olhos.

— E você é algum especialista? Com quantas pessoas já fez sexo?

— Quarenta e duas.

— Estou falando sério, Luck.

— Eu também.

— Você fez sexo quarenta e duas vezes?

Ele faz que não com a cabeça.

— Não, você perguntou com quantas pessoas eu fiz sexo. A resposta é 42. Mas transei 332 vezes.

Tenho que rir.

— Você é muito cheio de si.

— Posso provar.

— Faça esse favor.

Ele pula da cama e sai do meu quarto. Uso sua ausência para tentar imaginar como alguém pode ter transado com tanta gente, e ainda por cima saber exatamente quantas vezes fez sexo na vida.

Ele acaba de ficar mais esquisito.

Luck volta e fecha a porta, depois se senta no mesmo lugar de antes. Está segurando um caderno pequeno e surrado.

— Eu registro. — Ele abre na primeira página e tem uma lista de iniciais do lado esquerdo, locais no meio e uma data do lado direito. Pego o caderno das mãos dele.

Viro as páginas e leio algumas linhas.

P.K., alojamento da tripulação, 7 de novembro de 2013.
A.V., convés da piscina, 13 de novembro de 2013.
A.V., convés da piscina, 14 de novembro de 2013.
B.N., Hotel no Cabo, 1º de dezembro de 2013.

Continuo folheando o caderno, passo por 2014, 2015, 2016.

— Ai, meu Deus, Luck. Você é doente.

Ele tira o caderno de mim.

— Não sou.

Balanço a cabeça, sem acreditar.

— Por que você anota isso?

Ele dá de ombros.

— Não sei. Gosto de sexo. Achei que um dia podia quebrar um recorde, ou talvez eu queira escrever um livro sobre minhas aventuras. Manter o registro me ajuda a me lembrar de tudo.

Tomo o caderno dele e vou direto para a última página. Vejo a última entrada e lá está, ele já acrescentou Angela e a data de hoje. Mas só colocou a letra A.

— Não peguei o sobrenome dela — diz ele.

Pego uma caneta na mesa de cabeceira para ele.

— É Capicci.

Ele sorri e acrescenta a letra C à entrada.

— Valeu. — Ele coloca a caneta e o caderno na cama e recosta a cabeça de novo.

— Você amou alguma delas?

Ele faz que não com a cabeça.

— Digamos que nunca houve um amor correspondido.

Solto um suspiro.

— Sei como é.

Ficamos em silêncio por um instante, e então ele fala:

— Obrigado pela camisa, Merit. Preciso ir dormir. Vou procurar um emprego amanhã.

Eu estava gostando da companhia, estranhamente.

— Espera.

Luck para e espera que eu continue falando, mas ele logo vê, pela minha expressão, que estou meio hesitante em perguntar o que quero, então volta a se sentar.

— O que foi?

Desembucho antes que mude de ideia.

— Como foi sua primeira vez?

Ele ri.

— Foi horrível. Para ela. Não tão horrível para mim.

— Ela sabia que era sua primeira vez?

— Não. Ela nem falava inglês. O nome dela era Inga. Eu era o cara novo na tripulação, então era mercadoria cobiçada entre as mulheres. A coisa toda durou uns 30 segundos.

— Ah. Que constrangedor.

Ele dá de ombros.

— Na época foi, mas a primeira vez de todo mundo é sempre a pior. Um dia melhora. E consegui compensar com ela alguns anos depois, aí me redimi.

— Por que você acha que a primeira vez é sempre a pior?

Ele olha para cima, pensando.

— Não sei, é expectativa demais. A sociedade dá muito peso à perda da virgindade, mas, se quer minha opinião, é melhor fazer logo. O melhor é dormir com alguém que não queira dizer grande coisa para você, então será menos constrangedor do que já é. E aí, quando você finalmente conhecer alguém de quem realmente gosta, pode ficar com ela sem todo o embaraço.

Penso no que ele está dizendo e surpreendentemente faz sentido. Detesto a expectativa de como será minha primeira vez, com quem será e quantos anos eu terei. Detesto o medo de que talvez nunca aconteça e eu vá envelhecer sem nunca ter experimentado o sexo, o amor ou um relacionamento. Não sou como Honor. Não me apaixono com facilidade. Nem mesmo sei paquerar tranquilamente. E, sem dúvida, não sou nada parecida com Luck. Ainda não consigo entender o que aconteceu com Angela hoje. Não entendo como alguém pode conhecer uma pessoa, e minutos depois, partilhar uma experiência tão íntima com ela.

Talvez por isso eu não consiga entender: porque equiparo intimidade com sexo.

— Mais alguma pergunta? — indaga ele.

Nego com a cabeça.

— Não, acho que basta para me manter acordada a noite toda.

Luck ri e se levanta. Antes de sair, para na frente da minha prateleira de troféus. Pega o de primeiro lugar em esgrima.

— Esgrima? — Ele me olha com desconfiança. Devolve o troféu e lê algumas outras placas, depois me olha por cima do ombro com a sobrancelha arqueada. — Você ganhou realmente algum desses?

Abro um sorriso.

— Defina ganhar.

Luck meneia a cabeça.

— Conheci muita gente na vida, Merit. Mas você talvez seja a mais estranha de todas.

— É de família.

Ele fecha a porta justo quando meu telefone vibra embaixo do travesseiro. E por falar em gente estranha... é uma mensagem da minha mãe.

Mamãe: Se ainda estiver acordada, pode me trazer uma lâmina de barbear? Estou no banho e a minha quebrou.

Reviro os olhos teatralmente e largo o telefone na cama. Por que ela precisa se depilar? Ninguém nunca vai notar se suas pernas estão cabeludas. Ela não interage com ninguém!

Pego um barbeador descartável no banheiro e desço correndo ao Quarto Quatro. Ela está no banho, entro em seu banheiro e entrego a ela pela cortina do boxe.

— Obrigada, querida — diz ela. — Já que está aqui, pode levar aqueles pratos para a geladeira lá em cima?

— Claro. — Fecho a porta do banheiro e encontro pratos de alguns dias em cima do seu frigobar. Estão limpos, embora ela não tenha uma pia na cozinha. Ela deve ter lavado na pia do banheiro.

É de se pensar que a essa altura ela estivesse desesperada para ter a própria cozinha. Não entendo por que ainda mora aqui. Ela pode se mudar para a casa que Utah está reformando. Podia se trancar em seu quarto e jamais sair, como faz no porão. A casa está vaga desde que os últimos inquilinos saíram, há seis meses. Isto não é saudável para ninguém. Em particular para ela.

Enquanto me dirijo à escada com os pratos na mão, meus olhos vão direto para uma pilha de remédios na mesa ao lado do sofá. Ela vem tomando vários medicamentos desde que me entendo por gente. Remédios para o câncer, analgésicos para as costas, comprimidos contra a ansiedade. Olho o banheiro para verificar se a porta está fechada. Ponho os pratos no sofá e pego um dos frascos de comprimidos. É o remédio que ela toma para dor.

Minhas mãos tremem enquanto abro a tampa. Elas sempre tremem quando desço aqui e pego algum remédio dela. Sempre tenho medo de que ela me descubra, ou que note a falta de algum deles. Mas com tantos adolescentes morando agora em Dólar Voss, é impossível saber, de fato, quem foi.

Derramo alguns comprimidos na mão e os coloco no bolso. Devolvo o frasco ao seu lugar e levo os pratos à cozinha. Vou para o meu quarto e tiro os comprimidos do bolso, contando. Oito. Nunca roubei tantos. Gosto de espaçar, assim fica menos perceptível. O frasco passava da metade, então talvez ela não perceba que de repente desapareceram oito deles.

Vou ao armário e pego o frasco de comprimidos em minha bota preta. Venho escondendo os comprimidos nessa bota desde que comecei a roubá-los. Honor detesta essas botas, assim não preciso ter medo de que ela pegue emprestadas e encontre meu esconderijo. Abro o frasco vazio de Tylenol e acrescento os oito aos outros 20 que já roubei.

Nunca tomei nenhum. Com toda sinceridade, nem mesmo sei por que roubo os comprimidos. Não é meu desejo ficar viciada em remédios, como minha mãe. Gosto de roubar por rancor. Como o troféu que peguei do quarto de Drew Waldrup.

Normalmente, não roubo coisas. Quando roubo, é simplesmente para descontar minha raiva. Roubei de Victoria, uma vez, dois conjuntos de jalecos com tema do Dia dos Namorados. Não era minha intenção usar, mas saber que *ela* não os usaria fez o roubo valer a pena. Doei os jalecos para uma instituição de caridade e fingi que não sabia do que ela estava falando quando perguntou a todos nós se tínhamos visto seus jalecos cor-de-rosa com corações.

Tirando o troféu de Drew Waldrup, os jalecos e os comprimidos, nunca roubei nada de ninguém. Não que eu não tenha vontade. Não consigo parar de pensar em como seria roubar o namorado de Honor.

Devolvo a bota ao armário e a tranco ali dentro. Ao voltar para a cama, meus pés encontram algo que não é o carpete. Olho e noto uma folha de papel no chão do meu quarto. Pego o papel e viro.

Estou supondo que a garota no desenho seja eu, uma vez que Sagan colocou o desenho por baixo da minha porta, e não do quarto de Honor. No desenho, estou sentada no fundo de uma piscina. Uma corda está amarrada na minha cintura em uma ponta, e a outra é amarrada a um bloco de concreto flutuante. Viro o desenho e leio a legenda.

"Mergulho em busca de ar."

Sento-me na cama e continuo olhando a frase. Mergulho em busca de ar? O que isto quer dizer? Por que ele desenhou isso?

Antes que eu consiga me convencer do contrário, atravesso o corredor e bato na porta dele.

— Está aberta — diz Sagan.

Abro a porta e ele está sentado na cama com o bloco de desenho no colo. Quando levanta a cabeça e me vê, puxa o bloco para o peito.

— O que isto significa? — pergunto a ele, estendendo o desenho.

Ele me olha por um momento, depois volta a atenção ao desenho que tem no colo.

— Às vezes eu só tenho ideias, então as desenho.

— Você fez um desenho em que eu me afogo! É para me confortar?

— Não é um desenho de você se afogando.

— Então, o que é?

Ele suspira e desliza o bloco do colo. Joga a coberta de lado e se levanta. Está sem camisa e é só nisso que consigo me concentrar, apesar de ele vir na minha direção. Tenho tantos pensamentos, só que quanto mais ele se aproxima, mais eles se embaralham na minha mente. Quando ele me alcança, tira o desenho das minhas mãos, mas não para de olhar nos meus olhos.

— Gosto que você goste dos meus desenhos, Merit. Desenhei este e achei que você poderia gostar. Não quer dizer nada. — Ele coloca o desenho na cômoda e depois retorna a seu lugar na cama. Recoloca o bloco no colo e volta a fazer o que fazia antes de ser interrompido por mim.

Engulo meu constrangimento. Por que ele age como se eu estivesse exagerando?

Viro-me para a porta, mas depois me volto e vou até a sua cômoda pegar o desenho. Quando saio, fecho a porta com mais força do que pretendia. Isso só serve para me deixar ainda mais constrangida.

Penduro o desenho ao lado daquele que ele fez de mim essa manhã. Não me agrada que ele tenha feito dois desenhos meus hoje. Eu preferia muito mais ser ignorada por ele, a ser o centro das suas atenções artísticas.

Capítulo oito

Esta manhã, nem fingi que ia me preparar para a escola. Ouvi todo mundo no habitual caos matinal dos Voss e fiquei na cama o tempo todo. Estou surpresa que Honor e Utah não tenham contado ao meu pai que venho matando aula nas últimas duas semanas. Eles me perseguiram por isso durante alguns dias, mas depois de perceberem que eu não dava ouvidos, pararam de tocar no assunto. Ninguém bateu na minha porta para perguntar onde eu estava. Nem mesmo meu pai.

Será que um dia alguém vai notar se eu fugir?

Provavelmente vão notar. Só não vão se incomodar com isso.

Alcanço meu celular embaixo do meu travesseiro para ver a hora e noto uma mensagem do meu pai, enviada uma hora atrás.

Papai: Os Cowboys perderam ontem à noite. Eu culpo você. Por favor, tire aquelas roupas do Jesus e queime assim que chegar da escola hoje.

Sei que ele está tentando fazer graça, mas o fato de que ele pressupõe incorretamente que estou na escola nega o resto da sua mensagem. É como se nós nem tivéssemos pais. Temos uma mãe morando no porão e um pai que vive no próprio mundo. Ninguém tem ideia do que acontece com qualquer um por aqui.

Olho a hora que passa um pouco do meio-dia. Visto-me e vou procurar o que comer na cozinha. Não tem ninguém aqui e notei que a porta do quarto de Luck está aberta, então ele deve ter saído para procurar emprego, como disse que faria na noite passada.

Como um sanduíche e vou para a garagem pegar a escada. O Dia de Ação de Graças é a próxima data festiva, mas não estou com vontade de vestir Jesus Cristo. Levo a escada para a sala de estar e começo a retirar a fita adesiva que prende o troféu em seu pulso.

A porta do porão se abre inesperadamente. Torço para que seja minha mãe de saída, mas não é ela.

É meu pai.

Ele fecha a porta em silêncio, depois vai à bancada da cozinha, onde bebe uma garrafa de água. Mete a camisa para dentro da calça, pega o casaco no encosto de uma das cadeiras e segue para a porta. Abre e está prestes a fechar quando, enfim, me vê.

Parece que nós dois vimos um fantasma.

Ele olha para o porão, depois de volta para mim.

Por que ele estava no porão?

Por que ele ajeitou a camisa?

Por que ele parece tão culpado?

Não consigo me mexer. Seguro o troféu de futebol em uma das mãos e o boné na outra. Meu pai ainda me encara, petrificado. Finalmente baixa os olhos para os pés. Ele vai fechar a porta, mas a abre de novo e olha para mim.

— Merit. — Sua voz é tímida e arrependida.

Não digo uma palavra.

Ele não fala mais nada depois do meu nome. Em vez disso, hesita, depois fecha a porta e me deixa sozinha com Packers Cristo.

Preciso de algum tempo para organizar os pensamentos o bastante para descer a escada. Vou ao sofá e me sento, olhando a porta do porão.

Ele fez sexo com minha mãe agora há pouco?

Minha mãe o deixou entrar?

Não consigo processar o que aconteceu. Não consigo.

Prontamente atravesso o Quarto Um e abro a porta do Quarto Quatro. Desço correndo a escada do porão e encontro minha mãe fechando o zíper do vestido. Olho a cama desfeita, depois a examino. Vejo seu cabelo desgrenhado e as faces coradas.

— Vocês acabaram de fazer sexo?

Quando as palavras saem da minha boca, minha mãe parece tão chocada quanto meu pai alguns minutos atrás.

— Como disse?

Aponto a escada.

— Vi que ele saiu daqui agora. Ele nem conseguiu me olhar nos olhos.

Minha mãe se senta na cama, perplexa.

— Merit. Tem algumas coisas que você é nova demais para entender.

Isso me faz rir.

— A idade não tem nada a ver com isso, mãe. Você está mesmo fazendo sexo com ele, sabendo que ele dorme com Victoria toda noite? É por isso que você se recusa a se mudar? Porque você acha que ele vai deixá-la e ficar com você?

Ela se levanta e passa por mim, vai ao banheiro. Olha-se no espelho e passa os dedos abaixo dos olhos, livrando-se das manchas da maquiagem.

— É por isso que você se arruma todo dia? Porque quer roubá-lo de volta?

Ela se vira rapidamente e avança um passo.

— Eu sou sua mãe e você não vai me desrespeitar desse jeito.
Isso realmente me faz rir.

— Você se considera mãe? — Nem mesmo olho para ela. Viro-me e tomo o rumo da escada. Quando estou no meio do caminho, volto e desço dois degraus. Ela está ao pé da escada, olhando para mim.

— Você não tem sido uma mãe para mim desde meus 12 anos. Você não tem sido mãe para nenhum de nós! E agora sei por quê. Porque papai é a única coisa que importa para você! — Subo correndo o resto da escada. Ela me chama, mas não volto ao porão. Pouco antes de bater a porta, grito para baixo: — A única coisa que separa você da loucura são alguns gatos!

Volto para meu quarto e bato a porta. Jogo-me na cama e olho minhas mensagens de texto de novo. São duas. Uma do meu pai e outra de Honor.

Papai: Me desculpe pelo que você viu hoje. Por favor, me deixa conversar com você sobre isso antes de tirar alguma conclusão precipitada.

Deleto.

Honor: Acha que pode dar cobertura para mim amanhã à noite?

Ah, que ótimo. Outra adúltera em formação. A maçã não cai muito longe da árvore.

Eu: Cobertura para você como? De papai ou Sagan?
Honor: Os dois. Mando meus planos pra você por torpedo mais tarde. Preciso desligar o telefone.

Meto o telefone embaixo do travesseiro. Estou curiosa sobre o que ela está escondendo de Sagan, mas pela discussão deles na noite passada, deve ter relação com um cara. Estou certa de que um de seus amigos online está quase morto, então ela quer estar lá com ele de um jeito que Sagan não aprovaria.

Juro por Deus, esta família é um horror. Não me admira que tanta gente nos odeie.

Rolo de lado e fico de frente para a parede. Olho os desenhos feitos por Sagan e acompanho os traços com a mão. Meus dedos estão na terça parte dele quando alguém bate na minha porta.

Antes que eu consiga dizer que está aberta, a porta se escancara e Luck entra exibindo um novo cabelo completamente preto. Está sorrindo, o que só me deixa ainda mais irritada.

— Adivinha? — diz ele.

— Não faço ideia.

Ele se joga na cama ao meu lado.

— Consegui um emprego.

Rolo de costas e olho a parede.

— Que bom. Onde?

— Sabe onde nos conhecemos?

— Você arrumou um emprego na Tractor Supply?

— Não, mas foi na mesma rua. Na cafeteria. Sou o barista.

Abro um sorriso, embora não tenha vontade. Mas é de fato perfeito para ele.

— Quando você diz cafeteria, está se referindo à Starbucks?

— É, a Starbucks.

Solto uma curta risada, curiosa sobre como ele pode se esquecer do nome da Starbucks. Mas este é Luck, então faz sentido.

— É por isso que agora está com cabelo preto? Fez uma entrevista hoje?

— Não, eu ia continuar com o verde, mas acho que deixei a tintura por muito tempo. E por falar em preto, por que está tão escuro aqui? Esta luminária é um insulto a Thomas Edson. — Ele pega a corda do interruptor da minha luminária e puxa. Ela se apaga e ele volta a acender.

— Não tenho janela nenhuma.

— Isso eu estou vendo. Mas por quê?

Rolo até deitar de costas.

— Meu pai dividiu todos os quartos ao meio quando nos mudamos para cá. Honor ficou com a metade da janela depois que levantaram a parede.

Luck torce o nariz.

— Isso não é justo.

— Não faço questão de uma janela.

— Tá bom, então. Acho que no fim deu tudo certo. — Ele se aproxima até se deitar do meu lado. — Por que ainda está na cama?

Pergunto-me se devo contar o que aconteceu há pouco com minha mãe e meu pai. Decido não contar. Quero primeiro falar com meu pai. Tenho esperanças de estar enganada. Tenho esperanças de que ele valorize seu casamento com Victoria mais do que valorizou o casamento com minha mãe. Pelo menos assim posso acreditar que ele aprendeu alguma coisa ao desfazer nossa família. Porque neste momento não parece que ele aprendeu nada dessa lição. O sexo é mais importante para ele do que suas esposas. Do que manter a família unida.

— O sexo é mesmo isso tudo que dizem ser? — pergunto a Luck. — Por que as pessoas arriscam tanto por ele?

— Está perguntando à pessoa errada. Não acho que ele tenha o valor que a maioria das pessoas dá.

— Espero sinceramente que eu também seja assim. — Não quero que ele governe toda a minha vida e cada decisão que eu tomar. Parece que é assim com meu pai. Com Victoria. Com minha mãe. Quero que o sexo seja insignificante, e assim não tenha absolutamente nenhum controle sobre mim. Na verdade, seria ótimo se eu pudesse simplesmente acabar logo com isso.

Rolo de lado de novo e apoio a cabeça na mão.

— Luck?

Ele me olha, apreensivo.

— Quê?

Engulo em seco, nervosa.

— Você acha que talvez... será que a gente podia...

Luck ri, mas não abro um sorriso. Falo muito sério, embora não consiga perguntar a ele. Quando ele vê que não estou sorrindo, apoia-se no cotovelo.

— Não. Sou seu tio.

— Não de verdade.

— Não faz diferença.

— Faz, é por casamento.

— Você nem me conhece.

— Conheço você melhor do que você conhecia Angela e você transou com ela.

Ele estreita os olhos com essa resposta.

— Você é virgem, Merit. Não vou fazer sexo com você. — Ele se joga de costas como se a conversa estivesse encerrada.

Não vou desistir.

— Você mesmo disse que as pessoas dão peso demais à perda da virgindade. Só quero acabar logo com isso. O sexo não significa nada para você mesmo.

Ele fica em silêncio por um momento. Depois:

— Por quê? Por que comigo? Por que agora?

Dou de ombros.

— Não sou muito popular — repito como ele se descreveu para mim ontem. — Nunca tive a oportunidade de acabar com isso, até agora.

Ele me olha e vejo em seus olhos que está refletindo. Não sei se é porque quer me ajudar, ou se é porque ele é um homem e a maioria dos homens aceitaria essa minha oferta sem questionar.

— Você não gosta de mim, gosta? — pergunta ele.

— Em que sentido?

— Sente atração por mim?

Eu me questiono se mentir vai ajudá-lo a tomar a decisão, mas, em vez disso, fico com a verdade. Não quero que ele pense que gosto dele, quando não é assim. Mesmo que agora isso servisse.

— Não. Sinceramente. Quer dizer, acho você um cara bonito. Mas estaria mentindo se dissesse que você me atrai.

Ele me olha por um momento e fala:

— Merit, é melhor ter certeza disso. Porque, para mim, sexo é só sexo e não significa nada.

— Não quero que signifique alguma coisa para você. A questão é essa.

— Então, é só um meio de chegar a um fim?

Concordo com a cabeça.

— O fim da minha virgindade.

Ele me examina atentamente, esperando que eu mude de ideia. Quando vê que não vou mudar, dá de ombros.

— Então, tudo bem. Deixa eu pegar uma camisinha. — Ele salta da cama e eu me jogo de costas.

Ele disse *camisinha* com sotaque. Agora começa a parecer cada vez mais americano. Nem acredito que estou pensando justamente nisso quando acabei de pedir ao cara que fizesse sexo comigo. Um cara que nem me atrai.

Isto está acontecendo de verdade?

Eu quero que aconteça?

Quero. Quero acabar logo com isso. Arrancar o Band-Aid. Não quero que tenha significado nenhum. Quero que seja banal, com pouco efeito em minha vida. Quero que seja o extremo oposto dos meus pais.

Quando volta, Luck fecha a porta e tranca.

— Você se importa se eu apagar a luz?

— Na verdade, até prefiro.

Ele apaga a luminária e sobe na cama. Nós dois nos arrastamos para baixo das cobertas e tiramos a roupa.

— Tem certeza disso, Merit?

— Tenho — digo enquanto luto para tirar a calça jeans. Meu coração dispara e minha consciência se esforça para romper a muralha que levantei. Mas só paro quando estou sem roupa nenhuma. Depois que ambos estamos despidos embaixo das cobertas, Luck chega mais perto de mim.

— Provavelmente não vai ser bom — ele avisa.

Não sei por que, mas esse comentário me faz rir.

— É sério — diz ele. Sua mão encontra meu quadril. — Pode até doer.

— Está tudo bem. Minhas expectativas não são muito elevadas.

Ele se aproxima mais e continua com a mão no meu quadril.

— Quer que eu beije você?

Penso por um momento nesta pergunta. Não sei se quero beijá-lo. Será que isso é estranho? É claro que é. Tudo isso é muito estranho.

— Vou deixar que você decida isso.

Luck concorda com a cabeça, justo quando sua mão desliza para minha cintura. É só quando ele alcança meus seios que sinto o peso do que está prestes a acontecer. Procuro não me sentir ainda mais pressionada.

É só sexo.

Posso fazer isso.

Quase todos os adultos do mundo já fizeram.

Posso fazer isso.

Ele me coloca gentilmente de costas, depois pega a camisinha. Enquanto está colocando, passam-se uns bons 30 segundos que eu poderia usar para mudar de ideia. Mas não mudo. Depois, Luck rola para cima de mim, sustentando seu peso com as mãos dos dois lados da minha cabeça. Ele acaricia meu cabelo para trás com um gesto estranhamente meigo, depois coloca a mão entre nós e abre minhas pernas.

Fecho os olhos. Ele encosta a testa no travesseiro ao lado da minha cabeça.

— Tem certeza?

— Tenho — sussurro.

Fico de olhos fechados e procuro não me concentrar no fato de que tomei uma decisão tão espontânea. Mas não consigo pensar em nenhuma consequência negativa que possa vir disso. Eu não teria de me preocupar por ser eternamente virgem e Luck acrescentaria outra linha ao seu caderno.

— Última chance de mudar de ideia, Merit.

— Quanto tempo isso costuma durar? — sussurro.

Luck ri junto da minha orelha.

— Já está detestando tanto assim?

Faço que não com a cabeça.

— Não, eu só... — Paro de falar. Estou deixando tudo isso ainda mais estranho.

Justo quando penso que não serei mais uma virgem, meu telefone se ilumina.

— Alguém está ligando para você — diz Luck. Olho para a esquerda e procuro o telefone. Tento desligar, mas a tela ainda está acesa. Luck agora me olha fixamente. Seu rosto se contorce, depois ele sai de cima de mim. Fica de costas na cama.

— Não posso fazer isso.

— É sério? — pergunto. — Estávamos há dois segundos de conseguir!

Ele assente.

— Me desculpe. É só que... quando seu telefone acendeu... você fez uma cara que me lembrou Moby.

Eu me retraio.

— Ele é meio parecido com você e Honor. Isso me assusta.

Puxo as cobertas e cubro os seios.

— Que nojo.

Ele não discorda.

— Tudo bem com você?

— Sim. — Mas minha voz não é muito tranquilizadora.

Ele acende a luminária e se senta. Viro a cara enquanto ele retira a camisinha e veste a calça.

— Não está chateada comigo, está?

Imagino que agora seja seguro olhar para o lado dele. Ele está segurando a camisa, parece arrependido de um jeito de dar pena, me olhando de cima.

— Não. Sei que um dia vou encontrar alguém para fazer. — Mas acho que estou brincando.

Ele abre um sorriso de remorso, mas tranquilizador.

— Não sei com quem você vai fazer sexo, mas será melhor do que isso. Garanto a você.

Isso me faz rir.

— Ah, tá, não sei se pode ficar muito pior do que isso que aconteceu agora.

Luck me provoca.

— Normalmente sou muito impressionante e tenho um excelente currículo. Esta é uma rara exceção.

Gosto que ele ainda esteja brincando. Nós dois acabamos de viver uma das experiências mais constrangedoras que duas pessoas podem passar e, pelo visto, não mudou nada entre nós.

Ele abre a porta com um *timing* impecavelmente horrível. Sagan está passando por ali, mas para assim que Luck abre a porta. É só uma olhada de 2 segundos, mas sinto mais neste contato visual com Sagan do que durante todos os 15 minutos que passei com Luck. Os olhos de Sagan estão fixos nos meus. Seus olhos se deslocam para Luck. Voltam aos meus. Rapidamente, Luck sai do meu quarto e fecha a porta, mas não é rápido o bastante para me poupar da parte mais pavorosa de todo este dia.

Puxo as cobertas até a cabeça e tento me livrar dos últimos dez segundos. Não quero que ninguém descubra o que aconteceu entre mim e Luck, e Sagan certamente é a última pessoa que eu queria que soubesse.

Sinto as lágrimas de constrangimento se formarem enquanto me viro.

Estou me afogando em arrependimento. Preciso respirar.

— Mergulho em busca de ar — sussurro.

♥

Já se passaram várias horas desde que quase perdi a virgindade. Ainda sou a mesma e tenho a sensação de que ainda me sentiria a mesma se meu hímen tivesse sido rompido. Eu não me sentiria mais sexy, não me sentiria mais experiente, não ficaria confiante como que por milagre. Na verdade, estou meio... decepcionada. Por que as pessoas arriscam tanto pelo sexo?

Até agora, só o que ele me causou foi mortificação. Estou constrangida demais para encarar Sagan. Nem mesmo saí do quarto desde que ele passou por ali. Posso esperar que ele não suponha o pior, mas Luck saiu do meu quarto sem camisa. Sagan me viu na cama, coberta o bastante para deixar evidente que eu não estava de roupa.

Não estou constrangida por ele pensar que eu estivesse fazendo sexo com alguém. Afinal, Sagan não tem nada a ver se estou saindo com alguém porque ele não é meu namorado. Ele namora minha irmã.

Fico constrangida porque foi com Luck. Temos um parente em comum. É perturbador. E agora provavelmente Sagan pensa o pior de mim.

Luck volta ao meu quarto durante o jantar e pergunta se quero que ele me traga alguma coisa para comer. Ele pensou que eu estava assim por causa dele, mas não tem nada a ver com Luck. Sinceramente, eu nem me arrependo do que quase aconteceu. Só lamento por Sagan saber a respeito disso.

Mas, mesmo constrangida, duvido que meus sentimentos cheguem perto do que meu pai deve estar sentindo. Ele sabe que eu sei que ele ainda transa com a minha mãe. E tenho certeza de que ele está morrendo de medo de que eu conte a Victoria. Ou a qualquer outro membro da família. E ele nem veio a meu quarto conversar comigo.

Tudo que recebi dele hoje está em uma mensagem idiota no celular. “Me desculpe pelo que você viu hoje. Por favor, me deixa conversar com você sobre isso antes de tirar alguma conclusão precipitada." Em outras palavras, ele gostaria da oportunidade de me fazer jurar segredo antes que outra pessoa descubra o que realmente acontece por aqui.

Tantos segredos nesta casa. Ainda assim, o único segredo que eu devia ter contado anos atrás é aquele que mais escondo.

E por falar em silêncio... não ouço ninguém andando pela casa há algum tempo, o que significa que, provavelmente, todos foram dormir. Não só estou morta de fome, mas eu apostaria no fato de que ninguém deu comida a Wolfgang hoje. Vou à cozinha e abro um jantar congelado. Depois coloco no micro-ondas e pego um pote embaixo da pia para encher com ração.

Estou lavando o pote quando meu pai, enfim, cria coragem para me confrontar. Ouço a porta do seu quarto se abrir logo depois de eu fechar o micro-ondas. Ouço sua entrada na cozinha quando me abaixo para pegar o pote. Sinto que ele hesita junto da bancada.

E agora ele se coloca no caminho, entre mim e a porta dos fundos.

— Preciso dar comida a Wolfgang. — Digo de um jeito que deve indicar que não quero fazer nada além de dar comida a Wolfgang. Especialmente ter uma conversa com ele sobre sua infidelidade.

— Merit. — Ele me olha, suplicante. — Precisamos conversar.

Dou a volta por ele até o saco de ração.

— Precisamos? — pergunto enquanto coloco um pouco no pote. Viro-me e fico de frente para ele. — Quer mesmo ter uma conversa comigo sobre isso, pai? Você finalmente vai explicar por que começou a trair a mamãe quando ela mais precisava de você? Finalmente vai explicar por que preferiu Victoria ao resto desta família? Finalmente vai explicar por que estava no porão fazendo sexo com a mamãe hoje, enquanto todo mundo pensava que você estava no trabalho?

Ele dá um passo rápido na minha direção.

— Shh. Por favor. — Parece que ele está em pânico, como se Victoria pudesse ouvir essa conversa. Isso me faz rir. Se ele não gosta da ideia de ser apanhado, por que faz coisas que não quer que as pessoas descubram?

— Ah, entendi. Você não quer discutir porque é um marido patético. Só quer que eu prometa não contar a ninguém.

— Merit, isso não é justo.

Justo? Ele vai me falar de justiça? Tive muito pouco respeito por ele nos últimos anos, mas hoje diminuiu completamente o tantinho que restava.

— Pode confiar em mim, pai. Não vou contar a ninguém. A última coisa de que essa família precisa é outro motivo para te odiar.

O *timer* do micro-ondas dispara. Quando meu pai presta atenção ao barulho, uso o intervalo do contato visual para sair pela porta dos fundos. Felizmente, ele não vai atrás de mim. Atravesso o quintal até a casinha de Wolfgang. Ele está deitado ali e olha para mim. Nem mesmo se anima para comer. Os cachorros sofrem de depressão? Eu me pergunto se um Frontal humano teria efeito nele. Se for assim, devia dar a ele um dos comprimidos da minha mãe.

Sento-me ao lado da sua casinha e Wolfgang se arrasta um pouco para a frente e deita a cabeça no meu colo. Lambe minha mão e sinceramente é a coisa mais doce que alguém fez por mim o dia todo. Pelo menos ele gosta de mim.

— Você não é tão ruim, sabia? — Faço carinho entre suas orelhas e ele abana um pouco o rabo. Bom, abanar pode ser certo exagero. O rabo se mexe, quase de um jeito convulsivo, como se ele não fosse feliz há muito tempo e tivesse se esquecido de como o rabo funciona.

— Vou trazer água para você. — Pego sua tigela vazia e vou ao outro lado da casa, abrindo a torneira da mangueira. Olho para a esquerda, para a janela do quarto de Sagan. Tem uma luz acesa, o que significa que ele deve estar desenhando. O que será que ele desenha? Deve ser um retrato mórbido meu. Eu perdendo a virgindade.

A tigela de água transborda e acaba encharcando meu sapato.

— Merda.

Afasto-me um passo e derramo mais um pouco da água da tigela, depois largo a mangueira.

— Merit?

Eu me viro, mas não tem ninguém atrás de mim.

— Aqui.

É a voz de Sagan. Vem da janela dele. A cortina está aberta e os braços estão cruzados do lado de dentro do parapeito. A única coisa que nos separa é a tela da janela e uma curta distância.

— O que está fazendo?

Estendo o braço e fecho a água.

— Dando comida para Wolfgang. — Minhas mãos se atrapalham com a torneira. Sagan sempre me deixa tão nervosa. Só noto o arame que segura a torneira quando roço o pulso nele e me corto.

— Ai. — Dou um pulo para trás. Viro a mão e já tem sangue borbulhando do corte no pulso.

— Tudo bem com você? — Ele se curva para mais perto da tela da janela.

— Tá, só me cortei. Mas estou bem. É superficial.

— Vou levar um Band-Aid para você. — Sua cortina se fecha e o ouço andando pelo quarto.

Que porcaria. Ele vem aqui fora.

Fecho os olhos e puxo o ar, na esperança de fingir que ainda não estou completamente mortificada. Torço para que ele não fale sobre o que viu hoje. Ele não deve falar nada, não é da conta dele.

Limpo o pulso na camiseta e levo a tigela de água para Wolfgang. Volto ao meu lugar no chão justo quando a porta dos fundos se abre. Está escuro, mas esta é uma noite de lua cheia, o que significa que terei de olhar nos olhos dele como uma pessoa normal.

Wolfgang levanta a cabeça e rosna quando Sagan se aproxima. Faço carinho em sua cabeça.

— Está tudo bem, garoto. — O gesto tranquiliza Wolfgang. Ele volta a aninhar a cabeça no meu colo e suspira.

Quando nos alcança, Sagan se agacha e me entrega um Band-Aid. Pego e abro. Pelo menos Sagan não tenta colocar o Band-Aid em mim. Ele teria visto o quanto estou tremendo.

— Então este é o famoso Wolfgang, hein? — Ele estende a mão para acariciar e Wolfgang deixa. Pouco importa o fato de que a cabeça de Wolfgang está no meu colo e agora a mão de Sagan toca algo em meu colo e o que é oxigênio mesmo?

— É um cachorro bonito. — Sagan se senta no chão. Está tão perto que seu joelho toca o meu. O contato dificulta ainda mais minha respiração, e faço o máximo para que isto passe despercebido. A mão de Sagan ainda está na cabeça de Wolfgang.

— Ele é sempre assim, desanimado?

Levanto um ombro enquanto prendo o Band-Aid no pulso.

— Ele não era assim. Acho que está deprimido.

— Que idade ele tem?

Penso no ano da briga entre meu pai e o pastor Brian. Eu devia ter 8 ou 9 anos.

— Acho que quase 10.

Minha resposta faz Sagan suspirar.

— Talvez ele não tenha muito mais tempo de vida.

— Como assim? Os cachorros vivem muito mais do que 10 anos, não?

— Algumas raças, sim. Mas os labradores vivem em média 12 anos.

— Mas ele não está morrendo. Só está de luto.

Sagan passa a mão na barriga de Wolfgang.

— Sente só aqui — diz ele. Ele segura uma das minhas mãos e passa no trecho que sua mão acabou de tocar. — A barriga dele está inchada. Às vezes é sinal de que estão prestes a morrer. E com esse comportamento letárgico...

Algo fica preso em minha garganta. Solto um ruído, como um ofegar e uma tosse misturados com a incredulidade. Tapo a boca rapidamente, mas depois o inchaço na minha garganta me provoca lágrimas. Por que estou triste? Passei minha vida toda odiando esse cachorro. Por que me importaria se ele morresse?

— Vou chamar um veterinário amanhã — diz Sagan. — Um exame nele não vai fazer mal.

— Acha que ele está com dor? — Minha voz é quase um sussurro. Sinto uma lágrima escapar do olho e a enxugo discretamente. Ou pelo menos minha intenção era ser discreta, mas Sagan viu, porque está olhando firmemente para o outro lado.

Um sorriso repuxa seus lábios.

— Mas veja só — diz ele em voz baixa. — Merit tem coração.

Reviro os olhos para esse comentário e uso as mãos para fazer carinho em Wolfgang.

— Por que você acha que não tenho coração?

— Para ser honesto, você me parece meio... impertinente.

Não esperava pela sinceridade dele. Aquilo me faz rir.

— Esse é o seu jeito de me chamar de cretina?

Ele nega com a cabeça.

— Eu nunca te chamaria disso.

É claro que ele nunca me chamaria de cretina. Mas não quer dizer que não esteja pensando nisso. Sagan simplesmente não diz maldades em voz alta. Talvez seja resultado de como ele foi criado. Ou talvez ele seja uma espécie de santo. Ou um anjo trazido à Terra para testar minha moralidade.

Wolfgang rola e se aproxima mais de mim. Meus olhos vão rapidamente a Sagan, mas quando vejo que ele me olha, prontamente volto a encarar Wolfgang. Mais uma vez faço o que posso para encontrar algo nele para não gostar.

— Você é alérgico a quê?

Sagan vira a cabeça de lado.

— Nada. — Ele parece confuso. — Por quê? Que pergunta aleatória.

— Ontem à noite, na van, você disse que teve uma reação alérgica a alguma coisa que comeu. E que conheceu Honor no hospital.

Ele assente de leve e abre um sorriso.

— Ah. Isso. — Faz uma pausa e volta a falar. — Eu menti. Por Honor.

É claro que mentiu. É o que os bons namorados fazem pelas namoradas.

— Qual foi a mentira? Que você teve uma reação alérgica, ou que você não é alérgico a nada?

Sagan pega um pouquinho de grama e torce entre os dedos.

— Conheci sua irmã por intermédio de um amigo meu, que eu estava visitando no hospital. — Ele larga a grama. — E ela também.

Espero que ele explique melhor, mas de novo ele mantém suas histórias sucintas e pouco elucidativas. Mas acho que foi por culpa que ele mentiu sobre o motivo para estar no hospital. Ele não quer que ninguém saiba que conheceu Honor por intermédio do amigo moribundo e que, ao que parece, eles acabaram ficando com a mesma garota. Isso não é uma confusão?

Acho que isso explica a discussão no quarto de Honor outra noite. E Honor querendo esconder sobre a visita ao amigo de Sagan.

Não sei por que, mas isso me satisfaz. Saber que ela estava vendo os dois e ele saía com ela enquanto, de certo modo, era sedutor comigo... faz com que me sinta a melhor pessoa dos três, quando antes eu achava que era a pior.

— O que aconteceu entre você e Honor? — pergunta ele. — Parece que existe um pouco de hostilidade ali.

Eu rio.

— Um pouco?

— Sempre foi assim?

Perco o sorriso e nego com a cabeça, olhando para Wolfgang.

— Não. Antigamente éramos bem próximas. — Penso em todas as vezes que nos recusamos a dormir se não estivéssemos no mesmo quarto. Todas as vezes que trocamos de roupa e tentamos enganar papai. Todas as vezes que falávamos da sorte de sermos gêmeas. — Você tem algum irmão ou irmã? — Olho para ele bem a tempo de ver que ele franze um pouco a testa, mas logo volta ao normal.

— Tenho, uma irmã mais nova.

— Quantos anos ela tem?

— Sete. — A expressão dele é estoica, o que faz com que me pergunte se ele sente falta dela e não gosta de falar na menina.

— Você costuma vê-la com frequência?

Deve ser esse o centro da discórdia com a família dele, porque Sagan só puxa o ar e se apoia nas mãos.

— Na verdade, nem a conheço.

Ah. Deve haver uma história aí, mas sinto a tristeza na voz dele. Depois ele se curva e passa a fazer carinho em Wolfgang como se o assunto estivesse encerrado. É evidente que ele não quer mergulhar mais fundo em conversas sobre a família. Isso me decepciona, porque quero que ele sinta que pode conversar comigo, mas é evidente que não é assim para ele. Pergunto-me se ele se abre mais com Honor.

O peso do nome dela cai em mim. Passo a mão na boca e a mantenho ali enquanto meu braço se apoia no joelho.

— Algum dia você quis ter uma família diferente? Que se comunica? — pergunto a ele.

— Você nem faz ideia — diz ele.

— Eu queria muito ter uma relação desse tipo com Honor e Utah. Não somos nada próximos. E, infelizmente, depois que formos todos para a faculdade, duvido que a gente vá se falar muito. Só existe alguma interação agora porque moramos juntos.

— Sabe que não é tarde demais para mudar isso.

Tento abrir um sorriso, mas não tenho força suficiente para fingir que ele tem razão. Minha família nunca será diferente.

— Não sei, Sagan. Tem muitos assuntos inacabados na nossa família. Às vezes acho que é sorte ter uma família com quem se importar. Mas às vezes... — Tento reprimir uma lágrima constrangedora e inesperada. — Às vezes você fica preso a familiares que não fazem nada além de cometer erros pelos quais nunca precisam se desculpar, nem pagar por eles.

Quando tenho certeza de ter contido a lágrima com sucesso, olho para Sagan. Ele me olha fixamente e com solidariedade. Há uma tranquilidade nele. Talvez seja pelo jeito como ele me ouve sem julgar. Ele assente um pouco, como se entendesse o que tento dizer. Mas depois dá de ombros.

— Nem todo erro merece uma consequência. Às vezes a única coisa que ele merece é o perdão.

Preciso virar o rosto imediatamente porque esse comentário me atinge como um soco na barriga. Eu queria poder aplicar este raciocínio à minha família, mas não estou certa de ser capaz de tanto perdão.

Sagan puxa a perna direita para cima e descansa o queixo no joelho, passando os braços pela perna. Olha o quintal, sem se concentrar em nada.

— Merit?

Fecho bem os olhos. Nem mesmo quero olhar para ele, porque sei, por sua voz, que está prestes a me fazer alguma pergunta que não quero responder.

— Que foi? — sussurro. Sinto que meu coração fica maior quando o encaro. Ou talvez inchado seja um termo melhor.

— O que estava acontecendo hoje? No seu quarto?

Imediatamente desvio o olhar. Por favor, que ele não esteja se referindo ao que viu do corredor.

— Você e Luck estavam...

É exatamente ao que ele se refere.

— Você fez sexo com ele?

Fico chocada por ele perguntar sem fazer rodeios. Abro a boca e depois a fecho, estou sem graça demais para responder. E até meio zangada. Desde quando isso é da conta dele? Ele está fazendo sexo com a namorada do amigo moribundo. Não devia ser motivo de preocupação para ele com quem estou dormindo.

Reviro os olhos e me levanto do chão.

— Esta é uma pergunta indelicada. Especialmente vindo de você.

Ele fica envergonhado por ter perguntado, mas não pede desculpas. Só me observa em silêncio enquanto volto para a casa. Vou direto para meu quarto e fecho a porta. É só quando tranco que me lembro da comida no micro-ondas.

— Que ótimo — resmungo. Não vou sair de novo desse quarto. Detesto sentir fome. Me deixa furiosa e quando já estou aborrecida fico furiosa de verdade. Estou irritada e faminta, e agora que peguei meu celular, tenho de ler todas aquelas mensagens de Honor. Jogo-me na cama e rolo até a primeira.

Honor: Tudo bem, então amanhã à noite. Vou visitar meu amigo Colby. Preciso ir de carro a Dallas, assim só estarei em casa lá pela meia-noite.
Honor: Prometi a Sagan hoje de manhã que não iria, então não posso deixar de jeito nenhum que ele descubra.
Honor: Nem papai. Ele também vai ficar zangado se souber.

Fico irritada por ela me mandar cada mensagem e uma frase separada. Por que ela simplesmente não me escreve um parágrafo longo?

Honor: Sagan vai trabalhar amanhã até depois das dez da noite. Vou mandar uma mensagem para ele lá pelas nove e dizer que estou cansada e fui dormir. Então, isso não será problema.

Honor: Mas papai pode notar minha ausência amanhã à noite, então só diga a ele que eu não estava me sentindo bem e fui dormir cedo. Se ele quiser ver como estou, diga que você já foi checar e que estou bem.

Honor: Vou trancar a porta do meu quarto para ninguém entrar, nem ver que não estou lá.

Honor: Está recebendo essas mensagens?

Honor: Merit?

Honor: Por favor, pode concordar em me dar cobertura só desta vez? Fico te devendo uma.

Dessa eu tenho que rir. O que eu já fiz para garantir um favor?

Eu: Recebido.

Honor: Obrigada!

Eu: Mas uma pergunta rápida. Por que está fazendo isso com Sagan?

Honor: Será que você pode deixar de me julgar pelo menos uma vez na vida, por favor?

Eu: Tudo bem. Vou suspender as críticas a suas indiscrições até depois de amanhã.

Honor: Obrigada.

Baixo o celular. Desligo a luminária e meu quarto fica um breu. Sem janela ou luz do lado de fora, não consigo enxergar nada. É a primeira coisa parecida com paz que tive o dia todo.

Será que a morte é assim? Apenas um... nada?

Capítulo nove

— Você devia ver se Honor precisa de alguma coisa para comer antes de ir dormir — diz meu pai.

Honor. A irmã doente, entocada no quarto a noite toda. Coitadinha.

— Levei comida para ela mais cedo — minto. Retiro o tampo do ralo da pia e deixo a água escorrer. Era a noite de Honor lavar os pratos, mas ela não está aqui para isso. Mais uma que ela vai ficar me devendo.

— Ela tomou algum remédio? — pergunta meu pai.

— Tomou. Levei para ela mais cedo. Logo depois de ela vomitar em todo o chão do banheiro. — Se vou mentir por ela, vou fazer valer a pena. — Não se preocupe, passei meia hora limpando tudo. Tinha vômito para todo lado. Até lavei as toalhas.

Papai engole toda a mentira.

— Foi gentileza da sua parte.

— É para isso que servem as irmãs.

Eu devia parar. Está ficando óbvio que estou mentindo.

— Espero que não seja contagioso — diz Victoria. — A última coisa de que preciso agora é um vírus. O hospital vai passar por uma auditoria na semana que vem.

Que bom saber que ela está tão preocupada com minha irmã doente.

— Boa noite, Merit — diz meu pai. Ele me olha com incerteza. Ainda tem medo de que eu revele seu terrível segredo.

Abro um sorriso para ele.

— Boa noite, papai. Eu te amo.

Ele não sorri. Sabe que só estou sendo uma escrota. Ou impertinente, como Sagan disse ontem.

Apago todas as luzes da cozinha e vou para o banheiro. Pouco antes de entrar no banho, recebo uma mensagem de texto.

Honor: Alguém ficou desconfiado?
Eu: Não. Todo mundo foi dormir.
Honor: Ufa. Tudo bem. Mandei uma mensagem para Sagan dizendo que eu ia dormir. Obrigada. Eu te devo uma.
Eu: Você me deve duas. Era a sua noite de lavar os pratos. De nada.
Honor: Depois disso, vou lavar os pratos na sua vez durante um mês.
Eu: Estou tirando um print dessa mensagem.

Ligo o chuveiro e fico o tempo inteiro repassando mentalmente a conversa de ontem à noite com Sagan. Ainda não acredito que ele teve a cara de pau de me perguntar sobre Luck. Ou talvez eu esteja confundindo cara de pau com coragem. Seja como for, ele passou dos limites. Ele é namorado da minha irmã. Não meu. Ele precisa se preocupar com quem *ela* leva para a cama.

Quando saio do banho, as emoções da noite passada me atingem de novo. Acho que estou tão furiosa porque gostei de Sagan ter, talvez, demonstrado ciúmes quando me perguntou sobre Luck. Não quero me sentir assim. Não quero um cara para erguer uma muralha ainda maior entre mim e Honor, embora Honor tenha saído para fazer Deus sabe o quê.

Está quase na hora de Sagan chegar aqui e se eu não me esconder no quarto logo, serei obrigada a mentir para ele. Ele vai me perguntar sobre Honor, como ela está, se ela comeu. Talvez até queira vê-la, mas terei de dizer que ela está bem.

Não é justo com ele. Sei que está inocente nessa, mas pelo menos ele é sincero com Honor. Enquanto isso, ela sai com o melhor amigo moribundo dele, Colby.

Ela é como meu pai. Acho que ela também é como a mamãe.

Vou à lavanderia pegar o pijama na secadora. Retiro todas as roupas e procuro pelas minhas roupas. As de dormir de Honor também estão misturadas. Pego as duas e comparo.

É por isso que ela é a gêmea mais bonita, apesar de sermos idênticas. Ela usa camisolas mais sensuais, trajes de banho mais sensuais e tem o cabelo mais sensual. Ela trança o cabelo quase toda noite quando sai do banho, para que fique ondulado pela manhã. Eu nem me dou ao trabalho. Na verdade, não faz diferença para mim, se quer saber. Ou pelo menos é o que digo a mim mesma. O cabelo dela realmente fica melhor do que o meu, mas como mantenho o meu preso na maior parte do tempo, não importa o que faço com ele à noite.

Olho sua camisola de novo. Pergunto-me como seria me vestir como minha irmã. Eu durmo com um short de algodão e uma camiseta qualquer. A camisola dela é de seda, é preta e não muito reveladora, mas ainda assim é sexy. Será que as pessoas dormem melhor quando se sentem sensuais?

Ela não está aqui para descobrir se eu testar ou não essa teoria.

Verifico se a porta da lavanderia está fechada, depois deixo cair a toalha e visto a camisola de Honor. Olho meu reflexo na janela. Ainda não parece tão bonita como fica em Honor.

Tiro a toalha da cabeça e passo os dedos pelo cabelo até desembaraçar o suficiente para trançar. Jogo pelo ombro direito, como Honor faz, e tranço até as pontas do cabelo. Não tenho elástico, mas tem um no banheiro. Como Honor não está aqui, não acho que estou imitando ela se dormir com o cabelo desse jeito.

Apago a luz da lavanderia e volto para o banheiro para pegar um elástico de cabelo.

— Está se sentindo melhor?

Fico petrificada. Sagan está trancando a porta da entrada. Todas as luzes estão apagadas, exceto pelo brilho dos eletrodomésticos da cozinha.

Merda.

Ele acha que sou Honor.

Não posso confessar que não sou. Como explicaria estar com a camisola dela e ter o cabelo trançado como ela? Isso é muito constrangedor. Por que tudo com ele é tão constrangedor?

— Estou — digo, dando certa inflexão na voz para ficar mais parecida com a de Honor. Mais... agradável.

Parto para o corredor, mas congelo quando percebo em que enrascada me meti. Não posso entrar no meu quarto porque Sagan vai se perguntar por que Honor está entrando ali. Não posso entrar no quarto de Honor porque a porta está trancada e a chave está com ela.

— David foi demitido do estúdio essa noite — diz Sagan.

Não faço ideia de quem seja David. Sagan está tirando o casaco e eu de pé no corredor, em completo estado de choque.

— Já não era sem tempo.

Sagan vira a cabeça de lado e solta uma gargalhada confusa.

— Como é?

Ah. Então a demissão de David é ruim.

Nem mesmo sei onde Sagan trabalha. Isto vai acabar muito mal.

— Não foi o que quis dizer — digo. — Só quis dizer que você sabia que ia acontecer.

Ele sabia? Espero que sim.

Ele assente.

— Sei que a culpa foi dele por quase não aparecer, mas ainda me sinto mal. Ele tem quatro filhos. — Ele vai até a geladeira e abre a porta. A luz ilumina tudo, inclusive a mim. Fico nervosa porque ele vai notar algo que vai me distinguir de Honor, então me afasto da luz e vou para o sofá. Sagan me acompanha para a sala de estar. Eu me sento e ele se senta ao meu lado, apoiando os pés na mesa. Estende a mão para o controle remoto. Puxo as pernas para baixo do corpo e tento me afastar dele. E se ele tentar me beijar? Como vou sair dessa?

Posso fingir que quero vomitar. Vou correr para o banheiro e me trancar lá. Mas ele iria atrás de mim. E, conhecendo Sagan, ele vai esperar do lado de fora do banheiro até eu ter terminado.

Sagan zapeia pela tv e a luz é ainda mais forte do que a da geladeira. Eu me contorço. Sinto minhas palmas das mãos transpirando de nervosismo. E depois, como se sentar ao lado dele já não bastasse, ele quer tocar em mim. Leva a mão a minha cabeça e coloca meu cabelo atrás da orelha como se eu não precisasse de oxigênio para sobreviver.

— Tudo bem?

Faço que sim, engolindo em seco. Estou tensa demais para falar.

— Honor. — Ele quer que eu fique de frente para ele. Meu Deus do céu, ele quer que eu o olhe nos olhos. Como Honor. Não como eu. Conte a ele, agora. Viro-me para ele, preparada para explicar os últimos cinco minutos, mas sua expressão me impede de falar. Ele me olha como olha para Honor. Ou... ele olha para Honor como olha para Honor. Mas não sou Honor. Eu sou eu, e agora aqueles olhos estão me encarando como se eu significasse o mundo para ele.

— Ainda está chateada?

Meneio a cabeça.

— Não. — É a verdade. Não estou chateada com ele e nem sabia que Honor estava.

Ele assente, apertando minha mão.

— Você sabe como me sinto a respeito de tudo. Mas não quero te dizer o que fazer.

Honor é uma pessoa horrível por fazer isso. Mentir para ele. Traí-lo. Quero desesperadamente contar a ele, mas saber que ele está mentindo para o amigo de certo modo justifica o que Honor está fazendo. E, por algum motivo, minha lealdade se volta para ela. Acho que sim. Não sei, estou muito confusa.

Fecho os olhos porque começo a não conseguir me mexer. Ele está muito perto e por isso me pergunto se teria gosto de sorvete de hortelã de novo. Eu daria qualquer coisa para sentir esse gosto outra vez.

Ela não saberia.

Ela nem mesmo está aqui.

Se acontecesse, seria por culpa dela. E não minha. Toda essa situação é culpa dela. Ela saiu para beijar outro cara. Talvez seja o carma de Honor.

Faço o que sei fazer melhor. Reajo sem pensar.

Curvo-me para a frente e coloco a boca na dele. Suas mãos encontram meus ombros. Afasto-me o bastante para que ele diga o nome dela. "Honor."

Detesto esse nome.

Não quero que ele repita o nome dela. Só quero que ele me beije.

Passo a perna por seu colo até ficar montada nele. Continuo de olhos fechados enquanto passo as mãos em seu pescoço. Não quero que ele note que não estou de lentes de contato. Honor usa o tempo todo, e eu nunca usei.

Sinto seus dedos se enterrando em minha cintura e espero que ele me beije como fez na primeira vez, mas ele está hesitante.

Estou impaciente demais. Aperto minha boca na dele de novo, mas encontro resistência. Não é nada parecido com nosso primeiro beijo. Seus lábios estão rígidos, firmes e fechados. As mãos deixam minha cintura e sobem por meus braços até envolver meus pulsos. Ele afasta minhas mãos.

— O que está fazendo? — pergunta ele.

Abro os olhos. Os olhos dele estão tomados de confusão. Afasto-me para nos dar espaço para pensar, mas não basta. Seu polegar desliza pelo Band-Aid na face interna do meu pulso. Seus olhos caem no Band-Aid. Aquele que ele me deu. Aquele que usei para cobrir o arranhão no pulso na noite passada. No meu pulso. Não no de Honor.

Puxo uma golfada rápida de ar quando vejo a percepção tragar a confusão em seu rosto. Ele olha o curativo em meu pulso, depois me encara.

— Merit?

Não me mexo. Nem mesmo invento desculpas. Aqui estou eu, vestida como Honor, montada nele. Nem mesmo sei como sair dessa. Eu nunca rezei para ter um derrame, mas rezo com tudo que posso para que Deus me faça morrer aqui e agora.

Fico com os olhos grudados nos dele, querendo que me empurre, enojado. Mas ele só me encara, tem os olhos fixos em mim.

Finalmente ele solta meus pulsos, porém, em vez de me segurar pelos ombros para me afastar dele, é meu rosto que Sagan segura.

E então ele me beija. Ele me *devora*.

Eu.

Não Honor.

Fecho os olhos e me derreto completamente nele. Derreto-me em seu peito, nos braços, na boca. Quando sua língua encontra a minha, tento ao máximo me controlar. Minha mente não está ligada a meus braços e pernas. É como se eles fossem controlados por outra força. Minhas mãos deslizam pelo cabelo dele e as mãos dele passam pela minha cintura, depois pela base das minhas costas. E não é nada parecido com aquele primeiro beijo.

É melhor.

É real.

Sou eu.

Não Honor.

Sua boca parece uma cacofonia de sabores, cada um deles lutando para dominar o outro. Tudo delicioso, tudo ao mesmo tempo. Açúcar e doce contra salgado e saboroso.

Será esta a resposta a minhas orações? Que Honor o tratasse tão mal; que ele não tivesse alternativa senão querer ficar comigo?

Tiro Honor da cabeça no momento em que Sagan me empurra no sofá. Ele não desgruda a boca da minha enquanto vem por cima de mim, nós dois igualmente desesperados para tomar o máximo que pudermos um do outro.

Parece tão surreal que quero sorrir, mas é tudo muito sério, tenho vontade de chorar. Minhas emoções correm para todos os lados. Como as mãos dele. Deslizando pela minha coxa, zanzando pela minha perna, segurando a parte de trás do meu joelho e puxando minha perna para cima e em volta dele. A posição em que ele nos colocou nos deixa ofegantes. Ele interrompe o beijo, mas passa a boca no meu pescoço.

— Merit — diz ele, entre beijos.

Eu podia passar a eternidade ouvindo-o sussurrar meu nome desse jeito.

— Merit — ele repete, beijando meu maxilar. — O que é isso?

Meneio a cabeça, querendo que ele deixe de questionar. Não pare. Continue. Sinal verde por toda a estrada.

De algum modo ele confunde meu sinal verde com um amarelo, porque para. Encosta a testa do lado da minha cabeça e leva um momento entre os beijos para recuperar o fôlego. Faço o mesmo.

— Merit — diz ele outra vez, afastando-se para me olhar. Seus olhos percorrem meu rosto e descem aos meus seios, voltando ao rosto. — Por que está vestida com isso? — Agora ele apoia a maior parte do peso nas mãos, eliminando a pressão que estava toda em cima de mim.

Quero a pressão de volta. Tento puxá-lo de volta para mim, mas ele afasta o rosto das minhas mãos. Coloca todo o peso em um braço enquanto leva a mão à trança em meu cabelo. Desliza os dedos pela trança até a ponta. Seus olhos se deslocam do meu cabelo para o meu rosto, daí para a camisola.

Não gosto disso.

Ele se senta, apoiando-se nas panturrilhas. Está ajoelhado no sofá diante de mim. Minhas pernas ainda estão uma de cada lado dele.

— Por que você está com a roupa de Honor?

Uso as mãos para me mover e me sento no sofá, afastando as pernas dele. Agora estamos cara a cara, mas ele é muito mais alto do que eu, mesmo ajoelhado. Ele se ergue acima de mim. Me questionando. Fecho os olhos.

Sinto a mão dele em meu queixo. Gentil.

— Ei. — A palavra é um sussurro. — Olhe para mim.

Obedeço, porque eu faria o que ele pedisse desde que fosse nesse tom. Meigo e protetor. Ele empurra meu cabelo para trás e repete.

— Por que você está vestida como Honor?

Sinto as lágrimas que se formam em meus olhos. Balanço a cabeça, na esperança de interromper o fluxo.

— Eu estava curiosa.

Ele solta meu rosto e sua mão cai no colo.

— Com o quê?

Dou de ombros.

— Eu só queria ver como era. Ser ela. Mas aí você entrou pela porta.

Seus lábios se unem. Ele passa a mão no cabelo, depois se senta, encostado no sofá. Não está mais de frente para mim.

— Por que você tentou me beijar?

Solto a respiração com firmeza, mas o ar em volta de mim é trêmulo. Todo meu corpo treme. Tenho medo da verdade. Não sou tão boa nisso como Sagan parece querer que eu seja.

— Não sei. Acho que só queria te beijar de novo. — Passo as mãos pelo rosto e me jogo no encosto do sofá ao lado dele. Como se um momento humilhante na vida não bastasse para uma semana.

Sinto Sagan se levantar. Ouço-o andar pela sala algumas vezes. Quando ele para, abro os olhos e o olho. Suas mãos estão nos quadris e ele me olha de cima.

— Você acha que Honor e eu... — Ele gesticula para o sofá. — Você acha que faço essas coisas com ela? Acha que estamos juntos desse jeito?

Minha boca se abre. Fecho-a firmemente. A pergunta dele me confunde.

— Não estão?

Por um momento, ele não fala nada. Só olha para mim, sem acreditar. E depois...

— Não.

Há tanta verdade naquela palavra, mas deve ser mentira. É claro que eles fazem coisas assim. É claro que eles se beijam.

— Merit, Honor é minha amiga. Ela está com meu melhor amigo, eu nunca faria isso com ele. — Ele suspira. — É complicado.

— Mas... — Balanço a cabeça, mais confusa do que nunca, sem saber como responder. — Por que vocês dois dão esta impressão?

Ele ri, incrédulo. Vira a cara para cima e olha o teto por um momento.

— Não damos. É assim que você prefere ver.

Penso nas últimas duas semanas. Todas as vezes que ele foi tratado como namorado dela aconteceram quando eu me referia a ele assim. Ele nunca se intitulou companheiro dela. Honor nunca disse que era seu namorado. E além de alguns abraços, eu nunca o vi beijá-la. Só vi os dois de mãos dadas na piscina.

Mas isto não explica por que ele me beijou no dia em que me seguiu depois do antiquário. Ele achava que eu era Honor e me beijou. E a briga que eles tiveram outra noite a respeito de Colby...

Cubro o rosto com as mãos de novo e tento isolar tudo que estou sentindo. Tudo que está acontecendo.

— Mas sua briga na outra noite. Sobre ela ver Colby...

— Colby é meu amigo. — Ele me interrompe. — Mas Honor também é. Não gosto que ela se deixe apanhar por esses relacionamentos doentios. Fico irritado quando ela não me dá ouvidos. Nós brigamos. É o que os amigos fazem.

— Ah.

Sagan passa a andar de um lado para o outro de novo. Vai de uma ponta do sofá à outra. Para na minha frente.

— Por que você me beijou quando eu pensei que você era Honor?

Tenho certeza absoluta de que já respondi a essa pergunta.

— Eu já te falei... — Olho para ele e é a primeira vez que ele parece zangado. Fecho bem a boca novamente.

Ele puxa o ar de forma lenta e controlada.

— Deixa eu entender isso direito — diz ele. — Você achou que eu era namorado da Honor, então fingiu ser ela, depois tentou me beijar?

Tento negar com a cabeça, mas ela não se mexe.

— Sagan.

— Que tipo de gente faz isso com a própria irmã, Merit? — Ele faz uma careta e vira a cara, segurando a nuca com as mãos. Entra na cozinha e pega seu casaco de capuz no encosto de uma cadeira. Fico completamente patética enquanto me levanto e dou alguns passos na direção dele.

Ele vai para a porta e a abre, mas para antes de sair. Quando vira a cabeça para me olhar, seus olhos estão cheios de decepção.

— Você é uma tremenda babaca.

Ele fecha a porta.

Vou cambaleando até o sofá e me sento novamente.

Você é uma tremenda babaca.

Já fui chamada de muitas coisas na vida, mas ninguém jamais me chamou de babaca. Dói muito mais do que qualquer outra coisa que alguém tenha me dito.

Acho que eu estava enganada. *Eu sou* a pior pessoa de nós três.

Capítulo dez

Espero ouvir a ignição de um carro, mas isso não acontece. Sagan saiu, mas não de carro, o que significa que foi andando ou que está lá fora tentando esfriar a cabeça. Quero correr atrás dele e pedir que me perdoe, mas não sei se quero seu perdão agora. Não sei se mereço.

Abraço meus joelhos, perguntando-me como fui tão cega. Simplesmente supus que ele era apaixonado por Honor. Eles fazem muita coisa juntos. Conversam como um casal. E quase sempre que me referia a ele como o namorado dela, ninguém me corrigia. É como se eles quisessem que eu acreditasse nisso.

Ou talvez só Honor quisesse que eu acreditasse nisso.

Uso a manta do encosto do sofá para enxugar as lágrimas. Jesus agora me olha de cima, me julga. Reviro os olhos.

— Ah, cala a boca — digo a ele. — Você não existe para que gente como eu possa ser perdoada por fazer coisas horríveis como essa?

Recosto-me no sofá e tenho vontade de gritar. Cubro o rosto com uma almofada e grito. Estou frustrada, constrangida, furiosa, decepcionada. Isso é uma mudança muito brusca em relação ao que senti enquanto Sagan me beijava minutos atrás. É como se eu tivesse mergulhado do calor dos trópicos diretamente para as águas geladas da Antártida.

Não quero sentir mais nada. Os últimos dois dias me renderam um turbilhão emocional suficiente para uma vida inteira. Estou acabada. Acabada, acabada, acabada.

— Acabada, acabada, acabada — reafirmo ao sair do sofá. Vou à cozinha e pego um copo. Abro o armário acima da geladeira e retiro uma garrafa de bebida. Nem mesmo sei o que é. Nunca tomei bebida alcoólica, mas existe uma hora melhor para experimentar do que na mesma semana em que quase perdi a virgindade e aborreci a única pessoa por quem realmente sinto alguma coisa nesta casa?

Não sei quanto é necessário para embriagar uma pessoa, mas o copo está meio vazio. Ou talvez esteja meio cheio. Sou otimista ou pessimista? Olho o copo.

Pessimista.

Bebo o máximo que posso até parecer que engasgo em uma bola de fogo. Tusso, até cuspo um pouco da bebida na pia.

— Que nojento! — Limpo a boca com um papel-toalha. Sinto o ardor deslizar pelo meu peito. Mas ainda posso sentir a frustração, a raiva e a tristeza.

De algum jeito consigo beber o que resta no copo. Pego a garrafa e o copo e saio da cozinha. Não quero estar ali quando Sagan voltar. Abro a porta do meu quarto, mas ele é solitário. Vazio. Deprimente. Lembra a mim. Coloco a garrafa de bebida na cômoda, mas o copo cai no chão. Tanto faz. Está vazio.

A primeira coisa que faço é tirar a camisola de Honor e vestir meu pijama. Também desfaço a trança e prendo o cabelo no alto. Não quero mais ser ela. Não é tão divertido como achei que seria. Mas também não quero ficar sozinha. A única pessoa que pode se sentir mal e se solidarizar comigo é Luck.

Não sei se ele está dormindo, então, quando abro a porta do seu quarto, tento ser o mais silenciosa possível. Entro furtivamente, depois fico de frente para a porta enquanto a fecho com as duas mãos, sem querer fazer barulho nenhum. Quando me viro, fico aliviada ao ver que há um fiapo de luz vindo do computador do outro lado do escritório. Luz suficiente para que eu consiga distinguir o sofá-cama.

Ouço Luck gemer enquanto entro no quarto na ponta dos pés. O colchão range e parece que ele se virou.

— Luck? — O colchão range de novo e parece que ele abre espaço para mim. — Está acordado? — sussurro, sentando na beira da cama.

De súbito, ouço a palavra, "Merda!", mas não sai da boca de Luck. Nem da minha.

— Merit? — Esta é a voz de Luck.

— Luck?

— Mas que merda?! — Esta é a voz de Utah.

Utah? Dou um salto da cama.

— Merda! — diz Luck. — Merit, saia daqui!

Alguma coisa se quebra no chão. A luminária, talvez?

— Sai daqui! — grita Utah.

— Merda! — repete Luck. O tumulto é tanto que levo vários segundos para voltar a me situar e me virar para a porta. Quando abro, cometo o erro de olhar o interior do quarto. Agora tem luz suficiente para que eu enxergue os dois, numa luta para vestir as roupas. Utah fica petrificado quando me olha nos olhos. Só uma das pernas entrou na calça. Ele não está de cueca.

— Ah, meu Deus. — Tomo um tremendo susto. Luck está do outro lado do sofá-cama, esforçando-se para vestir a cueca.

Tapo os olhos com a mão quando Utah grita:

— Dá o fora daqui, Merit!

Bato a porta.

Que seja um pesadelo, por favor.

Vou para meu quarto, pego a garrafa de bebida e dessa vez nem me incomodo em usar o copo. Preciso interromper esses sentimentos. Preciso esquecer, esquecer, esquecer. Mas o que foi que acabei de ver?

Fecho bem os olhos. Não posso ser tão distraída. Então por que eles estavam nus? Juntos? Na cama?

Luck quase fez sexo comigo ontem. Disse que não podia terminar porque eu parecia Moby, mas Utah é mais parecido com Moby do que qualquer um de nós! Agora ele está transando com meu irmão? Se essa não é a maior rejeição da vida, não sei o que é.

O que há de errado comigo? Luck preferiu transar com meu irmão e não comigo. Sagan me chamou de babaca pouco depois de a gente se agarrar no sofá. Drew Waldrup terminou comigo com a mão no meu peito. POR QUE SOU TÃO REPULSIVA?

— Merit!

Utah bate na minha porta enquanto ando de um lado para outro do quarto. Mas o que acabei de interromper?

Abro um pouco a porta e Utah se mete para dentro do meu quarto, fechando a porta. Parece furioso e meio preocupado quando aponta para mim.

— Boca fechada — diz ele. — O que eu faço não é da sua conta.

Paro de andar e me aproximo dele.

— Alguma vez eu já contei seus segredos?

Sua fúria diminui à menção de suas indiscrições do passado.

— Acha que eu esqueci, Utah? Adivinha só? Não esqueci. E nunca vou esquecer.

Ele estremece e vejo a culpa em sua expressão. Quero dar um soco nele, mas não sou uma pessoa violenta. Acho que não. Não sei bem, porque minhas mãos se fecham em punhos pouco antes de ele escapulir do meu quarto e fechar a porta.

Eu o odeio. E odeio a mim mesma por nunca contar a ninguém a verdade a respeito dele.

Sento-me na cama e fecho os olhos, bem apertado. Tenho vontade de vomitar; nem mesmo sei exatamente por quê. Acho que é por tudo. Por Luck, Sagan, Utah, Honor, meu pai, Victoria, minha mãe.

Essa família é o horror que todos dessa cidade acreditam. Talvez ainda pior. Estou enojada. Farta dos segredos e das mentiras. Cansada de ser a pessoa que guarda todos os segredos deles!

Tenho o segredo de Utah.

Tenho o segredo do meu pai.

O segredo da minha mãe.

O segredo de Honor.

O segredo de Luck.

Não quero mais nada disso!

Talvez, se eu soltar todos os segredos, eles não me deem mais a sensação de que estou me afogando.

Sim. Talvez isso ajude. Talvez botar tudo pra fora me ajude a sentir que não estou prestes a implodir.

Pego uma caneta na mesa de cabeceira, abro a gaveta e procuro até encontrar um bloco com páginas em branco suficientes para guardar todos esses segredos.

Ainda dói. Tudo isso. Os últimos dias, inteiros. Pego a garrafa de... mas o que estou bebendo mesmo? Leio o rótulo. Tequila. Pego a garrafa de tequila e deslizo para o chão, porque começo a ficar tonta. Pego a caneta e o bloco, abro na primeira página em branco que encontro. Fecho bem os olhos até minha visão parecer mais firme. Sinto-me bamba. Minha mão treme quando começa a escrever.

Prezados moradores de Dólar Voss. Cada um de vocês.

Menos Moby. A essa altura, ele é o único de quem ainda gosto e respeito.

Há muita raiva crescendo dentro de mim e não tem nada a ver comigo. É uma raiva de quase todo mundo nessa casa. Raiva de todos os segredos que vocês escondem uns dos outros, escondem do mundo. Não vou mais guardar qualquer um deles, nem por um segundo. Todo dia, o número de segredos só faz aumentar e estou cansada de parecer a bandida. Todos vocês me odeiam. Todos pensam que qualquer discussão nessa casa é por minha culpa. Todos se perguntam por que sou tão IMPERTINENTE o tempo todo. É POR CAUSA DE TODOS VOCÊS!

Por onde começar?

Que tal começar pelo segredo mais antigo? Você achava que eu esqueceria, Utah? Você achava que só porque eu tinha 12 anos, não me lembraria da noite em que você me obrigou a te beijar?

É difícil esquecer uma coisa dessas, Utah. Se você soubesse o quanto eu o adorava como irmão mais velho, entenderia por que é tão difícil esquecer quando você fez o que fez.

"Não é nada de mais, Merit."

Foi o que você me disse quando eu o empurrei. Você tentou fazer parecer que eu estava exagerando ao que tinha acontecido. Num minuto eu estava no quarto do meu irmão vendo um filme, no seguinte meu irmão tentava me beijar.

Naquela noite, saí correndo do quarto e nunca olhei para trás. Nem uma vez. Desde então, não fui mais a seu quarto. Nunca me permiti ficar sozinha com você. E é como se você nem se importasse. Nunca pediu desculpas. Nem mesmo se sente culpado?

É por isso que você acha tão difícil me olhar nos olhos? Porque nas poucas vezes em que me olha, é com desprezo e repulsa. Assim como eu olho para você.

Todos vocês pensam que sou estúpida com Utah. Todos vocês me dizem: "Calma, Merit." Pensem em como vocês se sentiriam se sua família tentasse obrigá-los a ser gentis com o irmão que roubou seu primeiro beijo.

Você me dá nojo, Utah. Você me dá nojo e nunca vou esquecer e nunca vou perdoar você.

Mas pelo menos você tem Honor. Ela o venera porque não suportou este lado seu que eu suportei. Ela acha que você é meigo e inocente, e a melhor coisa que aconteceu a ela. Ela me olha do mesmo jeito que você, mas só porque não consegue entender como posso te tratar tão mal. Ela acha que você não fez nada para merecer isso.

Sei que provavelmente você vai achar tudo isso difícil de acreditar, pai. Sim, agora estou falando com você, Barnaby Voss. Já disse tudo que precisava a Utah.

Você deu o exemplo perfeito para tratarmos uns aos outros, não foi? Você criou esta linda família, mas assim que sua esposa adoeceu e não pôde mais satisfazer suas necessidades, passou a dormir com a enfermeira dela. Nem mesmo conseguiu ser discreto com isso. Você não podia ter dormido com ela e depois fingido que nunca aconteceu? Não. Teve de dar um passo além na escala egoísta e trepou com Victoria sem camisinha. Agora estamos presos a uma mulher que nos odeia. Uma mulher que odeia a nossa mãe.

Como será que Victoria vai reagir se souber que você ainda vai para a cama com a mamãe?

É, essa frase deve ter chocado TODOS vocês.

Desculpe, Victoria, mas é verdade. Eu vi com meus próprios olhos. Pelo menos temos uma explicação para mamãe ainda se arrumar todo dia. Ela mora no seu porão, na esperança de que o ex-marido vá escapulir para baixo e fazer uma visita, assim mantêm a maquiagem bonita e o cabelo perfeito, e as pernas bonitas e lisas.

Seu marido deve ser o motivo para mamãe ainda morar aqui, no porão. Ele causou tantos danos mentais à minha mãe, que ela está sob completo controle dele. Ele tem você no quarto e minha mãe no porão. E as duas se chamam Victoria, assim ele nem mesmo precisa ter medo de gritar o nome errado! Ele está vivendo a fantasia de todo homem. Nem mesmo precisa se preocupar em sobrepor as duas porque ele tem minha mãe tão dopada de remédios que ela tem medo demais até de sair do porão.

E não pense que vai se livrar com facilidade, mãe, só porque eu tenho pena de você. Eu gostava mais de você antes de saber que estava dormindo com papai. Pelo menos antes eu acreditava em uma desculpa para você ainda estar aqui, morando em um calabouço, desperdiçando sua vida. Achei que se devia à sua fobia social, mas agora sei que é porque você está fazendo algum jogo doentio, tentando conquistar papai de volta. Adivinha só, mãe? Ele não vai aceitar você de volta! Por que aceitaria? Você abre as pernas sempre que ele quer.

É provável que você seja ainda mais patética do que ele. Pelo menos ele está criando os filhos. Pelo menos ele trabalha para colocar comida na mesa e um teto sobre nossas cabeças. Ele é um merda nessa história de paternidade, mas é um genitor muito melhor do que você jamais foi para nós. Então, sim, considere isto meu adeus. Não vou mais te visitar no porão. Se você se importa com algum de nós, vai segurar as pontas, arrumar um emprego, se mudar daqui e ter vida própria!

Quem mais?

Ah! Não vamos nos esquecer do mais novo acréscimo da Dólar Voss. Luck Finney! Ele parece ótimo, não é? Aparece esta semana, faz as pazes com a irmã e depois quase trepa com a quase sobrinha.

É claro que a ideia de perder a virgindade com ele foi minha. Mas isso não teria feito diferença para ele, porque ele já fez sexo mais de 300 vezes! Só que agora que eu sei que ele está dando em cima de TODOS os irmãos Voss, me sinto ainda mais inferior do que me senti depois do que certamente teria sido a pior experiência sexual da história... se ele tivesse conseguido ir até o fim.

Talvez ele não tenha conseguido terminar comigo porque prefere pirocas. Pelo menos, a piroca de Utah.

Ah! Ninguém sabia que Utah era gay? Não que eu tenha alguma coisa contra alguém ser gay. Amor é amor, não é? Mas só não sabia que Utah era. Mas sim, Utah é gay e está dormindo com Luck. Sei disso porque flagrei os dois. Não consigo tirar da cabeça a imagem dos dois, por mais que me esforce. Está incrustada ali, como a imagem de Sagan me chamando de babaca.

Só que ele tem razão. Eu sou uma babaca. Que tipo de pessoa trai a própria irmã gêmea do pior jeito possível? É claro que o fato de ter fingido ser Honor para poder beijar Sagan não foi bem uma traição, considerando que não há nada entre Honor e Sagan. Mas como eu poderia saber disso? Honor não me conta nada! Uma irmã devia saber quem sua gêmea está namorando! Ainda assim, de algum jeito eu sempre fico com os segredos de todos e depois vocês me pedem para esconder dos outros!

Tipo o que estou guardando para Honor agora. Ela saiu com um cara esta noite, deve estar nua com ele em seu leito de morte.

Será que podemos abordar isso, por favor?

Será que podemos discutir como é perturbador que Honor seja obcecada por doentes terminais, por favor?

Por que não há nenhum problema nisso?

Por que você não a colocou em terapia, pai?

QUEM, EM SEU JUÍZO PERFEITO, PROCURA O AMOR EM PESSOAS QUE ESTÃO MORRENDO?

Honor, de irmã para irmã, por favor, procure ajuda. Você precisa. Desesperadamente.

Estou me esquecendo de alguém? Moby? Nem vou falar nisso. Por favor, alguém salve esta criança desta família antes que seja tarde demais.

Sagan, sinceramente não tenho nada de negativo a dizer a seu respeito. É possível que você seja o único morador saudável desta casa. Acho que de certo modo é um defeito seu. Você tem a alternativa de ir embora, mas por algum motivo fica com a família mais ferrada do Texas. Sua família deve ser mesmo um horror. É por isso que você nunca conheceu a própria irmã? Por isso você teve a inteligência de ficar o mais distante possível?

Bom, isso foi engraçado. Acho que me sinto melhor, agora que todos os segredos de vocês não são mais da minha responsabilidade. No futuro, guardem suas merdas para vocês, porque eu não ligo.

Vou repetir, para o caso de ninguém ter entendido.

Eu.

Não.

Ligo.

Atenciosamente

Merit

Bato a caneta no papel.

Isso foi bom. Muito bom. Parece que me tiraram um peso e distribuíram igualmente por todas as pessoas desta família. Ou pelo menos será, depois que eu fizer cópias para todos.

Se foi tão bom só escrever, nem imagino como vai ser bom entregar. Arranco as páginas e me levanto, mas preciso me segurar na cômoda para me equilibrar. Dou uma risada porque penso que, enfim, estou bêbada o bastante para afugentar todos os sentimentos. Ou talvez tenha sido a carta que acabei de escrever. Seja como for, acho que gosto de tequila. Eu me sinto bem pra caramba. Gosto demais dela; bebo o resto antes de fazer as cópias no escritório do meu pai.

Nem me dou ao trabalho de bater. Ouvi a porta de Utah se fechar antes, então sei que ele não está mais ali com Luck. Quando abro a porta, Luck está mexendo no celular. Ele não parece feliz em me ver.

— O que você quer?

— Nada de você — digo, me dirigindo ao outro lado da sala. — Preciso usar a copiadora.

Luck suspira e se recosta no sofá-cama. Coloco a primeira página na copiadora e apertou o número sete. São nove pessoas nessa casa, mas Moby não sabe ler e eu tenho o original. Aperto o botão de Copiar, depois me viro para Luck.

— E aí — digo. — Existe mais alguém com quem você não transou na Terra, além de mim?

— Você está bêbada?

Abro a copiadora e coloco a segunda página virada para baixo. Aperto de novo o botão para copiar.

— Estou. Só assim consigo lidar com esta família, Luck. A família com quem você decidiu morar. — Viro-me e olho de novo para ele, desta vez confusa. — Por que você escolheria morar aqui, por vontade própria?

Luck não me responde. Volta a olhar seu celular e recomeça com as mensagens.

— Está acabando aí?

Coloco a última página na copiadora.

— Tô. Quase no fim.

Olho para o outro lado da copiadora e vejo o caderno surrado de Luck com todas as suas conquistas. Volto a olhar para ele e Luck não está olhando para mim. Viro na última página e lá está, ele escreveu meu nome. Diz, 332.5 M.V., a cama dela, NT.

Consegui um NT. Um grande e gordo NÃO TERMINOU.

— Será que eu ganho pelo menos um troféu de participação por isso? — Luck vê o caderno em minhas mãos. Dá um salto do sofá-cama e tira o caderno de mim. Volta para a cama. Pego uma caneta para ele. — Toma. Não se esqueça de escrever as iniciais de Utah. Sortudo 333.

Quando a copiadora termina, pego todas as folhas de papel e tiro o original do aparelho.

— Vá dormir agora — diz ele, agitado.

Pego o grampeador. Sacudo para ele enquanto saio.

— Eu gostava mais de você antes de te conhecer.

Fecho a porta e volto para o meu quarto. Espalho todos os papéis no chão, mas sou obrigada a ajustar a visão por um momento, porque não consigo colocá-los nas pilhas certas. Todas as páginas começam a fugir de mim. Já grampeei quase todas quando alguém bate na minha porta.

— Vai embora! — engatinho até a porta e tranco antes que quem esteja ali consiga abrir.

— Merit.

É Sagan. A voz dele me faz estremecer. Pelo visto, não foi tequila suficiente para amortecer este sentimento.

— Estou dormindo — digo.

— Sua luz está acesa.

— A *sua* luz está acesa!

Ele não responde. Fico satisfeita, mas não sei o que isso quer dizer. Segundos depois, ouço a porta do seu quarto se fechar.

Fecho bem os olhos para impedir que o quarto fique rodando. Deito a cabeça no chão. Estou tonta demais para continuar sentada desse jeito. Assim que fecho os olhos, ouço a chegada de uma mensagem de texto no meu telefone. Estendo a mão para a cama e procuro até encontrar o aparelho.

Honor: O que aconteceu?

Tanta coisa aconteceu nas últimas duas horas que nem mesmo sei do que exatamente ela está falando.

Eu: Como assim?

Honor: Sagan acaba de me mandar uma mensagem dizendo para ter cuidado ao voltar para casa. POR QUE ele sabe que não estou em casa?

Eu: Bom... é muito difícil mentir para ele. Além disso, por que isso importa? Ele nem é seu namorado.

Honor: Importa porque eu menti para ele e muito obrigada, agora ele sabe disso. Lembre-me de não pedir a você para me dar cobertura no futuro!

Eu: Tudo bem. No futuro, não me peça para te dar cobertura.

É normal uma pessoa odiar tanto assim a própria família?

Encontro a garrafa de tequila, mas está vazia. Isso não me ajuda muito, porque ainda sinto coisas. Vou cambaleando para a cozinha e abro cada armário, mas não consigo encontrar mais nenhuma bebida. Abro a geladeira e a única coisa que pode ajudar a entorpecer o que acontece em meu peito neste momento são três cervejas. Pego todas as latas e levo para meu quarto. Volto para o chão e abro uma das cervejas. Olho a carta que escrevi.

Devo entregar?

Talvez não. Isso só daria a eles mais motivos para me odiar. Eles não vão se lamentar por mim depois de ler, vão ficar zangados comigo por expor todos os segredos.

Bebo a primeira cerveja e meu estômago já dói, mas isso ainda não alivia a pressão em meu peito. Sabe o que parece? Parece o dia em que decidi parar de ir à escola. Eu estava entrando no refeitório quando Melissa Cassidy me segurou pelo braço e falou: "Honor, vem cá. Nem vai acreditar no que eu descobri!" Ela me arrastou por um metro e meio até sua mesa, na qual Honor já estava sentada. Olhou para mim, depois para Honor, e disse: "Ah. Desculpe. Pensei que você fosse Honor." Soltou o meu braço, voltou à mesa e cochichou no ouvido de Honor.

Só fiquei parada ali, de olhos fixos em Honor. Todo mundo gostava dela, apesar de ela ser uma Voss. Todos queriam ficar com ela, ser amiga dela, e eu era simplesmente um subproduto. A gêmea idêntica com menos a oferecer. Não havia uma só garota naquela mesa que preferisse ser minha amiga e não de Honor.

Não aconteceu nada de horrível para me fazer largar a escola naquele dia. Não sofri bullying, apesar de todos terem suas opiniões desagradáveis sobre nossa família. Eu simplesmente... estava lá. Quando fico na minha, todo mundo acha ótimo.

Ninguém me incomoda. Quando decidi me juntar em conversas com Honor e as amigas, ninguém teve problema com isso também. Eu era irmã gêmea de Honor, elas não fariam uma grosseria comigo. Elas só eram indiferentes. E acho que a indiferença delas me incomodava mais do que se tivessem me odiado.

Foi como se 17 anos de negação batessem na minha cara ali mesmo, no refeitório. A escola toda notaria se Honor deixasse de aparecer. Mas se eu parasse de ir, a vida continuaria. Com ou sem Merit.

Na verdade, recebi duas mensagens de amigas da minha turma, perguntando por que não fui à escola por duas semanas.

Duas.

Só isso.

E esse é outro motivo para eu ficar em casa. Porém, por alguma razão, achei que preferia ficar em casa a ir à escola, onde eu não importava, mas não é assim. Detesto isso aqui também. Eu não importo aqui também. Se abandonasse a vida, como abandonei a escola, a vida de todos continuaria.

Com ou sem Merit.

Pego a segunda cerveja e assim que a lata está vazia, jogo na porta do meu quarto.

— Sem Merit — sussurro para ninguém. — Isso vai mostrar a eles.

Depois faço o que sei fazer melhor. Ajo sem pensar. Minha espontaneidade será a única coisa que me fará falta. Engatinho até o armário e pego a bota preta. Pego o frasco de comprimidos roubados e abro a tampa. Alcanço a terceira cerveja e minhas mãos tremem tanto que preciso de três tentativas para abri-la.

Olho a cerveja em minha mão esquerda e o frasco de comprimidos na direita. Nem penso duas vezes. Coloco alguns comprimidos na boca, depois tento engolir. Coloquei muitos e acabo cuspindo os comprimidos na mão. Relaxo a garganta e tento de novo. Dessa vez eles descem, assim coloco mais alguns e engulo. Não consigo engolir mais de três ou quatro de uma vez, então preciso de toda a cerveja para fazê-los descer.

Jogo de lado a lata vazia de cerveja e pego as sete pilhas de papel. Pego uma caneta e em cada pilha acrescento a palavra *Sem* a meu nome. Atenciosamente, *Sem* Merit. Tem mais a ver. Começo pelo quarto de Sagan, porque é o mais próximo. Passo um maço das páginas grampeadas por baixo da porta. Depois continuo pelo corredor até distribuir pelos quartos de Utah, Luck e Honor. Também levo os papéis para por debaixo da porta do porão. Abro a porta e jogo a pilha na escada da minha mãe. Se ficarem no alto da escada, ela nunca os verá. Vou até o Quarto Três e meto o último maço de papéis por baixo da porta do quarto do meu pai e Victoria.

Ao voltar pelo Quarto Um, noto uma folha de papel no sofá que não estava ali antes. Entre fingir ser Honor e beijar Sagan, eu não percebi que estava sentada em uma folha de papel.

Está virada para baixo, mas já sei que é um desenho. Pego o papel e vou para o meu quarto. Fecho a porta e me sento na cama. Não sei o que ele desenhou, mas escreveu na parte de baixo do verso da página:

"Coração < carcaça."

Cubro a boca quando viro para o desenho. Meus dedos tremem nos lábios enquanto crio coragem para ver o desenho.

Estremeço quando vejo. Passo o braço pela barriga. Dois corações em cada ponta de um sofá. Um deles inteiro, o outro cortado pelo meio.

Qual deles é o meu?

Sinto náuseas. Largo o desenho e o vejo flutuar para o chão do meu quarto. Ele cai por cima do frasco vazio de comprimidos. Olho fixamente a palavra *carcaça*.

Carcaça. Morte. *Morta*.

Rolo, trago os joelhos ao peito e os abraço. Fecho bem os olhos e procuro não internalizar tudo isso.

Mas as lágrimas começam a escapar dos meus olhos, por maior que seja a força que faça para fechá-los. Meu lábio inferior treme mais do que minhas mãos.

Eu não quero morrer.

Abraço-me com mais força.

Não sei o que vai acontecer. E se for pior do que isso?

Meu choro temeroso se transforma em um soluço. Fecho a boca com a mão.

— Não, não, não. — Minha voz é cheia de pânico quando a ficha do que acabei de fazer começa a cair. Se eu ficar aqui mais um segundo que seja, talvez não consiga fazer nada para contornar a situação. Sento-me. Agarro o colchão e tento fazer o quarto parar de rodar por tempo suficiente para distinguir a porta.

O que foi que eu fiz?

Caio de joelhos assim que a porta do quarto é aberta. Não sei se consigo me levantar de novo, então engatinho até o banheiro. Abro a porta e engatinho até a privada. Meto os dedos na garganta.

Nada.

Não sei se um dia chorei tanto. Não consigo pronunciar um som, não consigo gritar, não consigo respirar, não consigo respirar, não consigo respirar. Tento me obrigar a vomitar de novo, mas não dá certo. Sempre que alcanço o fundo da garganta, meus dedos se retraem e não dá certo, não dá certo, não dá certo!

— Socorro.

É patético. Minha voz é patética com o meu choro e é assim que vou morrer. No chão do meu banheiro, deixando para trás o que está prestes a se tornar a carta de suicídio mais desprezível que alguém já escreveu.

Isso não está acontecendo. Isto é um sonho. Estou sonhando. Quero acordar, por favor.

— Por favor, Deus — sussurro. — Nunca mais vou beber, nunca mais vou roubar, nunca mais nem mesmo vou escrever outra carta, por favor, por favor, por favor. — Consigo engatinhar até a porta do banheiro. A porta do quarto de Utah é a mais próxima. Tento abrir, mas está trancada. Passo a bater. — Utah! — Bato na porta de novo. Sei que minha voz não é alta, mas tenho esperanças de que ele me ouça bater. Estou de quatro, tonta demais para conseguir chegar à porta de outra pessoa. Não sei quanto tempo os comprimidos demoram a dissolver, mas não faz tanto tempo assim que tomei. Cinco minutos?

A porta de Utah se abre. Ele está de pé em cima da carta que escrevi, nem mesmo nota, porque se abaixa e grita: "Merit?" Agora ele está de joelhos, segurando meu queixo, levanta meu rosto para ele. Sinto lágrimas, muco e baba cobrindo todo meu rosto, mas ele não se importa com nada disso porque limpa com a bainha da camisa.

— O que foi? Está passando mal?

Nego com a cabeça e seguro seus braços, olhando-o desesperadamente.

— Utah, eu me ferrei.

— Está bêbada?

— Os comprimidos dela — digo, sufocando as lágrimas. — Eu tomei, não estava pensando, Utah, eu não estava pensando. — Ouço outra porta se abrir e segundos depois Sagan está ao lado de Utah. Agora sinto medo demais para ficar mortificada.

— Que comprimidos? — pergunta Utah. — Merit, do que está falando?

Caio encostada na parede, em pânico, sacudindo as mãos que estão levemente dormentes.

— Da mamãe! Tomei os analgésicos dela! — Utah olha para Sagan e sei que eles tentam entender o que está acontecendo, mas eles não entendem! — Eu tomei!

Sagan tira Utah do caminho.

— Chame uma ambulância! — Ele me segura pela nuca e me empurra para a frente, depois mete dois dedos em minha boca. Meu corpo tenta rejeitá-los, mas ele não se importa porque mantêm os dedos ali e agora estou vomitando. Em todo o chão, cobrindo Sagan. Não consigo mais ficar de olhos abertos.

— Quantos comprimidos, Merit?

Faço que não com a cabeça. Eu não sei.

— Quantos você tomou? — O pânico aparece em sua voz, como em minha pulsação.

Ele pergunta insistentemente quantos comprimidos tomei. Não consigo me lembrar. Quantos foram? Roubei oito outra noite. Acrescentei aos vinte que eu tinha roubado.

— Vinte e oito — sussurro.

— Meu Deus do céu, Merit. — Seus dedos voltam à minha boca, encostando no fundo da minha garganta. A pressão que vem de dentro me lança para frente e vomito de novo. Ouço Utah gritando ao telefone, agora Luck está no corredor, Moby chora, meu pai aparece e pergunta:

— O que foi? Mas o que está acontecendo?

Abro os olhos e Sagan está contando em um sussurro acelerado e frenético.

— Vinte e dois, vinte e três, vinte e quatro... — Ele está concentrado no chão, mexendo no que acaba de sair de mim, uma voz trêmula. — Vinte e cinco, vinte e seis, vinte e sete, VINTE E OITO! — ele grita.

Depois ele me pega no colo e a voz do meu pai fala: "Leve-a para o sofá."

Estou no sofá, ainda tonta e com vontade de vomitar de novo.

— O que você tomou? — pergunta Utah. Ele está ajoelhado na minha frente, ainda ao telefone. Victoria me traz um pano úmido. Sagan pega das mãos dela e limpa meu rosto.

— Merit, eles precisam saber que comprimidos você tomou.

— Ela tomou comprimidos? — diz meu pai. Ele anda de um lado para outro atrás deles. Luck está atrás do meu pai, tapando a boca.

— Quais foram? — pergunta Sagan. Ele coloca meu cabelo para trás e parece sentir um pânico igual ao do meu pai. Ao de Utah. De Victoria. De Luck. Até Moby parece estar em pânico, com os braços agarrados ao pescoço da mãe.

— O que foi?

Todos olham para a porta de entrada quando ela se fecha. Honor chegou.

— Onde você esteve? — Meu pai se dirige para Honor. Ele para e meneia a cabeça. — Cuido de você depois — diz ele, mudando de ideia enquanto volta a mim. — Merit, o que você tomou? — Agora ele paira acima de mim. Todos estão me olhando.

— Ela vomitou todos — explica Sagan.

— Mas o que era? — pergunta meu pai.

— Provavelmente aspirina — responde Victoria.

— Ela disse que tinha roubado — explica Utah.

— O que foi? — pergunta Honor.

— Merit tomou comprimidos — explica Luck.

— Viu isso, Barnaby? — pergunta Victoria.

— Agora não, Victoria — diz meu pai.

— O que você tomou, Merit? — pergunta Sagan.

— Você precisa ler isso, Barnaby! — diz Victoria.

— Victoria, por favor! — continua meu pai.

— Merit, que comprimido foi? — pergunta Utah.

— Eram da mamãe — digo.

— Você tomou comprimidos da sua mãe? — Meu pai está me perguntando enquanto se curva sobre o sofá, atrás da minha cabeça. Ele está de cabeça para baixo e eu o encaro. Nunca tinha notado o quanto ele e Moby são parecidos. — Os comprimidos com receita médica da sua mãe? — Pergunta de novo. Faço que sim com a cabeça. Meu pai suspira. — Está tudo bem, não podem fazer mal a ela. — Ele tira o telefone de Utah e vai até a cozinha falar com o atendente da emergência. — Alô? Oi, oi, Marie. Sim, é Barnaby. Está tudo bem. Ela está bem.

Está tudo bem. Ela está bem.

Eu estou bem.

Como ele sabe que eu estou bem? Ele nem mesmo sabe que comprimidos tomei. Acho que a essa altura não importa, porque estão todos em uma pilha de vômito no chão do corredor.

— Está se sentindo bem? — pergunta Sagan. Faço que sim com a cabeça. — Vou te trazer água.

Fecho os olhos. Agora tudo está se acalmando. Meu coração se acalma. O tumulto se acalma. Minha respiração sai estável. Está tudo bem. Ela está bem.

Eu estou bem.

— Isso é verdade? — É a voz de Victoria. Abro os olhos e ela segura as páginas que grampeei. Ela olha os papéis. Sua expressão é qualquer coisa, menos boa.

Não está mais tudo bem.

Contraio o estômago, tenho vontade de vomitar de novo.

— Merit. Você escreveu isto?

Concordo com a cabeça. Talvez ela fique tão constrangida com a traição do meu pai que vá pegar todas as outras cartas antes que mais alguém leia. Ela dá um passo na minha direção. Mas não parece furiosa, embora eu tenha dito na carta que meu pai a estava traindo. Ela parece... triste.

Ela olha para Utah.

— Você fez isso com ela?

Utah olha para mim, depois volta a Victoria.

— Fiz o que com quem?

Victoria se aproxima de Utah e bate a carta em seu peito. Passa por ele até entrar na cozinha com meu pai. Olha para Utah e ele encara a primeira página da carta. Sagan está de volta com a água.

— Tome, beba isto. — Ele me ajuda a sentar e tenta me fazer beber, mas não tiro os olhos de Utah. Afasto o copo e meneio a cabeça.

É quando eu vejo.

Uma lágrima.

Utah ergue os olhos da primeira página da carta, enquanto uma lágrima desce por seu rosto. Não consigo deixar de me perguntar se é uma lágrima de culpa, ou de medo por eu finalmente ter contado a verdade. Ele larga a carta e passa as mãos no cabelo. É claro que não olha nos meus olhos.

Ouço sirenes ao longe. Meu pai fala ao telefone.

— Obrigado, Marie. — Ele encerra a ligação e Victoria está bem ali, cochichando algo com ele. Ela aponta para Utah. Aponta para mim. Aponta os papéis que agora estão aos pés de Utah. Meu pai olha para Utah. Vem a passos pesados para a sala justo quando a ambulância para em nossa rua. Pega os papéis no chão e lê. Um minuto. Dois minutos. Utah está petrificado. Há uma batida na porta, mas meu pai a ignora.

— Pai — sussurra Utah.

Meu pai tira os olhos da carta. Seus olhos encontram os de Utah, depois os meus.

Outra batida na porta.

— Pai, por favor — diz Utah. — Eu posso explicar.

Outra batida.

Um soco.

Honor grita.

Agora Utah está no chão. Meu pai está de pé, acima dele. Aponta a porta e diz uma só palavra a ele.

— Fora.

Honor ajuda Utah a se levantar, olhando feio para papai.

— Mas qual é o seu problema!?

Depois que está de pé, Utah se vira e vai para o quarto. Honor e Luck o acompanham. Sagan abre a porta de casa e deixa os socorristas entrarem.

— Ela está bem — diz meu pai a eles, apontando para mim. — Podem examinar, eram comprimidos de placebo.

Comprimidos de placebo.

Por que eram placebo?

Os dez minutos seguintes são um borrão, os socorristas me bombardeiam de perguntas, examinam minha pressão, meu oxigênio, meus olhos, minha boca.

— Provavelmente não vai fazer mal levá-la para passar a noite no hospital. — Ouço um dos socorristas cochichando com meu pai. — Caso contrário, teremos de informar o que aconteceu à assistência social. Eles terão de acompanhar o caso.

Meu pai concorda e se aproxima de mim. Ajoelha-se, mas antes até que ele diga alguma coisa, eu me forço a dizer:

— Estou bem. Não quero ir para o hospital.

— Merit — diz ele. — Acho que você devia...

— Não quero ir — digo com determinação. Ele assente. Não ouço o que ele diz quando volta ao socorrista, mas o cara aperta o ombro do meu pai. Eles devem se conhecer. É claro que se conhecem. É uma cidade pequena. E como eles conhecem meu pai, vão contar a suas esposas, depois as mulheres contarão às amigas, depois as amigas contarão às filhas, depois a cidade toda vai saber que tentei me matar.

Com comprimidos de placebo.

Por que ela toma placebo?

Assim que essa ideia passa por minha cabeça, minha mãe aparece no alto da escada do porão. A porta está aberta e ela me olha do outro lado da sala.

— Você está bem? — Ela ia partir na minha direção, mas olha os próprios pés encontrando o piso de madeira e rapidamente volta ao último degrau da escada.

— Está tudo bem, Vicky — diz meu pai para mamãe. Olho rapidamente para Victoria e ela vai para o quarto com Moby. Não suporta ficar no mesmo ambiente que ela. Pergunto-me se ela leu a carta toda. Será que ela sabe que eles ainda dormem juntos?

— O que aconteceu? — pergunta minha mãe.

Eu daria qualquer coisa para ela vir aqui me abraçar. Qualquer coisa. Ela sabe que aconteceu algo ruim, ou não teria aberto a porta do porão. Ainda assim, está mais preocupada com os limites do porão do que comigo. Olho minhas mãos. Estou tremendo e parece que vou vomitar de novo.

— Vou explicar tudo daqui a pouco — diz meu pai a ela. — Procure dormir um pouco, está bem? — Ouço a porta do porão se fechar. E, mais uma vez, não ganho um abraço da minha mãe.

— Pai — sussurro, olhando-o, suplicante. — Joguei uma carta no porão. Por favor, pode pegar antes que ela leia?

Ele assente e vai ao porão sem questionar.

— Merit! — grita Honor. Levanto a cabeça a tempo de vê-la andando a passos firmes pelo corredor, com a carta na mão. Ela atravessa o Quarto Um e está prestes a me atacar, mas Sagan se mete na frente dela e segura seus braços. Ela luta para se desvencilhar, mas quando percebe que ele não a deixará passar, apenas joga os papéis para mim. — Sua mentirosa! — Ela está chorando e de súbito percebo que não somos nada atraentes quando choramos. Detesto ter feito tudo isso nas últimas duas horas.

Parece que estou vendo um filme. Não parece que estou nele, vivendo nele, sendo vítima da raiva de Honor nesse exato instante. Nem mesmo respondo à sua raiva, porque me sinto desligada demais dela.

— Agora não, Honor — diz Sagan, afastando-a de mim.

— Não é verdade! — grita Honor. — Diga a eles que não é verdade! Utah nunca faria uma coisa dessas!

Observo tudo se desenrolar, ainda deitada no sofá, enrolada em um cobertor. Victoria está de volta, porém Moby não está mais com ela. Honor se precipita para ela e meu pai.

— Não pode obrigá-lo a ir embora, é mentira dela!

Victoria olha meu pai.

— Não pode relevar isso, Barnaby.

— Cuida da sua vida! — grita Honor.

— Honor! — exclama meu pai.

— Ah, cala a boca! — retruca Honor.

— Já para o seu quarto! — diz meu pai. — Todo mundo! Para seus quartos!

— E eu? Posso voltar para meu quarto? — questiona Utah.

— Não. Você sai. Todos os outros, para seus quartos.

— Se ele for embora, eu vou — diz Honor.

— Não. Você fica — ordena meu pai.

— Eu vou com Utah — diz Luck.

— Você também não vai com ele — intervém Victoria.

— É sério que você vai me dizer o que fazer? Tenho 20 anos! — diz Luck.

— Todo mundo vai ficar. Está tudo bem. Eu estou bem. Eu vou — finaliza Utah.

— Por que você vai embora? Você não fez nada! — diz Honor.

E chegou. A hora da verdade. O clímax.

Os ombros de Utah se erguem quando ele puxa o ar. Depois caem, como acaba acontecendo com todos os grandes impérios. Ele olha para mim, do outro lado da sala. Me encara, mas não aproveita a oportunidade para admitir sua culpa. Nem mesmo para se desculpar. Em vez disso, Utah vai à porta quando fica claro que meu pai não vai ceder. A batida da porta da frente ao se fechar me causa um sobressalto.

Lentamente, Sagan se senta no sofá ao meu lado. Estala os nós dos dedos como quem está colérico, mas não sei que membro da família é objeto da sua fúria. Provavelmente sou eu. Todos ficam em silêncio até meu pai falar.

— É tarde. Vamos discutir tudo amanhã. Todo mundo para cama. — Ele olha para Luck e aponta para ele. — Você, fique em seu quarto. Se eu vir você perto das minhas filhas, vai ser expulso. — Ele deve ter lido o resto da carta.

Luck assente e se retira para o quarto. Honor está encarando papai, com as mãos em punhos junto do corpo.

— Isso é culpa sua — ela lhe diz. — Você e suas decisões ridículas e sua educação ridícula. Você é o motivo de esta família ser assim!

Honor vai para o quarto e bate a porta.

Agora ficamos apenas eu e Sagan. E meu pai. Um instante se passa enquanto meu pai se controla. Enfim ele se dirige a mim, agacha-se na minha frente para que fiquemos olhos nos olhos.

— Você está bem?

Faço que sim, embora pareça bem longe disso.

Ele olha para Sagan.

— Pode ficar de olho nela esta noite?

— Claro que sim.

— Não preciso de babá.

— Não tenho tanta certeza disso — diz meu pai. — Preciso lidar com Victoria.

Ele se levanta, mas antes que consiga se afastar, eu digo:

— Por que mamãe está tomando placebo?

Ele me olha fixamente, as marcas de todos os seus segredos se reúnem nos cantos dos olhos.

— Dou graças por todos eles serem placebo, Merit.

Ele se vira e vai até a cozinha, para seguir em direção a seu quarto. Mas quando passa pela mesa da cozinha, ele para. Segura o encosto de uma das cadeiras e baixa a cabeça entre os ombros. Fica assim uns dez segundos, depois levanta a cadeira do chão e joga na parede, quebrando-a em pedaços. Quando vai para seu quarto, ele bate a porta.

Sagan e eu soltamos um suspiro ao mesmo tempo. Ele passa as mãos no rosto e ficamos em silêncio. Sem ter o que dizer. Um minuto inteiro se passa e ficamos olhando o chão até que ele fala.

— Vai tomar um banho. Você vai se sentir melhor.

Concordo com ele. Quando me levanto, Sagan fica de pé comigo. Acho que ele sabe que ainda estou tonta, porque me segura pelo braço e me ajuda a chegar no banheiro. Depois que entramos, ele puxa a cortina do boxe e pega a lâmina de barbear. Coloca no bolso traseiro.

— Sério, Sagan? Acha que vou retalhar meu pulso com um barbeador descartável?

Ele não diz nada. Mas também não me devolve o barbeador.

— Vou limpar o corredor enquanto você está no banho. Quer passar a noite no meu quarto ou no seu?

Penso por um instante. Não sei se quero que ele esteja no meu quarto, na minha cama, onde tentei dar fim à minha vida.

— No seu — sussurro.

Ele fecha a porta e me deixa sozinha para tomar banho. Depois entra de novo. Abre o armário de remédios e tira dois frascos das prateleiras.

— É sério? O que eu ia conseguir com isso? Tomando 80 cápsulas de vitamina?

Ele sai sem responder.

♥

Passo pelo menos 30 minutos no banho. Não faço nada além de olhar fixamente a parede enquanto a água quente bate no meu pescoço. Acho que estou em choque. Ainda me sinto desligada de tudo que aconteceu essa noite. Parece que foi com outra pessoa.

A todo instante Sagan procurava saber como eu estava. Não sei quanto tempo vou levar para convencê-lo de que essa noite foi uma casualidade. Não sou uma suicida — eu estava bêbada. Fiz uma idiotice muito grande e agora ele acha que estou no banho tentando tramar um jeito de me matar.

Não quero morrer. Se quisesse morrer, não teria pedido a ajuda de Utah. Que adolescente não pensa em como seria morrer de vez em quando? O único problema quando pensei nisso foi que meu pensamento foi combinado com minha espontaneidade. E com a bebida alcoólica. A maioria das pessoas pensa bem nessas coisas. Eu não. Eu simplesmente faço.

Vou precisar de um troféu bem grande depois dessa noite. Talvez consiga encontrar uma estatueta indesejada do Oscar no eBay.

— Merit? — A voz de Sagan é abafada do outro lado da porta do banheiro.

Reviro os olhos e fecho a água.

— Estou viva — digo em voz baixa. Pego uma toalha e me enxugo. Depois de vestir meu pijama, vou para o quarto dele. A porta está aberta, então eu a fecho. Quero ficar bloqueada do mundo lá fora.

Sagan está fazendo um colchonete no chão.

— Pode ficar com a cama — diz ele.

Olho a cama e noto que ele trouxe meus travesseiros para cá. Dou um suspiro de alívio. Acho que jamais quis tanto dormir como agora. Olho para o relógio dele e percebo que já passa das três da manhã.

— Você precisa acordar cedo? — pergunto a ele. Eu me sinto mal. É muito tarde e todos ainda precisam acordar e sair para o trabalho e a escola daqui a algumas horas. Eu nem mesmo sei aonde Sagan vai todo dia, se trabalho ou escola. Sei muito pouco sobre o cara que ficou responsável pela minha vida essa noite. Obrigada por isso, papai.

Ele faz que não com a cabeça.

— Estou de folga amanhã.

Eu me pergunto se é verdade, ou se ele só está temeroso em me deixar sozinha. Por pior que eu me sinta por fazê-lo se preocupar desse jeito, é bom ser motivo de cuidado.

Deito na cama e puxo as cobertas. O colchonete dele está no chão, do outro lado da cama. Quero ficar o mais longe possível dele essa noite. Eu me conheço, sei que assim que as luzes se apagarem vou tentar abafar o som das lágrimas. Quanto maior a distância entre nós, melhor.

— Precisa de alguma coisa antes de eu apagar a luz? — Ele está junto da porta, com a mão no interruptor. Meneio a cabeça e pouco antes de a luz se apagar, meus olhos pegam um vislumbre da carta que escrevi. Está na cômoda, virada na última página.

Ele leu tudo. Fecho os olhos enquanto ele volta a seu colchonete no chão. Pergunto-me se mais alguém leu. Puxo bem as cobertas, cobrindo a boca. É claro que eles leram. Puxo os joelhos para cima e me enrosco em posição fetal. Por que escrevi isso? Nem consigo me lembrar de tudo que escrevi.

Lentamente a carta me volta, parágrafo por parágrafo. Quando minha mente se recorda de cada página, as lágrimas estão caindo. Mordo o cobertor, tentando reprimir o choro.

Ainda não sei o que sinto, se me arrependo ou não de ter escrito. Mas isso parece arrependimento. Talvez, de ter tomado os comprimidos, mas não de ter escrito a carta.

Talvez eu me arrependa de tudo.

O único sentimento de que tenho certeza é que estou completa e inteiramente deprimida. Eu já devia estar acostumada com ele, mas não estou. Acho que é uma coisa com que ninguém consegue se acostumar.

Nem acredito no que fiz essa noite. Ou mesmo no dia anterior. Queria poder voltar no tempo, não ter abandonado a escola, assim nada disso teria acontecido. Ora essa, queria mesmo poder voltar vários anos e jamais ter tido aquele momento com Utah. Ou talvez devesse voltar dez anos, ao dia em que Wolfgang apareceu em nosso quintal. Se eu tivesse matado aquele cachorro desgraçado, nunca teríamos nos mudado para essa igreja. Papai nunca teria conhecido Victoria. Minha mãe nunca teria ficado maluca e sentido a necessidade de se esconder no porão.

Enterro a cara no travesseiro e tento, ao máximo, evitar que Sagan ouça o quanto estou triste.

Mas não dá certo. Sinto ele levantar as cobertas e se colocar na cama a meu lado. Ele passa o braço por mim e puxa minhas costas para seu peito. Encontra minhas mãos ainda apertando as cobertas e as segura. Depois se enrosca em volta de mim até que suas pernas cruzam as minhas e seu queixo se apoia no alto da minha cabeça. Todo o seu corpo abraça o meu e nem mesmo consigo me lembrar da última vez que alguém nessa casa me abraçou. Os abraços de Moby não contam, porque ele só tem 4 anos. Meu pai não me abraça há anos. Não me lembro da última vez que Utah me abraçou. Honor e eu não nos abraçamos desde que éramos crianças. Minha mãe não gosta de contato físico, então um abraço dela esteve fora de cogitação desde que sua fobia chegou ao auge alguns anos atrás. Reconhecer que esse é o primeiro abraço que tenho em anos me faz chorar ainda mais.

Sinto os lábios dele pressionando minha cabeça.

— Quer que eu conte uma história para você? — sussurra ele.

De algum jeito consigo rir em meio às lágrimas patéticas.

— Suas histórias são mórbidas demais para o momento.

Ele mexe um pouco a cabeça, até que seu rosto está encostado no meu. A sensação é boa. Fecho os olhos e ele diz:

— Então, tudo bem. Vou cantar para você dormir.

Rio de novo, mas paro quando ele de fato começa a cantar. Ou melhor... faz um rap.

— *Y'all know me, still the same OG...*

— Sagan — digo, rindo.

— *But I been low key...*

— Pare.

Ele não para. Passa os minutos seguintes cantando cada verso de "Forgot About Dre". Quando adormeço, as lágrimas já secaram no meu rosto.

Capítulo onze

Imagine o caos que uma família normal deve viver na manhã seguinte à noite em que um de seus membros tentou suicídio. Os telefonemas para terapeutas, o choro, os pedidos de desculpas, gente constantemente te sufocando e o caos de todo mundo pensando: "Como foi que isso aconteceu?" e "Como não vimos os sinais?"

Olho fixamente o teto do quarto de Sagan acreditando que todos na casa, tirando Sagan, saíram alguns minutos atrás. Pelo menos é o que suponho, porque ouvi a porta bater várias vezes e ninguém se deu ao trabalho de ver como estou. Eu me pergunto como deve ser viver em uma família normal. Uma família em que as pessoas de fato se importam. Não uma família como a nossa, em que todos continuam com sua vida como se eu não tivesse tentado me matar algumas horas atrás. Uma família como a nossa, em que meu pai ainda acorda e sai para o trabalho. Uma família em que minha mãe ainda se recusa a sair do porão. Minha irmã gêmea vai para a escola. Meu meio-tio sai para seu novo emprego. E ninguém que tem qualquer relação sanguínea comigo aparece para saber se estou bem.

Eu entendo. Estão todos irritados comigo Eu disse algumas coisas abomináveis naquela carta e, a essa altura, todos leram, tenho certeza. Mas o fato de que Sagan é o único aqui nesse momento prova que nada do que eu disse naquela carta os afetou. Todos ainda estão me culpando.

Sento na cama assim que a maçaneta da porta do quarto de Sagan começa a girar, com uma batida. Fico decepcionada — e um tanto aliviada — ao ver meu pai colocar a cabeça para dentro.

— Está acordada?

Faço que sim com a cabeça e puxo os joelhos para cima, abraçando-os. Ele fecha a porta ao entrar e vem até a cama, sentando-se nela, inseguro.

— Eu, hmm... — Ele cerra o maxilar como sempre faz quando não sabe o que dizer.

— Deixe-me adivinhar — digo. — Você quer saber se eu estou bem? Se ainda estou suicida?

— Está?

— Não, pai — respondo, frustrada. — Sou uma garota que descobriu que os pais têm um caso, assim descarreguei minha raiva em algumas substâncias ilegais. Isso não faz de mim uma suicida, mas uma adolescente com problemas.

Meu pai solta um suspiro profundo e se vira para mim.

— Seja como for, acho que é uma boa ideia você consultar o Dr. Criss. Marquei uma hora para você na próxima segunda.

Ah, meu Deus.

— Está de brincadeira? De todas as pessoas nessa família, você vai *me* obrigar a ver um psiquiatra? — Recosto-me na cabeceira da cama, derrotada. — E quanto à sua ex-mulher, que não vê o sol há dois anos? Ou sua outra filha, que está a um passo da necrofilia? Ou seu filho, que não vê problema nenhum em molestar a irmã!

— Merit, pare! — diz ele, frustrado. Ele se levanta e anda pelo quarto. — Estou fazendo o melhor que posso, está bem?

Não sou um pai perfeito. Sei disso. Se fosse, você nunca teria chegado ao ponto de preferir estar morta a viver comigo. — Ele se vira para a porta, mas se interrompe e volta-se para mim. Hesita por um momento, depois ergue os olhos até os meus. Sua expressão é tomada de decepção e a voz é muito mais baixa quando ele fala. — Estou fazendo o melhor que posso, Merit.

Ele fecha a porta e me jogo de novo na cama.

— Ah, tá. Tente um pouco mais, pai.

Espero pelo barulho da porta da casa sendo fechada antes de atravessar o corredor até meu quarto. Troco de roupa, escovo os dentes no banheiro, depois faço minha grandiosa entrada no Quarto Um. Não há ninguém ali para me receber, nem me dizer como está feliz por aqueles comprimidos terem sido apenas placebo.

Vou à cozinha e sento-me à mesa. Olho o letreiro do lado de fora. É a primeira vez, desde que nos mudamos, que não é atualizado. A mesma mensagem que Utah colocou ontem ainda está ali.

SE TODA A HISTÓRIA DA TERRA FOSSE RESUMIDA EM UM ÚNICO CALENDÁRIO, A ESPÉCIE HUMANA SÓ TERIA APARECIDO EM 31 DE DEZEMBRO ÀS 11 DA NOITE.

Preciso ler algumas vezes para entender. A espécie humana é assim tão insignificante? Só existimos por uma hora de um ano inteiro?

Sagan entra na cozinha, vindo do quintal. Tem um jarro de água nas mãos.

— Bom dia — diz ele com a voz cautelosa. Eu o encaro por um momento, depois volto ao letreiro.

— Acha que isso é verdade?

— O que eu acho que seja verdade? — Ele se aproxima da mesa e se senta com seu bloco de desenho.

Aponto a janela com a cabeça.

— O que Utah colocou no letreiro ontem.

Sagan olha pela janela e vê o letreiro, pensando.

— Acho que não sou a pessoa indicada para responder. Acreditei em Papai Noel até os 13 anos.

Eu rio, mas é um riso ridículo e forçado. Depois franzo o cenho porque rir é só uma cura para a melancolia, que ultimamente parece ser meu estado de espírito constante.

Sagan baixa o lápis e se recosta na cadeira. Ele me olha, pensativo.

— O que você acha que acontece quando a gente morre?

Volto a olhar o letreiro.

— Não sei. Mas se este letreiro for verdade e a raça humana realmente é tão insignificante para a história da Terra, me pergunto por que um deus teria todo o trabalho de colocar o universo inteiro girando em torno de nós.

Sagan pega o lápis e coloca a ponta na boca. Rói por um momento antes de falar.

— A espécie humana é uma criatura romântica. É tranquilizador acreditar nesse ser onisciente que tem o poder de criar toda e qualquer coisa e ainda ama a raça humana mais do que tudo.

— Chama isso de romântico? Eu chamo de narcisista e etnocêntrico.

Ele sorri.

— Depende da perspectiva que você assume, eu acho.

Ele volta a desenhar como se tivesse encerrado a conversa. Mas fico empacada naquela palavra. *Perspectiva.* Faz com que eu me pergunte se vejo as coisas só de um ponto de vista. Tenho a tendência a pensar que muita gente está errada, em grande parte do tempo.

— Acha que eu vejo as coisas de uma perspectiva só?

Ele não me olha quando responde.

— Acho que você sabe menos a respeito das pessoas do que pensa.

De imediato tenho vontade de discordar. Mas não faço isso, porque estou com dor de cabeça e, talvez, de ressaca. Também não quero discutir com Sagan porque ele é o único que ainda fala comigo. Não quero estragar isso. Para não dizer que ele parece maduro para a idade, e não vou competir intelectualmente com ele. Apesar de não saber quantos anos ele tem.

— Quantos anos você tem?

— Dezenove — diz ele.

— Você sempre morou no Texas?

— Passei os últimos anos com minha avó, aqui, no Texas. Ela morreu um ano e meio atrás.

— Eu sinto muito. — Ele não responde nada. — Onde seus pais estão agora?

Sagan se recosta na cadeira e olha para mim. Bate o lápis no bloco, depois o larga na mesa.

— Vem — diz ele, empurrando a cadeira para trás. — Preciso sair dessa casa.

Ele me olha com expectativa; me levanto e o acompanho até a porta. Não sei aonde vamos, mas tenho a sensação de que não é dessa casa que ele quer distância. É das perguntas.

♥

Uma hora depois, estamos no antiquário, olhando o troféu que não pude comprar algumas semanas atrás.

— Não, Sagan.

— Sim. — Ele tira o troféu da prateleira e tento retirá-lo das mãos dele.

— Você não vai pagar 85 dólares por isso só porque tem pena de mim! — Ando atrás dele como uma criança fazendo birra.

— Não estou comprando porque tenho pena de você. — Ele coloca o troféu junto da caixa registradora e pega a carteira. Tento pegar o troféu, mas ele fica no meu caminho.

Bufo e cruzo os braços.

— Não quero, não se você comprar. Só vale quando eu posso pagar por ele.

Ele sorri como se achasse graça de mim.

— Bom, então, um dia você me paga.

— Não é a mesma coisa.

Ele entrega uma nota de 100 dólares ao caixa.

— Precisa de uma sacola? — pergunta o cara.

— Não, obrigado. — Sagan responde, pega o troféu e vai para a saída. Quando estamos do lado de fora, ele se vira e esconde o troféu nas costas, como se eu não o tivesse visto comprando para mim. — Tenho uma surpresa para você.

Reviro os olhos.

— Você é tão irritante.

Ele ri e me entrega o troféu. Aceito e digo em voz baixa: "Obrigada." Estou muito animada por, enfim, consegui-lo, mas detesto que Sagan tenha gastado tanto dinheiro com isso. Me sinto pouco à vontade. Não estou acostumada a ganhar presentes.

— Não há de quê. — Ele me aconchega em seus braços enquanto caminhamos. — Está com fome?

Dou de ombros.

— Não estou com vontade de comer. Mas posso me sentar com você, se estiver com fome.

Ele me leva a uma lanchonete a poucas lojas do antiquário. Vamos ao caixa e ele diz:

— Quero o almoço especial. E dois cookies, por favor. — Ele olha para mim. — O que vai beber?

— Pode ser água.

— Duas águas — diz ele.

Ele pede tudo para viagem, depois levamos e nos sentamos em uma das mesas ao lado da fonte onde nos beijamos pela primeira vez. Faz com que eu me pergunte se ele me trouxe aqui de propósito. Mas eu duvido.

Essa mesma pergunta passou milhões de vezes pela minha cabeça. Se ele não vê Honor como mais do que uma amiga, por que me beijou nessa fonte quando pensou que eu era Honor? Porque, sem dúvida, ele achou que eu era Honor. Nem o melhor ator do mundo poderia ter fingido a confusão e o choque quando ele recebeu o telefonema dela.

Mas não pergunto sobre isso. Nossa conversa não tomou esse rumo e não sei se agora consigo lidar com a resposta dele. Estou cansada demais para criar uma tensão na nossa conversa.

— Já comeu os cookies dessa lanchonete? — pergunta Sagan.

— Não. — Bebo um gole da água.

— Vai mudar sua vida. — Ele me passa o cookie e dou uma mordida. Depois outra. É mesmo o melhor cookie que já comi, mas ele exagerou.

— E quando exatamente que minha vida começa a mudar? Preciso comer o cookie inteiro para conseguir esse resultado?

Sagan estreita os olhos para mim.

— Bobinha — diz ele, de brincadeira.

Termino o cookie e o vejo dar uma dentada no sanduíche. Meus olhos são atraídos para uma nova tatuagem em seu braço. Parecem coordenadas de GPS. Aponto.

— Essa é nova?

Ele olha para o braço e concorda com a cabeça.

— É, eu fiz na semana passada.

— Como assim, *você* fez?

— Eu faço minhas próprias tatuagens.

Viro a cabeça e examino mais algumas tatuagens.

— Você fez todas elas? — De repente eu as acho muito mais fascinantes do que antes de saber dessa novidade. Quero saber o significado de todas. Por exemplo, por que ele tem uma torradeira minúscula no pulso, com uma fatia de pão. Ou o que quer dizer "Sua vez, doutor". Ou o que significa a bandeira. Aponto a torradeira.

— O que essa quer dizer?

Ele dá de ombros.

— É só uma torradeira. Não significa nada.

— E essa? — pergunto, apontando a bandeira.

— É a bandeira da oposição síria.

— E o que quer dizer?

Ele passa o polegar na tatuagem da bandeira.

— Meu pai é da Síria. Acho que é um tributo a nossa herança.

— Seu pai ainda está vivo?

Essa pergunta altera alguma coisa nele. Ele dá de ombros e toma um gole da água, olhando para a direita. É como se uma muralha se erguesse por trás de suas pálpebras quando ele não quer dar explicações. O que acontece praticamente o tempo todo. Respeito sua privacidade com a família, seguro seu braço e viro para olhar as outras tatuagens.

— Então, algumas têm significado e outras são aleatórias?

— Algumas são aleatórias. A maioria tem significado.

Passo os dedos pelas coordenadas de GPS.

— Esta tem significado. Foi onde você nasceu?

Ele sorri e seus olhos encontram os meus.

— Chegou perto. — O jeito como ele me olha quando diz isso faz com que eu me sinta agitada demais para fazer outra pergunta. Continuo o exame de cada tatuagem em seu braço, mas em silêncio. Até levanto a manga da camisa para ver as que ele tem no ombro. Parece que ele não se importa, desde que eu não faça perguntas invasivas sobre o motivo para ele ter cada uma delas.

— Você é destro? Por isso todas estão no braço esquerdo?

— É. Preferi treinar em mim mesmo, em vez de em outra pessoa.

— Você pode treinar em mim.

— Quando você fizer 18 anos.

Empurro o ombro dele.

— Sem essa. Faltam sete meses!

— As tatuagens são permanentes. Você precisa pensar bem nisso.

— Falou o cara com uma torradeira no braço.

Ele arqueia uma sobrancelha e isso me faz rir.

Logo reconheço como é estranho sorrir depois da noite passada. Quase me sinto culpada, como se fosse cedo demais. Mas me agrada que ele tenha me obrigado a sair de casa hoje. Sinto que estou muito melhor do que se estivesse entocada no quarto o dia todo e à noite, como era minha intenção.

Ele meneia a cabeça.

— Não vou fazer uma tatuagem em você. Agora sou apenas um aprendiz.

— E o que isso significa?

— Nos dias em que não tenho aula nem trabalho, às vezes vou ao estúdio de tatuagem. Eles me deixam pegar as manhas.

— Você faz faculdade de economia?

Ele assente.

— É, três dias por semana. Trabalho quando não estou estudando, depois tento encaixar o estúdio de tatuagem em uma ou duas noites por semana.

— Quer ser tatuador profissional?

Ele dá de ombros.

— Não. Tenho outros planos para o futuro, mas gosto disso como um hobby.

— Você vai se formar em quê?

— Em ciência política e em árabe.

— Nossa. Isso parece sério.

Ele concorda de lábios cerrados.

— Bom, existem algumas coisas sérias acontecendo no mundo de hoje. Acho que quero participar disso. — A muralha se ergue de novo. É invisível, mas de algum jeito eu sempre enxergo.

Tenho tantas perguntas. Por exemplo, por que ele está se formando em árabe? E ciência política? Ele quer trabalhar para o governo? De que coisas sérias do mundo ele quer participar? Esta é a última coisa de que quero fazer parte. Isto só prova como ele é diferente de mim. Já pensa no futuro, o que parece bem adulto, e eu nem mesmo sei se vou voltar ao colégio na semana que vem.

Eu me sinto tão... *infantil.*

Sagan termina seu cookie, pega meu troféu e o examina.

— Por que você coleciona isso?

Dou de ombros.

— Não tenho talento nenhum. Como não posso ganhar por mérito próprio, coleciono as vitórias dos outros quando tenho um dia de merda.

Ele passa o polegar na plaquinha na frente do troféu.

— Sétimo lugar não é bem um prêmio.

Pego o troféu e o admiro.

— Não queria esse pelo título. Só queria porque era absurdamente caro.

Sagan sorri e segura minha mão livre, puxando-me para cima.

— Vem. Vamos à livraria.

— Tem uma livraria aqui?

Ele me abre um sorriso torto.

— Você conhece muito pouco a cidade em que mora.

— Tecnicamente, não moro nessa cidade. Moro a 24 quilômetros daqui.

— Você mora nesse condado. Dá no mesmo.

Andamos pela rua principal até chegarmos a uma pequena livraria. Quando entramos, somos cumprimentados por uma mulher no caixa, mas ela é a única na loja. O lugar está silencioso, tirando uma música suave dos Lumineers que toca ao fundo. Fico chocada ao ver como é moderna por dentro. Não revelava toda essa promessa vista de fora. As paredes são roxas, minha cor preferida. Tem várias estantes cobrindo a parede, cheias de livros. As outras estantes estão cheias de velas e outros produtos.

— Não tem muitos livros aqui — digo, olhando o espaço pequeno e o número limitado de estantes.

— É uma livraria especializada. Beneficente. Só vendem livros autografados e doados pelos autores.

Pego um dos livros na prateleira e abro para ver se ele fala a verdade. E, sim, está autografado.

— Isso é bem legal.

Ele ri, mas continua andando e olhando as prateleiras como se pudesse encontrar algo que me agrade. Pego alguns títulos e examino, mas já sei que não vou ficar com nenhum. Não tenho dinheiro e não vou permitir que ele me compre mais nada. Olhamos tudo em silêncio até chegarmos a uma fileira mais para o fundo da loja. Sagan para na frente dos livros, passa os dedos, retirando alguns para ler a quarta capa. Eu só observo. Depois de um momento, seu telefone toca e é claro que ele age como se o mundo todo precisasse parar. Pega o telefone no bolso e olha o identificador de chamadas. Solta um suspiro, decepcionado, mas atende a ligação.

— Oi.

Ele segura a nuca enquanto a pessoa do outro lado da linha fala. Olha para mim brevemente e vira a cara quando diz:

— Sim, sim. Está tudo bem.

Está tudo bem.

Fico curiosa para saber com quem ele está falando e se está se referindo a mim e minha situação quando diz que está tudo bem.

Ele gesticula para a porta indicando que vai conversar lá fora. Concordo com a cabeça e observo enquanto ele sai da livraria. Vou a um sofá perto da janela e me sento enquanto o vejo falando ao telefone.

— Posso ajudá-la em alguma coisa? — A mulher do caixa está olhando para mim. É meio enervante. Ela parece ter 30 e poucos anos e tem um cabelo crespo amontoado no alto da cabeça. Está sentada atrás de um laptop, me olhando do outro lado da sala, esperando que eu responda.

— Está tudo bem.

Ela assente, mas depois diz:

— Você está se sentindo bem?

Faço que sim com a cabeça novamente, meio irritada por aquela mulher me perguntar se estou me sentindo bem. É meio invasivo. Olho de novo pela janela e Sagan está andando de um lado para o outro, enquanto conversa. A certa altura, põe a mão na testa, o que me deixa triste por ele. Parece estressado e não posso deixar de me sentir culpada por isso.

— Ele é seu namorado? — pergunta a mulher ao se dirigir a mim. Tento evitar um revirar de olhos, mas tenho certeza de que fica evidente que não estou com humor para bater papo.

— Não.

— Irmão? — Ela se senta no sofá de frente para mim.

Não.

Ela parece mais à vontade e olha para ele pela janela.

— Ele é uma graça. Como se conheceram?

Será que se eu ficar encarando Sagan ele vai olhar para dentro e ver o quanto estou desesperada para ele vir me salvar. Mas até que isso aconteça, não tenho alternativa senão responder às perguntas da mulher. Procuro responder a todas de uma vez só, assim não deixo espaço para que ela faça mais nenhuma.

— É amigo da minha família. — Aponto o tribunal na rua principal. — Ele me beijou pela primeira vez ali. Mas me confundiu com minha gêmea, e esse foi o único motivo para ele ter me beijado, então se trata de um beijo acidental. Tentei evitá-lo nas últimas semanas porque achei que ele namorava minha irmã. Mas ontem à noite me vesti como ela e o beijei de novo, e acabei descobrindo que eles não são um casal. Tivemos uma discussão e ele saiu, então fui ao quarto do meu meio-tio e ele estava na cama com meu irmão. Então tomei um porre, engoli um monte de comprimidos e quase me matei. Sagan, é esse o nome dele — digo apontando para ele do lado de fora. — Ele achou que um cookie e uma livraria me fariam bem, por isso estamos aqui.

A mulher tem os olhos arregalados, mas não parece chocada. Só meio oprimida pela descarga de informações. Por fim, ela se inclina para a frente e fala.

— Bom, ele parece um bom guardião. Não existe nada melhor do que cookies e livrarias. — Ela se levanta. — Está com sede? Tenho refrigerante na geladeira.

Qualquer coisa para ela sair daqui por um minuto.

— Claro.

Ela vai aos fundos da loja, justo quando Sagan termina o telefonema e entra. Ele passa os olhos pela livraria e me encontra no sofá. Eu me levanto quando ele se aproxima.

— Está tudo bem? — pergunto.

— Está.

— Era meu pai? Ele quer saber como estou?

Sagan não responde. Em vez disso, coloca o telefone no bolso e fala:

— Quer ir para casa?

Casa.

Solto uma risada desanimada. Nem mesmo sei se casa é uma palavra que pode ser usada para descrever onde moro. É só uma construção cheia de gente que está em contagem regressiva para não ter mais que morar com ninguém ali.

Tento dizer "Tudo bem", mas preciso sufocar isso porque o silêncio é longo e as lágrimas se misturam com as palavras. Sagan nem mesmo me pergunta por que fico tão emotiva de repente. Ele só me puxa para ele e me abraça.

Encosto o rosto em seu peito e o abraço também, porque é bom e embora eu finja estar forte, ainda estou triste. Estou tomada de remorsos por ter escrito aquela carta ontem à noite e triste por ter causado tanto drama, e ainda mais triste por tudo aquilo ser verdade. Não quero ficar zangada com Utah. Não quero ficar irritada com Honor. Não quero que meu pai esteja traindo Victoria — mesmo que seja com a minha mãe. E não quero mais que Honor fique obcecada por relações doentias. Quero que todos nós sejamos normais. Não pode ser assim tão difícil.

— Por que não podemos ser uma família normal? — Minha voz sai abafada no peito de Sagan.

— Acho que não existe nenhuma família normal, Merit — diz ele, afastando-se para me olhar. — Vamos. Dá pra ver que você está exausta.

Concordo e ele passa um braço por mim. Nós nos viramos para a porta, mas ambos paramos de súbito porque a atendente da livraria está em nosso caminho, numa proximidade desconfortável, estendendo um refrigerante.

— Não se esqueça da sua Pepsi diet — diz ela.

Sagan recua um passo e estende a mão, hesitante, para a lata de refrigerante.

— Hmm. Obrigado?

A mulher assente e dá um passo de lado, deixando-nos passar. Pouco antes de a gente sair, ela diz:

— Nem pensem em roubar um dos meus gnomos! Os adolescentes sempre roubam os gnomos!

Olho para ela e aceno, tentando tranquilizá-la. Quando estamos na calçada, Sagan ri.

— Isso foi estranho.

Não discordo.

Mas gosto do estranho, então provavelmente vou voltar.

Capítulo doze

Utah: Está em casa?

Utah: Mer, preciso muito falar com você.

Leio as mensagens com desdém. Ele não me chama de Mer desde que éramos crianças. Bloqueio meu celular e o coloco de novo no bolso. Pego o garfo e dou outra mordida nas enchiladas.

Sagan e eu voltamos pouco antes de todos começarem a retornar da escola e do trabalho. Fiquei no meu quarto até que o jantar estivesse pronto. Quando saí, ninguém falou comigo além do meu pai e Sagan. Papai perguntou como eu estava me sentindo. Eu disse que estava bem. Sagan perguntou o que eu queria beber. Eu disse que não queria nada. Só voltei à realidade quando vi que ele sorria e me passava um copo de refrigerante.

Agora estamos sentados em completo silêncio e quase acabando o jantar. A tensão é tanta que não sei se conseguiria falar alguma coisa, mesmo que quisesse. Honor é a primeira a tentar. Ela recebe uma mensagem de Utah, pouco depois das que eu ignorei.

— Utah quer falar com você, pai — diz ela, olhando o telefone. — Ele pode vir essa noite?

Meu pai é paciente com sua resposta. Termina a porção que acabou de colocar na boca. Engole. Toma um gole da bebida e coloca o copo na mesa. Depois fala:

— Essa noite não.

Honor o encara.

— Pai.

— Eu disse que esta noite não. Vou procurar por ele quando estiver preparado para conversar.

Honor ri sem entusiasmo nenhum.

— Você? Conversar sobre algo importante? Ele vai esperar a vida toda por isso.

— Honor. — Victoria fala o nome dela em tom de alerta.

Honor não gosta disso. Parece estar prestes a explodir quando meu pai também percebe. Ele a interrompe antes que tenha a oportunidade de responder.

— Já chega, Honor.

Honor se levanta com tanta força que a cadeira cai para trás. Ela deixa o prato na mesa e sai com passos firmes em direção ao quarto. Victoria solta um suspiro e se afasta da mesa com menos raiva do que costuma fazer quando está irritada.

— Não estou me sentindo bem — diz ela. Coloca o guardanapo ao lado do prato e vai para seu quarto. Meu pai a acompanha.

Não sei o que está havendo entre os dois desde que despejei tudo na carta. Mas Victoria não parece muito satisfeita.

Olho para Moby justo quando ele tapa a boca com a mão e se curva para mim.

— Posso ver televisão? Não gostei da minha comida.

Abro um sorriso.

— Claro, amiguinho. — Ele desliza da sua cadeira e corre para a sala de estar. Agora só ficamos eu, Luck e Sagan à mesa.

— Não sei se essa família terminou uma refeição completa desde que vim para cá — diz Luck.

Não acho graça. É meio triste que a gente não consiga nem mesmo se entender o bastante para terminar um prato de comida. Luck passa a futucar a comida no prato. Por fim baixa o garfo com um forte suspiro e olha para mim.

— Você chegou a falar com Utah? — pergunta. — E se ele quiser pedir desculpas?

— Ele teve vários anos para se desculpar. O único motivo para estar disposto a fazer isso agora é o fato de ter sido desmascarado. A essa altura, não parece muito sincero.

— É. Acho que sim. — Luck come mais um pouco. Eu me limito a mexer a comida pelo prato. Perdi o apetite, agora que todos parecem aborrecidos comigo por algo que Utah fez. Sei que já faz muito tempo e sei que eles detestam descobrir uma coisa horrível a respeito de Utah. Mas onde está a solidariedade comigo? Será que sou tão detestável que eles não têm nenhuma compaixão pelo quanto fui afetada por aquele incidente?

Sagan começa a tirar a mesa e, enfim, Luck vai para seu quarto.

— Terminou? — pergunta Sagan. Faço que sim com a cabeça e ele leva meu prato à pia, depois volta à mesa.

— Acha minha reação exagerada?

Ele me olha por um momento, depois meneia a cabeça de leve para mim.

— Sua raiva é pertinente, Merit.

Quero que as palavras dele façam com que eu me sinta melhor, mas não é assim. Não quero ficar zangada com Utah. Não quero que todos os outros fiquem zangados comigo. Eu só queria que a gente ficasse feliz.

— Às vezes eu detesto essa família — sussurro. — Muito.

Sagan coloca o bloco de desenho diante de si.

— Não é um sentimento incomum para uma adolescente. — Ele passa a ponta do lápis pela página e eu o observo desenhar.

É relaxante. O ruído do lápis no papel. Como todo seu braço se mexe junto com a mão. A concentração intensa em seu rosto.

— Vai me desenhar?

Sagan ergue os olhos e me encara, assentindo.

— Claro.

Alguns minutos depois, estamos no quarto dele. Noto que ele deixa a porta encostada e fico curiosa se faz isso por respeito a Honor ou se é por medo do meu pai. Ele vai à cômoda e abre uma caixa de lápis de carvão.

— Como quer que eu te desenhe? Com realismo?

Olho as roupas que estou vestindo. Jeans e camiseta. É o que sempre uso.

— Posso trocar de roupa?

Sagan concorda e atravesso o corredor até meu armário. Passo a mão pelas roupas até chegar ao canto mais distante do armário e pego um vestido ridículo de dama de honra que tive de usar no casamento do meu primo no ano passado. É um vestido de tafetá amarelo berrante. Ele é tomara que caia e tem uma abertura que vai da cintura até joelho. É horrendo, então é claro que o visto. Calço um par de botas de cano alto e prendo o cabelo num coque. Quando volto ao quarto de Sagan, ele ri.

— Legal.

Faço uma mesura.

— Que bom que você gostou. — Vou até uma área livre no chão e me sento de pernas cruzadas. — Me desenhe desse jeito, mas não no chão. Quero flutuar em uma nuvem.

Sagan senta-se na cama e vira uma página em branco no bloco. Olha para mim, depois para o papel. Faz isso três ou quatro vezes, sem pressionar o lápis no papel. Não sei o que fazer com as mãos, então as descanso no colo. Ele se reposiciona na cama duas vezes, mas nada parece ajudar. Sempre que começa a desenhar, fica frustrado e amassa o papel.

Pelo menos dez minutos se passam sem que qualquer um de nós diga uma palavra. Gosto de observar seu processo de criação, embora no momento ele não pareça pegar o jeito. Por fim ele se recosta na cabeceira da cama e joga o bloco de desenho de lado.

— Não consigo te desenhar.

Mordo o lábio inferior.

— Por quê?

Seus olhos ficam fixos nos meus quando ele responde.

— Não sou um artista tão bom assim. Acho que não posso fazer justiça a você.

Sinto o calor subir em meu rosto, mas procuro não entender isso como algum tipo de esperança. Ele pode ter dito isso por autodepreciação. Suspiro e me levanto do chão.

— Quem sabe outra hora. — Vou até a cama dele e me jogo de costas ali. Meu vestido faz muito barulho quando bate em seu colchão.

— Você parece o Garibaldo, da Vila Sésamo.

Dou uma risada e me apoio no cotovelo.

— Você devia ter visto a fila de damas de honra nesse casamento. Cada uma de nós vestiu uma cor primária diferente.

Sagan ri.

— Não é possível.

— Ela é professora da pré-escola. Não sei se era intenção dela que este fosse seu tema, mas foi um casamento muito colorido.

O olhar de Sagan corre por meu vestido e, por fim, encontra o meu. Há uma forte carga de reflexão em sua expressão quando ele fala:

— Está com vontade de dar uma caminhada?

Concordo com a cabeça e me levanto.

— Só vou tirar esse vestido ridículo.

Ele sorri.

— Te desafio a não tirar.

♥

Nem chegamos na garagem e meu vestido já irrita a nós dois. Sempre que dou um passo, parece que estamos prestes a ser levados por um maremoto.

— Tem algum jeito de você acabar com isso? — diz ele, rindo.

— Não. É o vestido mais espalhafatoso que já inventaram.

— Pode ter certeza disso. — Ele ri. — E se a gente só se sentar no balanço? — Ele coloca as mãos nos bolsos de trás, depois atravessa o jardim até o balanço que meu pai instalou para Victoria. Ela queria um lugar à sombra de uma árvore onde pudesse ler, então ele comprou um balanço enorme que também serve de cama ao ar livre. Mas só a vi usar duas vezes. Ela trabalha muito e Moby não lhe dá muito tempo para ler. Eu devo ter usado o balanço mais do que ela.

Sagan joga algumas almofadas no chão para abrir espaço para nós. Dá um tapinha no lugar ao lado dele. Tenho muita dificuldade para sentar com o vestido e quando encontro um jeito de fazer isso sem nos asfixiar, ambos estamos rindo.

— Você podia simplesmente tirar — sugere ele.

Dou um empurrão em seu braço, mas ele tira proveito e segura minha mão, puxando-me para perto. Não de um jeito sensual, mas reconfortante. Seu braço me envolve e chego ainda mais perto dele, olhando o jardim. Nossa cerca branca corre pelas laterais e vai até a estrada.

— É sua? — pergunta Sagan, apontando uma casa na árvore.

— Não, meu pai construiu para Moby. Honor e eu tínhamos uma casa na árvore, mas era na nossa antiga casa, nos fundos. Com certeza já apodreceu.

— Gosto que seja roxa — diz Sagan. — É a cor preferida de Moby?

— Não, minha. Moby escolheu porque queria que eu gostasse tanto dela a ponto de subir lá e brincar com ele.

— E você sobe?

Concordo com a cabeça.

— Às vezes. Mas não tanto quanto deveria.

Sagan suspira e eu me sinto mal com isso, lembrando-me de que ele me contou ter uma irmã mais nova que nunca conheceu. Ele puxa uma das pernas para o balanço. O braço esquerdo descansa no colo, assim toco uma das tatuagens e acompanho seu traçado. Ele tem talento mesmo. Cada tatuagem é muito pequena, mas os detalhes são inacreditáveis.

— Você é talentoso de verdade.

Sagan aperta meu ombro e toca com os lábios no meu cabelo. É o agradecimento mais doce que alguém já me fez. E ele nem mesmo falou nada.

Olho para ele, mas Sagan tem os olhos fixos no jardim. Sua testa está franzida de preocupação. Por fim, ele baixa os olhos para mim e pergunta em voz baixa:

— Merit? Acha que você pode estar deprimida?

Suspiro, frustrada com a pergunta dele.

— Estou bem. Só tive uma noite ruim e cometi um erro idiota.

— Promete que primeiro vai conversar comigo, se um dia tiver vontade de cometer outro erro idiota?

Concordo com a cabeça, mas é o máximo de promessa que posso fazer a ele.

Sagan se vira para mim no balanço, mas não me olha nos olhos.

— Acha que pode ter sido... — Ele parece nervoso com esta pergunta. — Alguma coisa que eu fiz?

Sento-me reta.

— Acha que tentei me matar por sua causa?

— Não. Não, não é isso que estou dizendo. Pelo menos espero que não seja o que estou dizendo. — Ele passa a mão no rosto. — Não sei, Merit. Eu te chamei de babaca e logo depois estava forçando você a vomitar os comprimidos que tomou. Não posso deixar de sentir que tive alguma influência no que aconteceu. Como se talvez eu fosse o catalisador.

Nego com a cabeça.

— Sagan, não foi você. Juro. Foi minha idiotice, minha família e tudo virou uma bola de neve. — Fecho os olhos e deixo meus ombros caírem. — Para ser sincera, não estou com muita vontade de falar sobre isso.

Ele leva a mão ao meu rosto e passa o polegar pelo meu queixo.

— Tudo bem — sussurra. — Não vamos falar nisso agora. — Ele me puxa de novo e aprecio o silêncio que ele me concede. Passam-se pelo menos 15 minutos em que ambos ficamos calados, olhando para a frente. É noite de lua cheia e ela brilha por todo o jardim. Até a cerca branca cintila.

— Tanta gente sonha em morar em uma casa com uma cerca branca, pensando em ter uma casa grande e confortável. O que as pessoas não sabem é que não existe família perfeita, por mais branca que seja a cerca.

Ele ri.

— Vamos fazer um pacto. Se um dia tivermos nossa própria casa, nossas cercas não serão brancas.

— Claro que não, não serão brancas. Eu pintaria a minha de roxo.

— Como a casa na árvore — diz ele. Uma pausa, e depois: — Sobrou alguma tinta roxa?

Olho a casa na árvore, depois para Sagan.

— Acho que sim, na garagem.

Por um instante, nenhum dos dois se mexe, mas depois é como se alguém nos atirasse para fora do balanço ao mesmo tempo. Estamos os dois rindo e correndo para a garagem para encontrar a tinta roxa.

Por sorte, achamos duas latas. O suficiente para a cerca do jardim, pelo menos. Passamos as duas horas seguintes pintando. Conversamos sobre tudo, exceto as coisas mais importantes. Sagan me conta do aprendizado que está sendo frequentar o estúdio Highwaymen Ink. Eu conto a ele histórias da nossa infância, da época em que nossa família era menos problemática. Falamos de ex-namorados e ex-namoradas e de filmes preferidos. Quando todo o lado direito da cerca está pintado, já passa da meia-noite e meu vestido está coberto de manchas de tinta.

— Acho que nunca mais vou poder usar isso — digo, olhando o vestido.

— Ah, que pena — debocha Sagan.

Olho para o lado esquerdo da cerca, aquele que ainda não foi pintado de roxo.

— Vamos fazer aquele lado também?

Sagan concorda com a cabeça, mas faz um gesto para que eu vá me sentar.

— Vamos, mas primeiro um descanso.

Sento-me ao lado dele e estou me sentindo cada vez mais confortável quando estamos juntos. Faz com que eu me pergunte se ele um dia vai tentar me beijar de novo. Sei que nossos últimos dois beijos não foram grande coisa, então eu não o culparia por não querer tentar outra vez.

Talvez ele não tenha me beijado por causa de Honor. Este é um assunto que ainda não consigo levantar com ele, mas agora estou cansada demais, nem mesmo tenho um filtro.

Faço barulhos bufantes com os lábios, sento e fico de frente para ele, de pernas cruzadas no balanço.

— Preciso te fazer uma pergunta. — Meu vestido incha em volta de mim enquanto tento achar uma posição confortável, e preciso abaixá-lo com os braços. Tenho tantas coisas em mente, então escolho aquela que está mais à frente e no meio. Obrigo-me a fazer a ele a única pergunta que não paro de fazer a mim mesma.

— Você... você sente atração por Honor?

Ele nem mesmo reage a esta pergunta. De imediato nega com a cabeça.

— É claro que a acho linda. Vocês duas são. Mas não sinto atração por ela.

Sinto meus ombros querendo se curvar para a frente, minha testa querendo encontrar minha mão. Em vez disso, procuro manter a compostura, como ele sempre faz.

— Se você não se sente atraído por ela, isso quer dizer que... — Nem mesmo digo em voz alta. — Somos gêmeas idênticas, então...

Ele agora ri em silêncio. Queria saber que motivos o levam a fazer isso. Se eu descobrisse o truque do seu riso silencioso, faria isso o dia todo, todo dia.

— Você está se perguntando se é possível alguém sentir atração por você e não por sua gêmea idêntica. — Ele diz isso com certo esforço.

Dou de ombros. Depois concordo com a cabeça.

— Sim, é possível.

Procuro não sorrir, porque essa resposta não quer dizer que ele tenha atração por mim. Mas uma garota pode ter esperanças.

— Por que você e Honor nunca levaram as coisas para além da amizade?

— Ela está com meu amigo — diz ele. — Eu nunca faria isso com ele. Além disso, quando a conheci, é claro que a achei bonita. Mas depois de passar alguns dias com ela, simplesmente... sei lá. Não houve nenhuma ligação amorosa. Ela não gosta da minha arte. Não gosta do meu gosto para música. Fofoca constantemente no telefone e isso me irrita. Mas ela também é atraente, só que de um jeito diferente. Ela é leal, divertida e gosto de ficar com ela.

Absorvo tudo que ele acaba de dizer, sem responder. Quero acreditar nisso, mas é difícil depois de ter tido a impressão errada dos dois por tanto tempo.

— E aquele dia na praça? Se você não tinha atração por ela, por que me beijou quando pensou que eu era ela?

Sagan fica sério. Ele solta um forte suspiro e se recosta no balanço, olhando o jardim. Puxa minha perna para seu colo e deixa a mão no meu joelho.

— É complicado — diz ele. — Ele passa a mão no rosto e, por um momento, se atrapalha com as palavras. — Naquele dia, eu vi Honor... *você*... olhando o antiquário. Fiquei observando por um tempo. Fiquei curioso, porque ela estava muito diferente. Vestindo uma calça jeans com uma camisa de flanela amarrada na cintura. Não tinha maquiagem, o que me deixou totalmente surpreso, porque Honor sempre está maquiada. E eu sabia que Honor tinha uma irmã, mas não sabia que era gêmea idêntica, então a ideia de que Honor talvez fosse você nem passou pela minha cabeça. Sei lá... é difícil explicar, porque vocês são idênticas. Mas me senti atraído por ela naquele dia de um jeito que nunca senti. Senti coisas que nunca senti quando eu estava perto dela.

"Gostei do jeito dela olhar para tudo com a curiosidade de uma criança. Gostei de ela não ter apanhado o celular nem uma vez. Honor está sempre com o celular. Às vezes só quero que ela o deixe de lado e curta o mundo ao redor. E sinceramente gostei quando ela assumiu a culpa por aquele garotinho quando ele quebrou a antiguidade. E depois, quando me aproximei dela do lado de fora e a olhei de perto, parecia que era a primeira vez que nos víamos. E apesar de eu nunca a ter beijado e de me sentir muito culpado por beijá-la, sabendo que meu amigo gostava dela, não consegui evitar o beijo naquele dia. Alguma coisa me dominou naquele momento e não consegui me conter."

Seus olhos encontram os meus.

— Mas... depois ela telefonou e, enfim, somei dois com dois... e fez sentido, porque achei que ia morrer se não a beijasse, quando nem uma vez me senti assim. Não foi atração por Honor. Foi atração por você.

Meu coração não poderia bater mais acelerado nem que eu bebesse um coquetel de energéticos. Tudo que ele acaba de dizer é o que eu queria. Fantasiei que ele viu algo diferente em mim que não tinha visto em Honor e agora que ouço sua versão dos fatos, de certo modo espero acordar desse sonho. Queria poder voltar àquele dia e gravar cada momento em minha memória. Em particular o momento em que ele se curvou para me beijar e disse: "Você me enterra." Não sei o que significava na época e ainda não entendo, mas ouço essas três palavras sempre que fecho os olhos.

— Por que você disse *você me enterra* antes de me beijar? É alguma coisa que você diz a Honor?

Sagan olha a própria mão, aquela que faz carinho em meu joelho, e sorri.

— Não. É o significado da palavra árabe *tuqburni*.

— *Tuqburni*? Qual é a palavra em nossa língua para isso?

Ele coloca a cabeça na parte de trás do balanço e a vira um pouco de lado, para me olhar.

— Nem toda palavra pode ser traduzida para toda língua. E nesse caso não existe uma equivalente.

— *Você me enterra* me parece meio mórbido.

Sagan sorri. Vejo certo constrangimento em sua expressão.

— *Tuqburni* é usada para descrever o sentimento geral de não conseguir viver sem alguém. Por isso a tradução literal é "você me enterra".

Entendo por que ele disse agora e o fato de ter me dito essas palavras pouco antes de me beijar naquele dia. Adoro que ele tenha dito isso, mas detesto que ele não soubesse estar dizendo a mim. Na época, ele achou que falava com Honor. E embora ele admita que só se sentiu atraído por ela naquele dia porque, na realidade, ela era eu, isso não explica por que ele não me explicou isso logo depois ter acontecido. Agora já faz mais de duas semanas.

Dou um pigarro e engulo o nervosismo até achar coragem para perguntar.

— Se você e Honor não têm nada, e se você sente atração por mim como acabou de dizer, porque não fez alguma coisa para elucidar? Estamos nesse mal-entendido há semanas.

A hesitação marca sua expressão enquanto ele procura uma resposta. Ele solta um suspiro baixo e passa o polegar no meu joelho.

— Quer a verdade verdadeira? — Ele aproxima os olhos dos meus e concordo com a cabeça. Por um momento ele franze os lábios, depois fala. — Quanto mais eu te conheço... menos gosto de você.

Levo um momento para entender plenamente sua resposta.

— Você *não gosta* de mim?

Ele deixa a cabeça se recostar no balanço com um suspiro arrependido.

— Gosto de você hoje.

Solto uma risada desanimada.

— Puxa, isso é tão tranquilizador. Você gosta de mim hoje, mas não gostava de mim ontem?

Ele me olha sugestivamente.

— *Particularmente* ontem, não gostei de você.

Não sei dizer se eu devia ficar chateada. Olho para ele, meio em choque. Sinto que devia ficar, mas, ao mesmo tempo, entendo. Também não gostei de mim ontem. E sinceramente não tenho sido eu mesma perto dele desde que ele veio morar aqui. Estou fechada e grosseira, e quase não falava com ele até ontem.

— Não sei o que dizer sobre isso, Sagan. — Baixo os olhos para minha saia e mexo em uma mancha de tinta roxa seca. — Quer dizer, sei que fui grosseira com você, mas foi autopreservação. Achei que você era namorado da minha irmã e não gostei de como me senti com isso. Você foi a primeira coisa dela que eu quis para mim.

Sagan não responde prontamente. Continuo a beliscar a tinta da minha saia porque agora sinto coisas demais para olhar nos olhos dele.

— Merit. — Ele fala meu nome como uma súplica para que eu o olhe. Quando finalmente o encaro, imediatamente me arrependo, porque tudo que vejo em sua expressão no momento é o que não queria ver. Remorsos. Medo. O ensaio de uma rejeição.

— Deixe-me adivinhar — sussurro. — Ainda não gosta de mim o bastante para me beijar?

Ele levanta a mão e toca em meu rosto. Meneia a cabeça de leve.

— Gosto de você o bastante para te beijar. Pode acreditar. Mas queria que você pudesse gostar *de si mesma* tanto quanto gosto de você.

Nem sei o que dizer. Será que ele acha que não gosto de mim pelo que fiz ontem à noite?

— Já te falei que ontem foi um erro de uma pessoa bêbada. Eu gosto bastante de mim.

— Gosta mesmo?

Reviro os olhos. É claro que sim. Eu acho.

— Claro que tenho momentos de infelicidade. Que adolescente não tem? Todo mundo às vezes quer ser outra pessoa. Alguém melhor. Com uma família melhor.

Ele abana a cabeça.

— Eu nunca desejei isso.

Prendo-o com meu olhar fixo, bufando em silêncio para que ele reconheça o papo-furado.

— Você mesmo disse que nem conheceu sua irmã mais nova. Se me disser que não queria ter uma família diferente, não vou acreditar. Assim como você não acredita em mim quando digo que a noite passada não significou nada.

Sagan sustenta meu olhar, o suficiente para eu notar que ele engole em seco lentamente. Ele me solta e se levanta. Coloca as mãos nos bolsos enquanto olha o chão e chuta a terra. Não sei o que acabei de dizer para deixá-lo zangado, mas seu temperamento mudou completamente.

— Você insiste em menosprezar o que aconteceu ontem à noite e, para falar a verdade, é meio ofensivo — diz ele. — Não é você quem decide o que sua vida significa para os outros. — Ele tira as mãos dos bolsos e cruza sobre o peito. — Você podia ter morrido, Merit. E isso é muito sério. E até que reconheça o fato, não quero ter nada com você. Acho que há muito em você que precisa ser tratado e não quero ofuscar isso com o que está acontecendo agora. — Ele faz um gesto entre nós. — A gente pode esperar.

Meu rosto esquenta com o constrangimento que me domina.

— Acha que sou instável demais para namorar com você?

Ele solta um suspiro frustrado.

— Eu não disse isso. Só acho que primeiro você precisa cuidar de si mesma. Aceite a sugestão do seu pai em fazer terapia. Cuidar para que não aconteça nada mais grave. — Ele diminui a distância até o balanço onde estou sentada. Ajoelha-se na minha frente, segurando-se no balanço. — Se eu interferir e me permitir começar alguma coisa com você, seus sentimentos por mim podem fazê-la acreditar que está mais feliz do que realmente está.

Sinto meus dedos tremerem, então fecho as mãos. Estou espantada. Ele pode pensar como quiser, mas tem a coragem de se sentar aqui e me dizer que acha que sou deprimida demais para namorar agora?

— Se toca — digo em voz baixa. Saio do balanço e ele se levanta para sair do meu caminho. Vou para casa, mas quando ele me chama, começo a correr. Minha saia idiota e barulhenta dá um caráter de ridículo à minha raiva. Quando chego em casa, bato a porta com tanta força que tenho medo de ter acordado Moby.

Quem Sagan pensa que é? Ele não me procuraria porque eu posso ficar "feliz demais" com ele e essa euforia pode mascarar minha suposta depressão?

— Se toca — repito ao fechar a porta do meu quarto. Só porque estive infeliz ultimamente, não quer dizer que eu tenha depressão. Abro os botões do vestido e deixo que caia no chão. Mal vesti uma camiseta quando Sagan entra no meu quarto sem bater.

Giro o corpo para o encarar, enquanto ele fecha a porta, andando na minha direção. Pelo visto, ele não encerrou a conversa, como eu.

— Você acusa todo mundo da sua família de não ter a coragem de ser sincero, mas no minuto em que sou sincero, você fica zangada comigo e vai embora?

— Não estou zangada porque você foi sincero, Sagan! Estou zangada porque você, na sua arrogância, acha que vou ficar tão feliz com você que vou usar meus sentimentos por você como uma máscara para minha aparente depressão! — Reviro os olhos, cruzando os braços. — Você se acha realmente incrível, não é? Se tentasse me beijar agora, provavelmente levaria um tabefe. — É uma mentira ridícula, mas já estou constrangida pela raiva que sinto com toda essa conversa.

Nem todo mundo gosta de si! E isso não quer dizer que eu seja suicida, deprimida ou incapaz de distinguir os sentimentos por um cara com os sentimentos por minha vida.

Sagan me olha como quem pede desculpas, como se minha frustração de fato significasse algo para ele. Coloca as mãos nos bolsos e olha fixamente o chão por um momento. Quando ergue os olhos para mim, o movimento é lento. Começa por meus pés, sobe por minhas pernas expostas. Posso ver o bolo em sua garganta quando seu olhar encontra a bainha da camiseta, depois sobe pelo meu corpo até que ele me olha nos olhos. Ele nem precisa falar para eu saber o que está pensando. Ele me olha como se talvez eu tivesse razão, talvez um beijo não interferisse em nada. Talvez trouxesse alívio a nós dois.

Puxo o ar em silêncio porque esse olhar faz parecer que acabo de afundar em seu coração e não há um só bolsão de ar para me manter viva. Talvez ele possa abrir a boca e me chamar de babaca de novo, e eu ainda vou querer beijar a origem desse insulto. Nem consigo me lembrar do que estávamos falando, porque minha cabeça agora roda.

Ao que parece, nenhum dos dois consegue, porque ele se aproxima de mim e me segura firmemente, um braço passado por minha cintura, o outro junto ao meu pescoço. Viro meu rosto para ele, na esperança de que ele esteja prestes a perceber como estava errado, e assim possa me beijar. Desejo que seja intenso, frenético e rápido, mas ele é de uma lentidão aflitiva enquanto se aproxima.

Ele solta um suspiro baixo e sua boca está tão perto da minha que roubo seu suspiro ao ofegar. Depois sua boca, enfim, toca a minha. É ao mesmo tempo inesperado e atrasado. Solto um gemido de alívio em seu beijo e correspondo prontamente.

Assim que nossas línguas se tocam, fica tão frenético que perco a linha perto dele. Minhas mãos se perdem em seu cabelo, minha hesitação se perde em seu toque, minha raiva se perde em seu gemido. Sua língua acaricia a minha com delicadeza, mas as mãos compensam a paciência da boca. O braço direito desce por minhas costas até minha coxa, onde termina a camiseta. Ele sobe a mão por minha pele nua, sobre a calcinha, depois sobe até minhas costas, dessa vez sem tecido para atrapalhar. Sagan me puxa para ele, mas ao mesmo tempo me empurra para trás até que minhas costas encontram a parede.

— Meu Deus — ele sussurra em meus lábios. — Sua boca é incrível.

Também acho a dele incrível, mas não respondo porque prefiro retribuir com a língua. Ele a recebe, num beijo mais profundo, apertando-se em mim e na parede.

Esse beijo é tudo que pensei que seria e ainda mais. Estou admirada com os poderes curativos da sua boca. Assim que ele está apertado em mim, é como se todo o estresse que esteve zanzando pela minha cabeça desaparecesse. Toda a angústia, a frustração, a raiva, tudo diminui a cada golpe de sua língua.

É exatamente o que eu precisava.

Sua mão agora desliza para minha cintura, mas antes que suba, ele para a fim de recuperar o fôlego. Estou ofegante quando tomo ar de novo, fechando os braços em volta dele, tentando fazer o quarto parar de rodar. Deixo minha cabeça se jogar para trás, encostada na parede. Sagan arrasta a boca por meu rosto, depois me beija na boca, com suavidade e gentileza, antes de se afastar para me olhar. Passa a mão no meu cabelo, parando nos meus lábios.

— Isto foi um transe do caralho — sussurra ele.

Eu apenas abro um sorriso porque ele resumiu tudo com perfeição em uma frase que não sei se um dia usei. Um *transe do caralho.*

Ele beija o canto da minha boca, depois roça o nariz em meu rosto. Afasta-se, tocando delicadamente o meu rosto. Com um leve sorriso que me deixa totalmente derretida, ele fala:

— É incrível como um beijo pode fazer você se sentir muito melhor, não é?

Concordo.

— É incrível mesmo.

Seu polegar roça meu rosto, depois seu sorriso satisfeito se transforma em um olhar sugestivo.

— É exatamente por isso que eu não faria de novo, Merit. Você precisa primeiro se apaixonar por si mesma. — Ele me observa por um momento, seus olhos investigam os meus.

Não tenho reação nenhuma.

Estou chocada demais para me mexer. Ou será magoada demais?

É sério que ele só me beijou para provar seu argumento?

Como é que é?

Estou imprensada contra a parede, incapaz de me mexer. Como não respondo nada, ele me solta e sai calmamente do meu quarto.

Estou em choque demais para chorar. Com raiva demais para ir atrás dele. Constrangida demais para reconhecer que parte do que ele disse pode ter alguma verdade. Esse beijo levou tudo que eu sentia, substituindo por uma euforia momentânea. Eu daria tudo para ter a sensação de volta. E é exatamente isso que Sagan tentava me dizer. Meus sentimentos por ele obscurecem todas as outras coisas que acontecem na minha cabeça.

Só porque finalmente entendo o que ele tentou dizer, não significa que eu tenha superado a raiva. Na realidade, fico ainda mais irritada com ele.

Capítulo treze

— Merit?

Relutante, abro os olhos e Luck está na soleira da porta do meu quarto. Tento processar que horas são, que dia é.

— Posso entrar?

Acho que é de tarde. Concordo com a cabeça e me sento.

— Pode. Eu não pretendia dormir. Que horas são?

— Quase na hora da *jaanta*.

Abro um sorriso com seu lapso no sotaque. Não vinha acontecendo tanto quanto no início da semana. Ele coloca meu cobertor no colo e se recosta na cabeceira da cama.

— Você teve dias bem movimentados — diz ele. — Talvez precise dormir.

Solto uma risada desanimada.

— Nesse caso, acho que todos nós precisamos de um cochilo. — Mas, pelo visto, isso não foi um cochilo. Acabei de despertar depois de ter passado a maior parte da noite acordada. E ainda estou irritada com Sagan pelo que ele disse. Não consegui dormir. Fiquei me revirando a noite toda, pensando em todas as desculpas para ele estar errado. Nem mesmo quero pensar nisso de novo. Olho para Luck. Está com o uniforme da Starbucks. Ele fica muito estranho de roupas normais.

— O que você acha do seu novo emprego? — pergunto a ele.

— Ótimo. Mas tenho certeza de que qualquer emprego que eu tiver será melhor do que trabalhar em um cruzeiro. — Ele puxa um fio do meu cobertor até que se solta nos dedos dele. Coloca o fio na boca e come.

— Você sofre de alotriofagia?

— O que é isso?

— Deixa pra lá — digo, balançando a cabeça.

Ele dá um tapinha na minha perna e o quarto cai num silêncio constrangedor. Solto um suspiro.

— Está aqui para falar do porquê de eu ter tomado 28 comprimidos?

Luck dá de ombros.

— Na verdade, eu ia te perguntar se você quer carne-seca. Ainda tenho meio pote no quarto.

Essa me faz rir.

— Não, obrigada. Passo.

— Mas já que levantou o assunto, está tudo bem com você?

Reviro os olhos e jogo a cabeça na cabeceira da cama.

— Sim — digo, meio irritada. Não por ele procurar saber de mim, mas porque meu comportamento essa semana está sendo constrangedor e só quero esquecer, mas tenho a sensação de que ninguém vai deixar. Em particular meu pai e Sagan.

— Por que você fez aquilo?

Meneio a cabeça.

— Não sei. Eu só estava exausta e acabada. E bêbada.

Ele começa a desenrolar outro fio, depois enrola nos dedos.

— Uma vez eu tentei me matar — diz ele com indiferença. — Pulei do convés de um cruzeiro na água. Achei que tinha altura suficiente e que quando eu batesse na água ia perder a consciência e me afogar em paz.

— Você se afogou em paz?

Ele ri.

Não sei por que estou fazendo piada do que ele me conta. Nunca fui boa em conversas sérias.

— Torci o tornozelo e fui demitido. Mas algumas semanas depois consegui outra identidade falsa e um emprego em outro cruzeiro, então a demissão não me ensinou nada.

— Por que você fez isso? Odeia sua vida tanto assim?

Luck dá de ombros.

— Na verdade, não. Eu era indiferente. Trabalhava 18 horas por dia. Estava cansado da monotonia. Não tinha ninguém que sentisse falta de mim. Assim, uma noite eu estava no convés, olhando a água. Pensava em como seria pular e não precisar me levantar para trabalhar na manhã seguinte. Quando a ideia da morte não me deu medo nenhum, decidi ir até o fim. — Ele se interrompe. — Um amigo me viu fazendo isso e deu o alerta, então eles me jogaram um bote salva-vidas e me levaram de volta ao navio em uma hora.

— Você teve sorte.

Ele concorda e olha para mim. Tem uma seriedade incomum.

— E você também, Merit. Quer dizer, sei que os comprimidos eram só placebo, mas você não sabia quando os tomou. E não sei quantas pessoas meteriam a mão pela garganta de alguém e depois mexeriam no vômito para contar os comprimidos que foram engolidos.

Desvio os olhos para meu colo. Ocorre-me que nem uma vez agradeci a Sagan por isso. Ele salvou minha vida, ficou coberto de vômito, depois limpou e me vigiou a noite toda. Eu nem mesmo disse obrigada. Agora não tenho tanta certeza se quero voltar a falar com ele.

— Uma coisa eu aprendi pulando daquele navio — diz Luck. — Descobri que a depressão não significa necessariamente que a pessoa está infeliz ou é suicida o tempo todo. Ser indiferente também é um sinal de depressão. — Ele me olha nos olhos. — Isso já faz muito tempo, mas ainda tomo remédio todo dia.

Fico chocada. Luck me parece uma das pessoas mais felizes que conheço. E embora eu valorize o que ele tenta fazer, também é tremendamente irritante.

— Está tentando transformar isso em um sermão?

Ele nega com a cabeça.

— De forma alguma. É só que... acho que somos muito parecidos. E por mais que você queira acreditar que foi um erro de bêbada...

— E foi — interrompo. — Eu nunca teria tomado os comprimidos se não tivesse bebido.

Parece que ele não ficou convencido com minha declaração.

— Se você não pretendia tomar os comprimidos... por que você os roubou?

A pergunta dele me cala. Desvio os olhos. Ele está errado. Não sou depressiva. Foi um acidente.

— Eu não vim aqui para falar tudo isso. — Ele se curva para a frente e apoia os cotovelos nos joelhos. — Acho que talvez eu tenha tomado cafeína demais no trabalho. Em geral não sou assim tão... piegas.

— Deve ser todo esse lance gay que você está experimentando. Está te deixando sentimental.

Ele volta a me olhar e estreita os olhos.

— Não pode fazer piadas com gay, Merit. Você não é gay.

— E ser gay faz de você a autoridade sobre quem pode ou não contar piadas de gay?

— Eu também não sou gay.

— Quase me enganou com essa. — Eu rio. — Se você acha que não é gay, então é sexualmente confuso.

Luck vira a cabeça até que o pescoço estala, depois volta a se recostar na cabeceira da cama.

— Também não sou confuso — diz ele. — Estou muito à vontade com minha sexualidade. Parece que você é que fica confusa com ela.

Concordo com a cabeça porque, sem dúvida, fico confusa.

— Você é bissexual?

Luck ri.

— Os rótulos foram inventados para gente como você, que não consegue apreender uma realidade fora de um papel de gênero definido. Gosto do que eu gosto. Às vezes gosto de mulheres, às vezes gosto de homens. Algumas vezes gosto de mulheres que antigamente eram homens. Uma vez gostei de um cara que já foi uma mulher. — Ele para. — Na verdade, gostei muito dele. Mas esse é um sermão para outro dia.

Eu rio também.

— Acho que talvez eu viva mais numa bolha do que imaginei.

— Também acho. Não só em relação ao mundo, mas talvez você tenha se excluído do que acontece na sua própria casa. Como você não sabia que Utah era gay? Nunca viu as roupas dele?

— E agora, quem está fazendo piada de gay? — Empurro o ombro dele. — Esse é um estereótipo horrível. E eu não sabia que ele era gay porque ninguém me conta nada por aqui.

— Com toda sinceridade, Merit. Moro aqui há menos de uma semana e já sei que você vive no seu próprio mundo. — Ele se levanta antes que eu consiga dar outro empurrão. — Preciso de um banho. Estou fedendo a café.

E por falar em banho... bem que eu podia tomar um.

Alguns minutos depois, estou no banheiro, tentando pegar todas as coisas de que preciso para o banho, mas ainda não consigo encontrar uma droga de barbeador. Olho em todas as gavetas, no boxe, embaixo da pia. Meu Deus, que exagero deles!

Acho que vou ficar peluda.

Assim que tiro a camiseta, uma folha de papel é metida por baixo da porta. Eu acharia que é de Sagan, porque esse parece ser seu método de entregar arte, mas o papel parece um artigo. Abaixo-me para pegar quando Luck fala comigo do outro lado da porta.

— Leia. Pode jogar no lixo, se quiser, mas eu não ficaria com a consciência tranquila se não desse a você.

Reviro os olhos, recosto-me na bancada e leio o título. É a impressão de uma página da internet.

Sintomas de Depressão.

— Meu Deus do céu — resmungo.

Abaixo do título tem uma lista, mas não leio nem o primeiro sintoma. Dobro o papel e jogo na pia porque Luck é ridículo. Ele de fato é um sermão ambulante.

Depois do banho e de me vestir, abro a porta do banheiro. Antes de sair, pego o papel e vou para meu quarto com ele, assim ninguém verá que ficou na bancada do banheiro. Sento-me na cama e o abro, curiosa para saber que sintomas Luck tem, se ele teve o diagnóstico de depressão.

Quando examino a lista, vejo quadradinhos vazios ao lado de cada sintoma, para que a pessoa marque o que sente. É um teste. Talvez seja isso que eu precise para provar a Sagan e Luck que não tenho depressão clínica.

Pego uma caneta e começo pelo primeiro. **Algum dia você sentiu tristeza, vazio ou ansiedade?**

Tudo bem, é uma pergunta idiota. Marco o quadrado. Que adolescente não é assim?

Já se sentiu sem nenhuma esperança?

De novo marco. Deviam perguntar simplesmente "Você é adolescente?"

Você se irrita com facilidade?

Hmm... sim. Marco a opção. Mas todo mundo nessa casa é assim.

Você perdeu o interesse pelas atividades ou pela escola?

Tudo bem. Agora você me pegou, Luck. Marco a opção.

Você sente que tem menos energia do que o normal?

Se menos energia significa dormir a qualquer hora do dia e da noite e às vezes não dormir nada, então, sim. Marco a opção. Meu coração acelera, mas me recuso a levar essa lista muito a sério. Ela vem da internet!

Você tem dificuldade de concentração?

Cheguei até aqui nessa lista, então posso responder não a essa pergunta. Não marco o quadradinho, mas antes de passar à pergunta seguinte, penso um pouco mais na questão. Não consegui me concentrar nas palavras cruzadas, como costumava fazer. E um dos motivos de eu ter deixado de ir à escola é que eu estava ficando tão inquieta em aula, que era difícil prestar atenção. Marco a opção, só que mais clara do que as outras. Se for preciso, vou contar como um não.

Você notou alguma alteração no seu padrão de sono?

Bom... eu não costumava dormir o dia inteiro. Marco essa. Mas acho que é só um efeito colateral de matar aula.

Você sofreu alteração no apetite?

Se sofri, não notei. Enfim! Uma pergunta que não marco.

Mas... espera aí. Ultimamente, tenho pulado refeições. Mas também pode ser um efeito colateral de matar aula.

Você se sente indiferente?

Marco a opção.

Você tem chorado mais do que o habitual?

Marco.

Tem pensado em suicídio?

É para contar uma ou duas vezes? Marco.

Você já tentou suicídio?

Marco.

Olho a lista com um nó no estômago. Minhas mãos tremem enquanto percebo que não deixei de marcar um só quadradinho.

Foda-se essa lista idiota. Não é diferente de nenhum outro *checklist* de sintomas da internet que levam as pessoas a acreditar falsamente que sofrem de alguma doença horrível. *Sente dor de cabeça?* Você pode ter um tumor no cérebro! *Sente dor no peito?* Você pode estar sofrendo um infarto! *Problemas para dormir?* Você pode ter depressão!

Amasso o papel em uma bola e jogo do outro lado do quarto. Cinco minutos se passam enquanto olho fixamente o papel embolado no chão. Por fim, me obrigo a sair dessa.

Vou ver como está Wolfgang. Pelo menos ele não me tortura com conversas ou perguntas.

— Quer me ajudar a dar comida a Wolfgang? — pergunto a Moby enquanto passo pela sala de estar. Ele está no sofá, vendo desenho animado, mas pula dali e chega na porta dos fundos antes de mim.

— Ele é mau?

— Não, de jeito nenhum. — Encho o pote com ração e abro a porta dos fundos.

— Papai disse que ele é mau — diz Moby. — Ele chamou o cachorro de filho da puta.

Eu rio e o acompanho escada abaixo. Não sei por que é tão bonitinho quando as crianças xingam. Provavelmente serei aquela mãe que estimula os filhos a dizer coisas como "merda" e "porra".

Quando chegamos à casa do cachorro, Wolfgang não está ali dentro.

— Cadê ele? — pergunta Moby.

Olho o quintal.

— Não sei. — Contorno a casa do cachorro, gritando o nome dele. Moby e eu procuramos por ele no quintal escuro. — Vou acender a luz da varanda. — Estou quase voltando quando Moby me chama.

— Merit! É ele?

Moby está apontando para a lateral da casa. Dou a volta pelo canto e Wolfgang está se arrastando debaixo da casa, bem ao lado da janela do porão. Solto um suspiro, aliviada. Não sei por que fiquei estranhamente ligada a esse cachorro, mas eu já estava em pânico. Volto à tigela de Wolfgang e encho de ração. Ele vem lentamente e come.

— Recuperando o apetite, né? — Faço um carinho entre as orelhas e Moby estende a mão e faz o mesmo. Acho que significa que ele não está deprimido.

— Como ele está?

Eu me viro e vejo Sagan andando em nossa direção. Sua atitude é tão despreocupada, parece que não aconteceu nada noite passada. Também posso fazer esse jogo.

— Ele parece um pouco melhor.

Sagan se ajoelha a meu lado e passa a mão na barriga de Wolfgang.

— É, ele parece um pouco melhor. — Ele desloca a mão para fazer carinho na cabeça de Wolfgang e seus dedos roçam os meus. Isso provoca arrepios nos meus braços e fico muito feliz por estar quase escuro. A última coisa de que preciso é que ele veja que ainda me deixa perturbada.

— Ele pode dormir no meu quarto comigo hoje? — pergunta Moby.

Sagan ri.

— Acho que seu pai não vai gostar muito disso.

— A gente não precisa contar para ele — diz Moby.

O comentário me faz rir. Meu pai vai ter muito trabalho para educar esse aí.

Os faróis do carro do meu pai atravessam o terreno enquanto ele para na entrada.

— Chegou a pizza! — grita Moby. É tão raro Victoria deixar que ele coma uma pizza, que ele se esquece completamente de Wolfgang e volta correndo para dentro. Não quero ficar muito tempo sozinha no desconforto entre mim e Sagan.

— Estou morta de fome. — Pego o pote vazio e Sagan me acompanha até a porta dos fundos. Assim que minha mão está na maçaneta da porta de tela, Sagan segura a outra mão e puxa, para evitar que eu entre ainda. Fecho os olhos por um momento e suspiro. Quando me viro, estou um degrau acima dele, assim ficamos olho no olho.

— Merit — diz ele em voz baixa. — Eu sinto muito por ontem à noite. Passei a noite toda acordado pensando nisso.

Ele parece sincero. Abro a boca, mas a fecho porque me distraio com o toque do telefone dele. Ele o procura no bolso, afastando-se para a grama, levando o celular ao ouvido.

— Nossa — sussurro. Eu não devia ficar chocada por interpretar mal a sinceridade do seu pedido de desculpas. Será que ele não pode silenciar o telefone por tempo suficiente para que eu responda?

Eu o largo com seu telefonema urgente e deixo a porta de tela bater depois de passar por ela.

Entro na cozinha justo quando meu pai e Victoria estão entrando com a pizza.

— Moby, não tinha nenhuma sem glúten — diz Victoria. — Pode comer a pizza comum hoje, mas não se acostume com isso.

Os olhos de Moby se iluminam, e ele sobe em uma banqueta e puxa a caixa para ele, antes mesmo que Victoria tenha a chance de colocá-la na bancada.

— Não é assim que funciona a intolerância a glúten — digo a Victoria. — Ou você tem, ou não tem.

Luck tapa minha boca com a mão.

— Merit. Deixe a mãe permitir que o filho coma glúten hoje.

Afasto a cabeça da mão de Luck e digo em voz baixa:

— Só estou falando.

Honor está do meu lado, tirando uma pilha de pratos descartáveis do armário, quando Sagan entra na cozinha.

— Precisa de ajuda? — pergunta a ela.

Ela nega com a cabeça.

— Não.

Honor não foi nada amistosa. Fico curiosa para saber se ela também está zangada com ele. Ele dá a volta por ela e pega alguns copos. Instantes depois, estamos todos sentados à mesa, menos Utah.

Para falar a verdade, é estranho que ele não esteja aqui. Não posso deixar de me perguntar onde ele está e onde passou as últimas duas noites. Ou quanto tempo meu pai vai ficar zangado com ele antes de permitir que volte para cá.

Honor olha fixamente o lugar vago, onde Utah costuma comer.

— Já não foi o bastante você ter expulsado Utah? Tinha que se livrar da cadeira também?

Meu pai olha o lugar vazio.

— A cadeira quebrou — diz ele, deixando de contar que foi ele que a quebrou quando a jogou na parede.

Nos minutos seguintes, ficamos em silêncio. Até Moby. Acho que ele pode sentir que as coisas ficaram estranhas ultimamente. Observo Victoria por um momento, perguntando-me como ainda está aqui, sentada a essa mesa com meu pai, sabendo o que ele vem fazendo pelas costas dela.

— Alguém levou pizza para sua mãe? — pergunta papai.

Faço que não com a cabeça.

— Não vou mais fazer isso. Se ela quiser comer, pode subir e preparar o próprio prato.

Meu pai estreita os olhos para mim, como se a mesa de jantar não fosse lugar para a franqueza.

— Por que você não leva a pizza para ela, pai? — diz Honor com certa condescendência na voz. — Tenho certeza de que ela vai adorar te ver.

E acho que é aí que Victoria chega ao limite. Dessa vez, ela nem mesmo grita. Só joga a pizza no prato e empurra a cadeira para trás. O guincho da cadeira arrastada no chão é ensurdecedor. Ninguém fala nada até ouvir a porta do seu quarto bater.

— Quase conseguimos ir até o fim — diz Luck, reafirmando o fato de que não chegamos ao final de uma só refeição. É quando meu pai larga sua pizza no prato com a mesma frustração de Victoria. Ele se levanta e vai em direção ao quarto, mas hesita, volta à mesa e aponta para nós. Para Honor e para mim. Abre a boca, querendo nos dar uma bronca, mas não sai nada. Só demonstra frustração. Ele balança a cabeça e vai atrás de Victoria.

Olho para Moby, querendo saber se ele está bem, mas ele mastiga o pepperoni como se nada importasse além daquela fatia de pizza. E se tem alguém aqui certo é ele.

Luck é o primeiro a romper o constrangimento.

— Vão querer nadar no hotel essa noite?

Todos respondemos ao mesmo tempo.

— Não. — Eu.

— Não. — Honor.

— Quero. — Sagan.

Sagan olha para Honor e ela o fuzila com os olhos.

— Quer dizer... não? — diz ele, tentando ao máximo tirar aquele franzido da cara dela. Eu me sinto mal por ele, embora ainda esteja com raiva. Será que ela está chateada porque ele deu atenção a mim nos últimos dois dias? Ela precisa ser o centro das atenções de todos?

— Isso não é uma competição, Honor — digo. — Ele pode ser amigo de mais de uma pessoa.

Ela ri e toma um gole do refrigerante.

— Amigo? — Ela coloca a lata na mesa. — É assim que você chama?

— Honor — diz Sagan. — Já conversamos sobre isso.

Eles conversaram?

Por quê? Do que eles falaram?

Honor balança a cabeça.

— Só porque você se esfregou nela, não quer dizer que a conheça como eu conheço.

Sinto minha raiva bater no peito, encurralada, precisando sair. Quero gritar com ela, mas procuro manter o controle na frente de Moby.

— O que é "se esfregar"? — pergunta Moby.

— Ei — diz Luck, levantando-se. — Vamos para seu quarto, Moby. — Felizmente, ele pega Moby pela mão e o retira da cozinha, mas não antes de Moby agarrar seu prato e levar junto.

Honor ainda me olha feio do outro lado da mesa.

— De onde vem toda essa hostilidade? — pergunto, frustrada. — Eu pensava que você era um pouco mais solidária.

— Ah, por favor — diz ela, chegando a cadeira para trás e levantando. — Se fosse verdade, você teria dito alguma coisa quando aconteceu. Por que Utah faria algo assim com você e não comigo?

Meu maxilar está rígido e os dentes cerram ao segurarem tudo que quero dizer a ela.

— Não acredito que você ainda está do lado de Utah.

— Você pediu por isso quando confessou a toda a família que tentou perder a virgindade com nosso tio!

— Parem com isso! — Sagan se levanta. Sua cadeira cai com estrondo no chão. — As duas! Parem já com isso!

Tarde demais para a mediação, Sagan.

Pego meu copo de água e jogo na cara de Honor. Ela arqueja, de olhos arregalados e furiosa. Antes que eu consiga escapar, ela atravessa a mesa com um punhado do meu cabelo na mão. Grito e tento soltar sua mão, mas é inútil. Seguro seu rabo de cavalo e puxo. As mãos de Sagan estão na minha cintura e ele tenta me afastar, mas agora estou no meio da mesa e me recuso a soltar antes dela. A outra mão de Honor segura minha camiseta, então eu puxo sua blusa pela frente.

Vários botões estouram e Sagan ainda tenta nos separar quando alguém grita, "Ei!"

Parece a voz de Utah, mas não estou em condições de me virar e olhar. Nem preciso, porque Utah pula na mesa e tenta se meter entre nós. Está tentando me afastar e Sagan tenta fazer o mesmo com Honor

— Parem! — grita Utah.

Não paramos. Tenho certeza de que um bom chumaço dos cabelos de Honor está enrolado nos meus dedos.

— Tape a boca! — Utah grita para Sagan. Utah diz isso enquanto fecha a mão sobre minha boca e meu nariz, me sufocando. Sagan agora está atrás de Honor cobrindo sua boca e o nariz com a mão.

Mas o que eles estão fazendo? Tentando nos matar?

Não consigo respirar!

Os olhos de Honor ficam arregalados depois de vários segundos e ambas tentamos nos livrar da mão deles enquanto ainda nos recusamos a soltar uma a outra.

Não suporto nem mais um segundo.

Não consigo respirar.

Solto o cabelo de Honor e seguro a mão de Utah, que tapa minha boca. Honor faz o mesmo, afastando a mão de Sagan. Estamos as duas ofegantes quando eles nos soltam.

— Mas o que é isso!? — Honor empurra Sagan. — Estava tentando me matar?

Sagan olha para Utah com o polegar para cima, depois coloca as mãos nos joelhos e se curva, recuperando o fôlego.

— Raciocínio rápido — diz Sagan a Utah.

Caio na cadeira de novo, tentando recuperar meu fôlego. Tiro os fios do cabelo de Honor dos meus dedos.

— O que está havendo?

Meu pai voltou. Está parado ao lado da mesa, que agora está caótica e cheia de pedaços de pizza. A blusa de Honor está rasgada e nós duas temos uma aparência horrível. Mas ele não olha nada disso. Dirige-se a Utah, que limpa a pizza da calça jeans.

— O que está fazendo aqui? — pergunta meu pai.

— Vim convocar uma reunião de família — diz Utah.

Meu pai meneia a cabeça.

— Essa não é uma boa hora.

Utah ri baixinho.

— Se quiser que eu espere pela hora perfeita para discutir o beijo em minha irmã mais nova, vamos esperar uma eternidade. Teremos uma reunião de família. Essa noite. — Utah passa por meu pai e vai para seu quarto. Bate a porta com tanta força que dou um pulo na minha cadeira.

Meu pai segura o encosto de uma cadeira e empurra para a mesa com tanta força que me assusto de novo.

— Que ótimo — diz Honor em voz baixa. Ela vai para o quarto e também bate a porta.

Agora só ficamos eu e Sagan. Ele está de pé do outro lado da mesa, me encarando. Acho que ele espera que eu chore, ou fique furiosa, ou tenha alguma reação normal a tudo que acaba de acontecer. Encosto a cadeira na mesa e pego a única caixa de pizza que não está arruinada. É de presunto com abacaxi. Claro.

— Da próxima vez que Honor e eu brigarmos na mesa da cozinha, tente salvar uma caixa de pepperoni, tá bom?

Sagan solta aquele riso baixo dele e meneia a cabeça. Senta-se de frente para mim e puxa para si a caixa de presunto com abacaxi. Pega uma fatia e dá uma dentada, depois fala de boca cheia.

— Você é meio inacreditável, Merit.

Isso me faz sorrir.

Não quero ficar sorrindo para ele, então pego uma fatia de pizza e levo para o quarto, fechando a porta.

♥

Uma hora depois, Moby está dormindo, limpei os restos da pizza que estavam em mim e quase todos da família estão sentados na sala de estar, juntos, pela primeira vez em anos. Utah anda de um lado para outro, esperando que meu pai se junte a nós. Estou no sofá entre Sagan e Luck. Chego mais para perto de Luck para não ter tantas partes de mim tocando Sagan. Honor e Victoria pegaram uma poltrona cada uma.

Quando finalmente entra na sala, meu pai não se senta. Recosta-se na parede ao lado de Jesus Cristo e cruza os braços.

Utah respira fundo, como se estivesse nervoso.

Não pode estar mais nervoso que eu. Sei que estou tentando manter a frieza, mas meu estômago deu nó desde que ele passou pela porta, uma hora atrás. Não quero falar sobre isso e especialmente não quero falar sobre isso na frente de toda a família. Acho que é o que acontece quando você abre o jogo em uma carta.

Utah entrelaça as mãos, depois as sacode, ainda andando pela sala. Agora que estamos todos presentes, ele, enfim, para de andar. Bem na minha frente.

Não olho para ele. Só quero que se apresse e faça seu pedido de desculpas esfarrapado para que todos possamos tocar a vida e continuar a fingir que isso não aconteceu.

— Sinto que devo uma explicação a todos — diz ele. Ele recomeça a andar, mas olho fixamente minhas mãos, entrelaçadas em meu colo. Ainda tenho esmalte preto nas unhas dos polegares, restos do mês passado, então começo a mexer nele.

— Eu tinha 13 anos — diz ele. — Merit tinha 12. E é verdade... tudo que ela disse. Mas não é assim que sou. Eu era uma criança, foi idiotice, e me arrependi de ter feito isso desde o momento em que aconteceu.

— Então, por que você fez? — vocifero. Fico chocada com a fúria em minha voz enquanto ainda estou roendo o esmalte do polegar.

— Eu estava confuso — diz ele. — Meus amigos iam à escola todo dia e falavam das garotas. Estávamos todos chegando na puberdade e nossos hormônios estavam loucos, mas eu não ligava para as meninas. Só conseguia pensar nos meninos. Achei que havia algo de errado comigo.

Ele para de novo na minha frente e sei que está me olhando, quer que eu olhe nos seus olhos. Não consigo. Por fim ele recomeça a andar.

— Achei que se talvez eu beijasse uma menina, isso ia me corrigir. Mas eu era uma criança e não sabia nada sobre beijar, nem sobre as meninas. Só sabia que havia uma pessoa que eu queria beijar e, de acordo com a sociedade, eu não devia querer beijar Logan.

Finalmente ergo os olhos para ver Utah falar por um momento. Ele não olha para mim. Ainda anda de um lado para outro.

— Naquele dia, escrevi uma carta a Logan dizendo que gostava dele. Ele mostrou a todo mundo da mesa do almoço, depois me chamou de bicha quando saíamos do refeitório. Fiquei muito perturbado depois disso. Não queria ser bicha, não queria gostar de Logan. Só queria ser o que eu pensava que era normal. Então, naquela noite, nem mesmo pensei nas consequências do que estava fazendo. Eu me sentia desesperado para me consertar, então obriguei Merit a me beijar, na esperança de que isso... não sei, me *curasse*.

Fecho os olhos com força. Não quero ouvir mais nada. Não quero voltar àquele momento e não quero ouvir as desculpas dele.

— Assim que aconteceu, entendi que tinha feito uma coisa horrível. Ela saiu correndo do meu quarto e eu corri para o banheiro e vomitei. Estava com nojo de mim. Com nojo do que fiz com Merit. E passei cada dia desde então me arrependendo. Tentando compensar.

Meneio a cabeça, procuro conter as lágrimas.

— Você é um mentiroso — digo, finalmente olhando para ele. — Não fez coisa nenhuma para compensar! Nunca se explicou e *nem uma vez* me pediu desculpas!

As lágrimas resolveram aparecer, assim eu as enxugo com raiva.

— Merit — diz Utah.

Puxo o ar pelo nariz, depois forço sua saída. É um som furioso.

— Olhe para mim, por favor.

Recosto-me no sofá e o encaro. Ele de fato parece ter remorsos, mas é claro que *teve* o dia todo para treinar esse discurso. Ele aperta a nuca, depois se agacha diante de mim e assim ficamos com os olhos no mesmo nível. Cruzo os braços e abraço meu corpo.

— Eu lamento *muito* — diz ele. — Todo dia, toda hora, todo segundo desde então, eu me arrependi daquele momento. E eu nunca pedi desculpas porque... — Ele olha o chão por um instante. Quando volta os olhos aos meus, estão lacrimosos. — Tinha esperanças de que você esquecesse. *Rezava* para você esquecer. Se eu soubesse o quanto isso afetou você, teria feito tudo que pudesse para compensar e eu *falo sério*, Merit. O fato de você se lembrar e de ter raiva de mim por esses anos todos... nem sei dizer o quanto eu me arrependo.

Uma lágrima escorre por meu queixo e cai no braço. Eu a enxugo com a manga da blusa.

— Merit, *por favor.* — A voz dele é desesperada. — Por favor, diga a eles que eu nunca fiz nada nem remotamente inadequado desde aquele dia. — Ele olha para Honor e se levanta. — Você também, Honor. Diga a eles. — Ele gesticula para meu pai.

Honor assente e olha para papai.

— Ele está falando a verdade, pai. Ele nunca tocou em mim.

Meu pai olha para mim e concordo também, mas ainda não consigo falar. Tenho emoções demais presas na garganta. Mas sei, pela expressão do meu pai, que ele quer ter certeza de que a volta de Utah não é um problema para mim.

Agora todos olham para mim, até Utah.

Faço que sim com a cabeça e consigo soltar um "Acredito nele" sufocado e baixo.

A sala fica em silêncio por um momento. Por fim, Victoria se levanta.

— Então, tudo bem. — Ela parte para a cozinha, mas vira-se e fala: — Gostaria que todos vocês limpassem a bagunça que fizeram.

Luck ri baixinho. Utah vira-se para mim e murmura "Obrigado".

Viro a cara, porque não quero que ele pense que estou fazendo algum favor. Não consigo me livrar de anos de raiva simplesmente porque ele finalmente pediu desculpas.

— Reunião encerrada — diz meu pai, batendo palmas. — Vocês ouviram sua madrasta. Limpem a bagunça que fizeram.

A reunião pode estar encerrada, mas essa é só uma das muitas questões que precisam ser abordadas nessa família.

♥

Passamos os 15 minutos seguintes limpando a cozinha em silêncio. Acho que nenhum de nós realmente sabe o que dizer. Foi uma reunião de família muito séria. Os Voss não estão acostumados a tanta sinceridade em um dia só.

— Como o molho de pizza foi parar na janela? — pergunta Luck, limpando o vidro com um pano molhado. — Parece que perdi uma boa briga.

Fecho o lava-louças depois de estar carregado e aperto o botão de iniciar. Honor lava as mãos na pia a meu lado.

— Tem molho de pizza no meu sutiã — diz ela. — Vou tomar banho.

Utah entra na despensa e pega sua caixa de letras. É certo que essa será a primeira vez que ele troca o letreiro à noite. Ele vai até a porta e para, depois se vira e olha para mim.

— Quer ajudar?

Meus olhos disparam pela cozinha até que encontro Sagan. Não sei por que procuro segurança nele. Sinceramente acho que não fico a sós com Utah há vários anos e tudo isso parece muito estranho. Sagan assente de leve para mim, dizendo em silêncio que devo ir com Utah. Não passa despercebido que olhei para Sagan procurando conselhos. Enxugo as mãos em uma toalha e vamos para a porta de casa.

Quando estamos do lado de fora e a porta se fechou, Utah sorri para mim, mas nenhum de nós fala nada. Ambos vamos em silêncio até o letreiro. Ele coloca a caixa de letras no chão e passa a retirar aquelas que já estão no letreiro. Eu me aproximo e tiro algumas letras.

— Tem alguma citação que você queira colocar no letreiro? — pergunta ele.

Penso nisso por um momento, depois respondo:

— Tenho. É, eu tenho.

Ele aponta a caixa.

— Estão em ordem alfabética, se quiser colocar as letras aqui.

Eu me abaixo e pego na caixa as letras de que vou precisar enquanto ele continua a retirar as palavras do letreiro.

— Você realmente não sabia que eu era gay?

Tenho que rir.

— Não sei o que eu pensava.

Ele se abaixa e coloca as últimas letras na caixa.

— Isso incomoda você?

Nego com a cabeça.

— De jeito nenhum.

Ele assente, mas não parece convencido. Depois me lembro de que ele provavelmente ainda pensa na carta que escrevi e todas as coisas abomináveis que disse a ele.

— Utah, eu falo sério. Não me importo que você seja gay. Sei que eu disse coisas horríveis naquela carta, mas eu estava perturbada. Eu sinto muito por isso. Éramos crianças. Eu sei que... simplesmente passei anos acumulando muita raiva de você.

Pego a última letra e coloco no chão. Quando me levanto, Utah se levanta também. Sustenta meu olhar por um momento e fala.

— Eu sinto muito também. É sério, Merit. Estou sendo sincero.

A franqueza em sua voz faz com que eu sinta coisas e, meu Deus, não aguento mais chorar. Mas choro mesmo assim. Lágrimas idiotas agora escorrem por meu rosto, mas não consigo evitar. Por muito tempo, precisei ouvir isso dele.

Utah procura minha mão e me puxa para um abraço apertado. Meu rosto pressiona seu peito e ele me abraça como um irmão deve abraçar a irmã, e isso faz com que eu chore ainda mais. Passo os braços por ele e, assim que faço isso, sinto toda a raiva que já senti por ele evaporar a cada lágrima que derramo.

— Eu serei um irmão melhor — disse ele. — Eu prometo.

Concordo, encostada em seu peito.

— Eu também.

Ele me solta.

— Vamos terminar isso e entrar. — Terminamos o letreiro e vamos para a porta da casa. Assim que abrimos, vemos Luck à mesa da cozinha, olhando uma folha de papel que tem nas mãos.

— Você é um babaca! — grita ele.

Utah e eu fechamos a porta.

— O que foi agora? — pergunta Utah, levando a caixa de letras de volta à despensa. Sagan está sentado de frente para Luck, que parece extremamente aborrecido.

— Eu não sou assim!

Sagan ri.

— Não me peça para te desenhar se vai discutir comigo a respeito de como vejo você.

Luck empurra a cadeira para trás e joga o desenho em Sagan.

— Se é assim que me vê, você é um artista de merda. — Ele vai à geladeira e Sagan está rindo baixinho. Eu me aproximo dele e pego o desenho que aborreceu Luck. Viro e de imediato ele me faz rir.

— Deixa eu ver — diz Utah. Entrego a ele o desenho de Luck e Utah dá uma gargalhada. — Caramba — diz ele, devolvendo o desenho a Sagan. — É algum ressentimento seu ou coisa assim?

Sagan sorri e coloca o desenho no final do bloco.

— Me deixa ficar com isso — diz Utah. — Posso usar como chantagem.

Luck contorna a bancada e tenta tirar o desenho das mãos de Utah, mas ele está segurando bem no alto. Luck tenta pegar de novo, mas Utah dispara pelo corredor com Luck em seus calcanhares.

— Gostei do letreiro — diz Sagan, chamando minha atenção de volta a ele. Olho pela janela a citação que fiz Utah colocar.

NEM TODO ERRO MERECE UMA CONSEQUÊNCIA. ÀS VEZES A ÚNICA COISA QUE ELE MERECE É O PERDÃO.

Dou de ombros.

— Um cara aí me disse isso.

É um problema olhar para ele agora, porque grande parte de mim ainda gosta muito dele. E por algum motivo, é mais difícil aceitar o jeito como ele me olha agora. Como se tivesse orgulho de mim.

Por sorte, ele recebe de novo um daqueles telefonemas urgentes. Pelo menos dessa vez ele levanta o dedo e diz: "Um segundo", enquanto pega o telefone.

Não dou um segundo a ele. Dou privacidade enquanto vou para o meu quarto. Já tive o bastante por um dia e embora tenha dormido na maior parte dele, estou pronta para dormir pelo que resta.

Quando chego ao quarto, percebo que Sagan falou literalmente quando disse "um segundo". Ele bate na minha porta logo depois de eu ter fechado. Quando abro, ainda está colocando o telefone no bolso.

Não pergunto por que ele está ali ou o que ele quer falar. Apenas começo pela pergunta que mais tem me incomodado.

— Por que você recebe tantos telefonemas? — Ele sempre atende, não importa o que esteja fazendo. Na verdade, é meio grosseiro.

— Nunca é quem eu queria que fosse — diz ele, entrando no meu quarto sem ser convidado.

— Entre, fique à vontade.

Sagan anda pelo quarto, olhando tudo. Para na frente de minha prateleira de troféus.

— Quando começou a colecionar isso?

Vou até a cama e me sento.

— Comecei roubando do meu primeiro namorado. Ele terminou comigo no meio de uns amassos e isso me deixou chateada.

Sagan ri, depois pega alguns para examinar.

— Não sei por que eu gosto tanto disso em você.

Mordo a bochecha para esconder meu sorriso.

Sagan coloca o troféu na cômoda e se vira para mim.

— Quer uma tatuagem?

Meu coração para quando penso nisso.

— Agora?

Ele assente.

— Se você jurar que não vai contar a ninguém.

— Eu juro. — É um esforço não sorrir, mas estou empolgada demais.

Sagan aponta seu quarto com a cabeça e eu o acompanho pelo corredor. Ele coloca a cadeira da escrivaninha perto da cama e gesticula para que eu me sente. Começa a mexer em uma caixa de equipamentos esterilizados de tatuagem que retira do armário.

— O que você quer?

— Não importa. Você escolhe.

Ele me olha e arqueia uma sobrancelha.

— Quer que eu escolha a tatuagem que vai ficar gravada permanentemente na sua pele, pelo resto da sua vida?

Faço que sim com a cabeça.

— É tão esquisito assim?

Ele ri baixinho.

— Tudo em você é esquisito — diz ele. Mas antes que eu possa refletir muito sobre esse comentário, ele fala: — É o que mais gosto em você. — Ele pega um papel para transferir a tatuagem e uma caneta, depois coloca na cômoda e passa a desenhar alguma coisa. — Você tem cinco minutos para mudar de ideia.

Nos cinco minutos seguintes, fico vendo Sagan desenhar minha tatuagem, mas não consigo enxergar direito o que é. Quando ele acaba, ainda não mudei de ideia. Ele vai à porta do quarto e tranca.

— Se alguém vir isso, é melhor você mentir e dizer que fez com outra pessoa.

Tento espiar o desenho quando ele se aproxima de mim, mas ele o esconde.

— Ainda não pode ver.

Minha boca se abre.

— Eu não disse que ia deixar você tatuar uma coisa em mim antes de ter minha aprovação.

Ele sorri com malícia.

— Prometo que você não vai detestar. — Ele puxa a manga da minha camisa para baixo. — Posso fazer aqui? — pergunta, tocando a área superior direita das minhas costas. — Vai ser pequena.

Concordo e fecho os olhos, esperando com ansiedade que ele comece. Ele está sentado na cama com todo o equipamento de tatuagem que ele usa no estúdio montado ao lado. Estou virada para o outro lado, o que na verdade é um alívio. Não quero ter de vê-lo o tempo todo. Posso ser transparente demais em meus pensamentos.

Ele transfere a tatuagem primeiro para minha pele, depois me passa um travesseiro para eu abraçar as costas da cadeira antes de recomeçar. A pontada inicial é dolorosa, mas fecho bem os olhos e tento me concentrar na respiração. Para falar a verdade, não dói tanto quanto imaginei, mas certamente não é bom. Procuro me concentrar em outra coisa, então decido puxar conversa com ele.

— O que significa a tatuagem no seu braço? Aquela que diz "Sua vez, Doutor".

Sinto uma lufada de ar quente no meu pescoço quando ele suspira. Sagan para por um momento até que meus arrepios passem, então recomeça o processo da tatuagem.

— É uma longa história — diz ele, tentando menosprezá-la de novo.

— Ainda bem que temos tempo.

Ele fica em silêncio por tanto tempo que suponho que não vai explicar, como sempre. Mas então ele fala:

— Lembra quando eu te disse que a bandeira em meu braço era da Oposição Síria?

Faço que sim com a cabeça.

— Lembro. Você disse que seu pai nasceu lá.

— É, nasceu. Mas minha mãe é americana. Do Kansas. Foi onde eu nasci. — Ele para de falar por um momento e se concentra na tatuagem, mas depois continua. — Sabe alguma coisa sobre a crise dos refugiados sírios?

Faço que não com a cabeça, agradecida por ele finalmente ter vontade de falar. Essa tatuagem dói um pouco mais do que eu imaginava e preciso de uma distração.

— Ouvi falar. Mas não sei muita coisa sobre isso. — *Muita coisa* significa *nada*.

— É, não ensinam isso nas escolas daqui.

Ele fica em silêncio por mais alguns segundos dolorosos, mas depois passa a um local diferente no meu ombro e sinto certo alívio. Ele recomeça a falar. Não faço nada além de ouvir.

— A Síria tem sido governada por uma ditadura há muito tempo. Por isso meu pai se mudou para a América, para fazer faculdade de medicina. Existem muitos outros países perto da Síria que também são ditaduras. Bom, vários anos atrás, começou algo chamado Primavera Árabe. Muitos cidadãos desses países começaram a fazer protestos e manifestações para tentar derrubar os ditadores. As pessoas queriam que seus países fossem menos corruptos. Queriam que fossem governados como uma democracia, com transparência. Os protestos tiveram sucesso na Tunísia e no Egito, e os líderes foram derrubados. Em seu lugar, entrou uma nova forma de governo. Depois disso, o povo da Síria e de outros países tiveram esperança de que acontecesse por lá também.

— Então a tatuagem tem alguma relação com a Síria?

— Tem — diz ele. — É o que muitos acreditam que deu início à revolução. O governante sírio, Bashar al-Assad, estudou para ser oftalmologista antes de o pai morrer e ele assumir como o novo líder da Síria. O apelido de Bashar é Doutor. Bem... um grupo de estudantes pichou um muro da escola com as palavras: "Sua vez, Doutor". Basicamente estavam dizendo o que muitos na Síria torciam em silêncio que acontecesse: que o Doutor fosse derrubado, assim como os líderes do Egito e da Tunísia, para permitir uma democracia no país.

Levanto a mão para interromper. Estou absorvendo tudo isso, mas tenho muitas perguntas.

— Correndo o risco de parecer burra, em que ano isso aconteceu?

— Em 2011.

— O Doutor foi derrubado depois disso?

Sagan limpa a tatuagem novamente, depois pressiona a agulha na minha pele. Estremeço quando ele fala:

— Na verdade foi o contrário. Ele prendeu e torturou as crianças responsáveis pela pichação.

Começo a me virar, mas ele coloca a mão firme no meu ombro.

— Ele os prendeu? — pergunto.

— Ele queria mostrar ao povo da Síria que não haveria tolerância para a oposição. Não se importava que fossem só crianças. Quando os pais exigiram a soltura de seus filhos, o governo não deu ouvidos. Na verdade, um dos oficiais no comando disse aos pais das crianças: "Esqueçam seus filhos. Façam outros. E se vocês não sabem mais como fazer, vou mandar alguém para mostrar."

— Ah, meu Deus — sussurro.

— Eu não disse que a história seria boa... Depois que o Doutor prendeu as crianças envolvidas, o povo da cidade de Daraa tomou as ruas. As pessoas começaram protestos e manifestações, mas em vez de serem recebidas com um acordo, o governo usou de força letal contra eles. Muita gente morreu. E isso estimulou protestos em todo o país. O povo exigia que o Doutor caísse. Mas ele se recusou e, em vez disso, usou a força militar para atacar os manifestantes com um rigor ainda maior. A violência cresceu e logo se transformou em uma guerra civil. É por isso que existe uma crise dos refugiados. Quase meio milhão de pessoas morreu até agora e outros milhões tiveram de fugir para se salvar.

Não consigo falar. Não sei o que dizer a ele. Não posso tranquilizá-lo, porque não existe nada que possa amenizar essa história. E, sinceramente, estou constrangida porque não sabia de nada disso. Vejo as manchetes na internet e no jornal, mas nunca entendo nada. Nunca me afetou diretamente, então nunca pensei em ver com mais atenção.

Ele parou de tatuar, mas não sei se acabou, então não me mexo.

— Nós nos mudamos para a Síria quando eu tinha 10 anos — disse ele, num tom mais baixo. — Meu pai é cirurgião e ele e minha mãe abriram uma clínica lá. Mas depois de um ano, quando as coisas começaram a ficar ruins, meus pais me mandaram de volta para cá, para morar com meus avós até que meu pai conseguisse o visto para voltar. Minha mãe ia dar à luz minha irmã mais nova, então não podia pegar um avião na época. Eles me disseram que seriam três meses. Mas pouco antes do voo para cá...

Sua voz falha. Como ele não está mais me tatuando, viro-me na cadeira para olhá-lo. Sagan está sentado com as mãos entrelaçadas entre os joelhos, de olhos baixos. Quando levanta a cabeça para mim, seus olhos estão vermelhos, mas ele se mantém controlado.

— Antes de eles virem para cá, a comunicação simplesmente parou. Eles passaram de ligações diárias para o completo silêncio. Não tenho notícias deles há sete anos.

Tapo a boca, chocada.

Sagan está sentado estoicamente, voltou a olhar as mãos. As minhas mãos estão pressionadas na boca, por incredulidade. Não consigo acreditar que esta seja a vida dele.

É por isso que ele atende ao telefone com tanta urgência, porque sempre tem esperanças de receber notícias da família. Nem consigo imaginar sofrer sete anos sem saber.

— Eu me sinto tão idiota — sussurro. — Meus problemas não são nada comparados com o que você tem passado...

Ele me olha com os olhos completamente secos. Acho que é isso que me deixa mais triste, saber que ele está tão acostumado com sua vida que ela não o faz chorar a cada segundo do dia.

Ele coloca a mão na minha cadeira.

— Você não é idiota, Mer. — Ele me vira. — Fique parada. Estou quase acabando.

Ficamos em silêncio enquanto ele termina minha tatuagem. Não consigo parar de pensar em tudo que está acontecendo com ele. Revira meu estômago. E me sinto uma completa idiota. Ele leu uma carta que escrevi, reclamando de toda a minha família e de nossos problemas banais. E ele nem mesmo sabe se a família dele está viva.

— Acabei — sussurra ele. Ele limpa a tatuagem com algo frio e começa a cobrir com um curativo.

— Espere aí — digo, me virando. — Quero ver primeiro.

Ele nega com a cabeça.

— Ainda não. Quero que você fique com o curativo até o sábado.

— Sábado? Mas ainda é quinta-feira.

— Quero que você tenha um pouco mais de expectativa — diz ele com um sorriso. Gosto que ele esteja sorrindo depois do peso da conversa. Mesmo que seja um sorriso forçado. — Vou passar loção algumas vezes por dia até lá.

Gosto dessa ideia, então concordo sem relutância.

— Pelo menos me diga o que é.

— Você verá no sábado. — Ele começa a arrumar a bagunça. Levanto-me e rodo a cadeira de volta à escrivaninha. Ele leva sua caixa de suprimentos para o armário.

Enquanto o observo, sou tomada de uma compaixão dominadora por ele. Pelo que ele vem passando. Aproximo-me e passo os braços por sua cintura, pressionando meu rosto em seu peito. Eu só preciso abraçá-lo depois de ouvir tudo isso. E, com base no jeito como ele me envolve e aceita o abraço sem questionar, ele deve precisar também. Ficamos assim por um minuto inteiro antes de ele me dar um beijo no alto da cabeça.

— Obrigado por isso — diz ele, me soltando.

Faço que sim com a cabeça.

— Boa noite.

Ele sorri, agradecido.

— Boa noite, Merit.

Capítulo quatorze

— Está animado com o dia de hoje?

— Estou! — grita Moby do corredor.

— Animado quanto?

— Muito animado!

— Animado quanto? — repete Utah.

— Animado pra caramba! — responde Moby mais alto.

Normalmente, esse diálogo me faria revirar os olhos logo cedo. Mas isso foi antes da noite passada, quando voltei a gostar de Utah como irmão.

Meu pai ainda não sabe que abandonei a escola, então me obrigo a sair da cama. Escovo os dentes, ajeito o cabelo, visto minhas roupas e passo pela mesma rotina de quase toda manhã. Eu contaria a verdade a ele, mas não sei se quero lidar com as consequências agora. Parece que uma vida inteira aconteceu nos últimos dias.

Vou esperar outra semana para contar. Talvez duas.

Melhor ainda: vou contar que larguei a escola quando ele finalmente explicar por que minha mãe está tomando comprimidos de placebo.

Quando entro na cozinha, Honor e Sagan estão sentados lado a lado à mesa. Ela ri de algo que ele acabou de dizer, o que me deixa meio aliviada por vê-la sorrindo. Talvez ela pare de ficar tão chateada comigo, agora que fiz as pazes com Utah.

Ou talvez não.

Assim que ela me vê, seu sorriso desaparece. Ela volta sua atenção à vitamina que tem diante de si, mexendo o canudinho.

Pelo menos Sagan sorri para mim. Retribuo o sorriso e me sinto brega ao ponto do ridículo quando faço isso.

— Merit, experimente isso — diz Utah. Ele empurra uma de suas vitaminas na minha cara e tenta meter o canudo na minha boca.

— Que nojo — digo, afastando seu braço e a vitamina. — Não vou provar essa porcaria.

— É bom. — Ele estende para mim de novo. — Eu garanto, experimente.

Pego a vitamina e provo aquela droga. E é claro que, pelo gosto, parece que alguém pegou um monte de vegetais, misturou e jogou umas vitaminas sem sabor. Estremeço e devolvo a ele.

— É nojento.

— Boba — diz Sagan.

A porta dos fundos se abre e meu pai entra.

— Tem algo errado com aquele cachorro — diz ele, tirando a terra das mãos. Ele as limpa em uma toalha. — Ele tem estado letárgico desde que apareceu?

Dou de ombros.

— Ontem ele parecia melhor. — Passo por ele e saio pela porta dos fundos. Ouço Sagan vindo atrás de mim. Nós três vamos à casinha de Wolfgang, eu me ajoelho e toco o alto da sua cabeça.

— Oi, amiguinho.

Ele ergue os olhos para mim com a mesma falta de entusiasmo que tem demonstrado desde que apareceu na noite de domingo. O rabo se contorce de novo, mas ele não faz nenhum esforço para se levantar. Nem para me lamber.

— Ele está agindo assim a semana toda? — pergunta meu pai.

Concordo com a cabeça, bem na hora que papai se agacha. Ele passa a mão pelo dorso de Wolfgang e sinceramente é uma visão que eu nunca pensei que teria. Meu pai e esse cachorro... juntos de novo.

— Achei que ele só estava deprimido — digo. Eu me sinto mal por não ter feito mais estardalhaço com o temperamento dele, mas não entendo nada de cachorros.

— Liguei para a veterinária ontem — diz Sagan. — Disseram que podem encaixá-lo num horário amanhã, mas acho que ele não pode esperar tanto tempo.

— Que veterinária? — pergunta meu pai.

— Aquela na Rua Trinta, perto da Legião da Boa Vontade.

— Fica perto do trabalho — diz papai. Ele passa as mãos embaixo de Wolfgang. — Eu o deixarei lá no caminho, vou ver se eles podem fazer os exames antes. — Meu pai aponta com a cabeça para o portão, do outro lado da casa. — Merit, abra o portão, assim posso colocá-lo na picape.

Vou correndo e meu pai coloca Wolfgang no banco do carona. Wolfgang nem mesmo se importa de ser carregado.

— Acha que ele vai ficar bem?

— Não sei — diz papai. — Contarei a você o que eles disserem. — Ele dá a volta ao lado do motorista e entra no carro. Começa a sair de ré, mas para e me chama pela janela. — Na outra noite, esqueci de dar isso a você, quando me pediu — diz ele, entregando-me uma sacola. Pego das mãos dele e observo enquanto ele continua saindo.

Depois que ele parte, baixo os olhos e abro a sacola. Dentro dela está um troféu. Eu tinha me esquecido completamente de ter pedido isso a ele. Retiro o troféu e é a escultura de um jogador de tênis.

— O que você venceu dessa vez? — pergunta Sagan.

Leio a plaquinha na base do troféu.

— Campeonato Estadual de Tênis, 2005.

Ele ri.

— Você era uma criança prodígio. — Ele vai ao carro e abre a porta. — Precisa de uma carona para a escola hoje?

Estreito os olhos para ele. Ele sabe que ultimamente não tenho ido à escola.

— Valeu a tentativa.

Ele entra no carro.

— Não custa tentar — diz ele, fechando a porta. Abre a janela e fala: — Mando uma mensagem para você se receber alguma notícia do seu pai sobre Wolfgang.

Faço que sim com a cabeça, mas depois a viro de lado.

— Por que ele daria notícias *a você*?

— Por que... eu trabalho para ele?

— Trabalha? — Nossa. Estou muito por fora mesmo.

Ele ri.

— É sério que você não sabia disso?

Nego com a cabeça.

— Eu sabia que você tinha emprego, mas nunca perguntei qual era.

— Seu pai me deu um emprego e deixou que eu me mudasse para cá assim que o conheci. Por isso gosto tanto dele, embora você não o suporte na maior parte do tempo.

Ele olha por cima do ombro e sai também. Antes de pegar a estrada, acena de leve para mim. Aceno de volta e o observo partir.

Não sei quanto tempo fico parada na garagem, vendo a estrada vazia. Eu me sinto tão... perdida? Não sei. Nada está fazendo muito sentido nessa semana.

Volto para dentro e passo as próximas horas matando tempo. Vejo televisão, mas não consigo parar de olhar o telefone, procurando notícias. Ainda não tenho nenhuma notícia do meu pai. Só recebi uma mensagem e era da minha mãe, perguntando se eu iria ao porão em alguma hora à tarde. Respondi que estava ocupada. Ela replicou com: "Tudo bem. Talvez amanhã."

Sei que eu disse que nunca mais voltaria ao porão, mas só disse isso porque estava zangada. Vou acabar indo, mas no momento ainda estou aborrecida com ela. E com meu pai. E ainda confusa porque não sei como Victoria continua em um ambiente conjugal tão estranho.

E também ainda não sei para que servem os comprimidos de placebo.

Detesto ter qualquer ressentimento em mim depois de ouvir o que Sagan está passando. Por algum motivo, porém, os problemas dele não anularam em nada os meus e eu detesto isso. Detesto ainda ser emocionalmente afetada pelas decisões ruins dos meus pais quando eu deveria me sentir sortuda por saber que eles estão vivos. Faz com que me sinta fraca. E mesquinha.

Coloco os pés na mesa da cozinha e mando uma mensagem para o meu pai.

Eu: Alguma notícia da veterinária?

Espero para ver se aparece o sinal de que ele está digitando a resposta, mas nada. Baixo o telefone e puxo as palavras cruzadas diante de mim. Meu telefone toca, assim abro para ver o identificador de chamadas. Sorrio quando vejo que é Sagan.

— Alô?

— Oi. — Sua voz é pesada, como se ele precisasse arrastar a palavra para fora.

— O que foi?

Ele suspira ao telefone.

— Seu pai me pediu que ligasse para você. Ele, hmm... Wolfgang... ele morreu a caminho da veterinária.

Quase deixo cair o telefone.

— O quê? Como?

— Não sei. Tenho certeza de que foi só velhice.

Suspiro e enxugo uma lágrima inesperada.

— Tudo bem com você?

— Tá — digo, suspirando de novo. — Eu só... meu pai está bem?

— Sei que está. Mas ele falou que podíamos enterrá-lo mais tarde. Talvez na igreja do pastor Brian, e isso quer dizer bem mais tarde do que o normal. Te mando uma mensagem.

— Tudo bem. Obrigada por me contar.

— A gente se vê à noite.

Encerro a ligação e olho fixamente meu telefone por cinco minutos inteiros antes de me mexer. Estou surpresa com minha tristeza. Além de morar no quintal vizinho ao do cachorro quando criança, eu só interagi verdadeiramente com ele por alguns dias. Mas a última semana de vida daquele coitado foi uma completa merda. Seu dono morreu, depois ele andou vários quilômetros na chuva, no meio da noite, só para adoecer e morrer em meio a completos estranhos. Ainda bem que será enterrado no terreno do pastor Brian. Estou certa de que os dois preferiam assim.

Passo várias horas sem notícias de Sagan ou do meu pai. O clima na casa é, na melhor das hipóteses, embaraçoso, então fico no meu quarto a maior parte da noite. Victoria não preparou o jantar, então todos comemos separadamente.

Estou lavando a louça quando o celular de Utah toca. Ele está no sofá com Luck e Honor, vendo televisão, mas seu telefone está do meu lado na bancada.

— Quem é? — pergunta ele da sala.

Olho o identificador de chamadas, mas não é um número que ele tenha gravado.

— Não sei. É um número da cidade, mas não tem nome nenhum.

— Pode atender?

Enxugo as mãos em uma toalha e alcanço o telefone.

— Alô?

— Honor?

— Não, é Merit.

— Merit — diz meu pai —, onde está Utah?

— Na sala. O que foi?

Ele suspira.

— Bom... precisamos que alguém venha nos buscar.

Isso me faz rir. É alguma brincadeira?

— Você é dono de uns 80 carros. Por que diabos precisa de uma carona?

— Estamos na... hmmm... cadeia.

Afasto o telefone do ouvido e coloco no viva-voz. Gesticulo para Utah colocar a TV no mudo.

— Como assim, vocês estão na cadeia? Você e mais quem? Sagan foi preso também?

— É uma longa história. Vou contar quando chegar aí.

— Quem está na cadeia? — pergunta Utah, entrando na cozinha. Gesticulo para que ele faça silêncio e possa ouvir meu pai.

— Precisamos do... dinheiro da fiança? Nunca tirei ninguém da cadeia na vida.

— Não, só precisamos de uma carona. Já estamos aqui há duas horas, esperando que eles nos deixem dar um telefonema.

— Tudo bem. Estamos a caminho. — Encerro a ligação.

— Por que eles foram presos? — pergunta Utah.

Dou de ombros.

— Não sei. Devemos contar a Victoria?

— Me contar o quê? — Victoria entra na cozinha com um timing impecável.

— Papai foi preso — diz Utah, virando-se para ela. — Com Sagan.

Ela para.

— O quê?

— Não sei o que ele fez, mas estou louco para descobrir — diz Utah. Honor e Luck agora estão na cozinha. Nos olhamos sem saber direito o que fazer. Claro, não é todo dia que temos de buscar papai na prisão.

— Diga a ele para me ligar assim que vocês o pegarem — fala Victoria. — Preciso ficar com Moby.

Concordo com a cabeça e vou ao meu quarto pegar meus sapatos. Mas o que será que eles fizeram?

Capítulo quinze

Não sei o que eu estava esperando, mas quando meu pai e Sagan saíram da prisão, pareciam normais. Ficamos esperando no estacionamento por mais de uma hora, até eles preencherem a papelada. Só o que nos disseram foi que foram presos por profanação. Eu nem sei o que isso significa.

Meu primeiro impulso é correr até Sagan e abraçá-lo, mas não faço isso. Em particular na frente dos outros. Espero até que eles cheguem ao carro e discretamente aperto sua mão.

— O que vocês fizeram? — pergunta Utah.

Meu pai abre a porta do carona da van.

— Tentamos enterrar a droga do cachorro, foi isso que fizemos. — Ele se senta e bate a porta. Todos olhamos para Sagan e ele tem uma expressão exasperada.

— Tentei dizer a ele que era uma má ideia — diz ele.

— Enterrar o cachorro? — pergunta Luck.

Sagan faz que não com a cabeça.

— Pensei que íamos enterrá-lo na igreja, mas... seu pai tinha outros planos.

— Não é possível — diz Honor, sem acreditar.

— Não é possível o quê? — pergunta Utah.

— Ele quis enterrá-lo com o pastor Brian — diz Sagan.

— Em um cemitério? — pergunta Luck.

— Vocês foram presos por violar uma sepultura? — pergunto.

Sagan faz que sim.

— Quer dizer, tecnicamente só estávamos cavando um buraco ao lado do pastor Brian, mas quando a polícia pega você em um cemitério com pás, não liga muito para as explicações.

— Puta merda — diz Utah.

— Entrem na van! — Meu pai grita.

Todos entramos no carro. Acabo no banco de trás com Sagan, mas não me importo. Utah liga a van, mas, pouco antes de sairmos da delegacia, encosta uma viatura. Meu pai abre a janela.

— Ah, não — diz Sagan.

— Que foi?

Ele aponta com a cabeça os policiais que saem do carro.

— Foram eles que nos prenderam.

— Pai — digo, com medo de que ele faça nenhuma besteira.

— O que vocês fizeram com o cachorro? — Meu pai pergunta aos policiais.

O policial que dirigia se aproxima da janela.

— Enterramos na igreja do pastor Brian — diz ele. — Como vocês deviam ter feito.

— É, bom... a gente percebe essas merdas quando já é tarde — diz meu pai. Ele gesticula para Utah. — Vamos.

Utah dá a ré e o policial dá um tapinha no capô antes de se virar para a delegacia. Olho pela janela e vejo os policiais rindo.

— Que ótimo. Outro boato a ser atribuído à família Voss — diz Honor do banco a nossa frente.

— Tecnicamente, não é um boato — diz Sagan. — Estávamos cavando em um cemitério sem permissão. É ilegal.

Honor se vira.

— Sei disso, mas agora a cidade toda vai pensar que papai estava tentando exumar o pastor Brian. Todo mundo sabe que ele é ateu, agora vão falar que ele estava querendo fazer rituais satânicos com o cadáver.

— Não seria a pior coisa que as pessoas já disseram sobre nós — meu pai fala do banco da frente.

Honor se vira para a frente de novo.

— Acho que não seria tão ruim se a maioria dos boatos não fosse verdade.

Meu pai a olha pelo retrovisor.

— Está dizendo que tem vergonha de ser uma Voss?

Honor suspira.

— Não. Só tenho vergonha de ser sua filha.

— Ah, merda — diz Luck em voz baixa.

Meu pai se vira.

— E por que você sente isso, Honor?

— Pai — diz Utah. — Dá um tempo. Foi uma semana maluca.

— Ah, sei lá — diz Honor com sarcasmo. — Talvez porque você não saiba o básico sobre ser um bom marido ou um bom pai?

Meu pai se vira e destranca a porta.

— Pare a van.

— O quê? — diz Utah. — Não.

— Pare a van! — Meu pai grita.

— Pare a van, Utah — digo. Se meu pai está a ponto de ter um colapso nervoso, prefiro que tenha do lado de fora do carro.

Utah encosta, mas antes mesmo que tenha engrenado em modo de estacionamento, papai está abrindo a porta e saindo da van. Todos vemos, aturdidos, ele chutar o cascalho no acostamento. Nunca o vi tão zangado.

— Ele está bem? — pergunto a Sagan.

Sagan dá de ombros.

— Ele parecia bem depois que fomos presos. Até riu disso.

Utah abre a porta do motorista e contorna o carro. Honor abre a porta lateral da van e todo mundo sai. Depois que estamos todos ao lado do veículo, meu pai para de atacar o cascalho por tempo suficiente para recuperar o fôlego. Gesticula para todos nós.

— Vocês acham que só porque sou adulto tenho de entender de tudo? Acham que não posso cometer erros? — Ele não está gritando, mas certamente não fala com a voz mais baixa do mundo. Passa a andar de um lado para outro. — Por mais que a gente se esforce, nem sempre as coisas acontecem como planejado.

Utah fica agitado.

— Bom, quando você toma decisões ruins, em geral as coisas não viram um mar de rosas, pai. Talvez você devesse ter pensado nisso antes de trair a mamãe.

Meu pai dá vários passos na direção de Utah. Passa por ele com tal velocidade que Utah recua até se encostar na van.

— É disso que estou falando! Vocês todos acham que sabem de tudo! — Meu pai se vira e dá vários passos em nossa direção. Coloca as mãos na nuca e respira fundo várias vezes. Quando enfim se vira, está olhando diretamente para mim. Sagan coloca a mão nas minhas costas, tentando me tranquilizar.

— Quer saber por que os comprimidos que você roubou eram placebo?

Faço que sim com a cabeça, porque estou morrendo de vontade de saber desde que descobri.

— Ela não sente dor — diz meu pai. — Sua mãe não sente dor, não está se recuperando do câncer. Ela *nunca teve* câncer. —

Ele se aproxima de nós. — Sua mãe nunca teve câncer — repete. — Vamos assimilar isso.

Vejo Utah cerrar os punhos ao se aproximar subitamente de papai.

— É melhor você explicar, porque estou a cinco segundos de te dar um murro.

Meu pai ri com desânimo e passa a mão no rosto, frustrado. Depois suas mãos vão aos quadris.

— Sua mãe... ela tem... problemas. Ela tem problemas desde o acidente de carro. — Ele não está mais gritando. Agora só parece derrotado. — A lesão cerebral... a transformou. Ela não foi mais a mesma e sei que vocês não a conheceram antes disso, mas... — Seu rosto se contorce e ele olha o céu como se tentasse conter as lágrimas. — Ela era maravilhosa. Era perfeita. Ela era... feliz. — Ele vira a cara, para que nenhum de nós consiga vê-lo chorar. É uma das coisas mais tristes que já vi.

Tapo a boca com a mão e espero que ele se recomponha. É só o que posso fazer.

Quando enfim ele se vira, não tem coragem de encarar nenhum de nós. Ele mantém os olhos fixos no chão.

— Observar a mudança da mulher por quem me apaixonei para alguém totalmente diferente foi a coisa mais difícil pela qual já passei. Mais difícil do que tentar cuidar de três filhos de menos de 2 anos sozinho quando as crises dela vinham e ela ficava deitada na cama por semanas seguidas. Foi mais difícil do que quando ela começou a inventar essas doenças, convencendo-se de que estava morrendo. Mais difícil do que quando tive de interná-la e depois mentir para vocês todos que ela estava no hospital para tratar do câncer que ela estava convencida de que tinha. — Ele olha para mim, depois Honor. Enfim seus olhos caem em Utah. — Ela não é a mulher com quem me casei. E, sim, sei que foi horrível da minha parte me envolver com Victoria, mas aconteceu e não posso voltar atrás. E, sim, agora é horrível que raras vezes sua mãe tenha momentos de lucidez. Porque, quando tem, ela percebe no que se transformou sua vida. No que se transformou nosso casamento. E isso acaba com nós dois. E só o que posso fazer é garantir a ela que ainda a amo. Que sempre a amarei. — Ele solta um suspiro trêmulo e enxuga as lágrimas. — Porque eu amo a sua mãe. Sempre amarei. É só que... às vezes as coisas não são como queremos que sejam. E embora eu seja ateu, não se passa um dia em que eu não agradeça a Deus por ter uma esposa que compreende isso. Victoria morou nos últimos quatro anos e meio em uma casa com uma mulher por quem ainda sou apaixonado. Ela não me questiona quando sua mãe precisa de mim. Victoria não corrige nenhum de vocês quando a ofendem e insinuam que ela é uma destruidora de lares. — Ele vai à van e pega seu casaco. — Nunca contei a verdade a nenhum de vocês porque não queria que julgassem sua mãe. Mas eu não traí sua mãe quando ela estava morrendo de câncer. Ela nunca esteve morrendo. Não está morrendo agora. Sim, ela tem uma doença. Mas não de um jeito que algum de nós possa ajudar. — Ele veste o casaco e fecha o zíper. — Vou a pé para casa.

Ele se afasta da van, na direção da nossa casa, que fica a mais de 4 quilômetros dali. Então para e se vira para nós mais uma vez.

— Só o que sempre quis para vocês é que tivessem a oportunidade de amar sua mãe como mereciam. Que a considerassem o máximo que pudessem. E Victoria também sempre quis o mesmo para vocês. — Ele passa a andar de costas. — Eu não sabia o quanto todos vocês me odiariam pelo caminho.

Ele se vira de novo e parte para casa. Ouço Honor chorar. Ouço até Utah chorar. Enxugo minhas lágrimas e tento puxar a respiração que me sustentará por mais de dois segundos.

Acho que estamos todos em choque. Vários minutos se passam até que algum de nós se mexa. Papai está fora de vista quando Utah recupera o controle e fala.

— Entrem na van — diz ele, dando a volta até o lado do motorista e sobe, mas nenhum de nós se mexe. Ele buzina, depois bate no volante. — Entrem na merda da van!

Luck fica no banco da frente e os outros se acomodam atrás. Antes que Sagan tenha fechado a porta, Utah está arrancando, fazendo uma manobra de retorno.

— Aonde vamos? — Honor pergunta a ele.

— Vamos enterrar aquela droga de cachorro com o pastor Brian.

Capítulo dezesseis

A nova igreja do pastor Brian é muito maior do que a antiga, a nossa atual casa. Não me sinto tão mal por meu pai tê-la comprado, o pastor Brian parece ter melhorado depois disso.

Bom... até ele morrer.

— Rápido — diz Honor. Sagan está cavando a terra fresca da cova de Wolfgang. Utah está no estacionamento, vigiando. Luck está... ah, meu Deus.

— Está tirando meleca do nariz?

Luck limpa os dedos na camisa e dá de ombros.

— Como você é nojento — diz Honor. Ela olha para mim e fala em voz baixa: — Nem acredito que você quase transou com ele.

Ignoro o insulto dela. Não estou com vontade de entrar em outra briga com Honor quando três de nós cinco estão segurando pás novas em folha que compramos no caminho para cá. Isso não terminaria bem. Também não vou discutir com ela porque... bom... eu também nem acredito que quase transei com ele.

— Consegui — diz Sagan. Ele se abaixa e passa a afastar a terra do lençol em que Wolfgang está embrulhado. — Luck, me ajude aqui.

Luck meneia a cabeça.

— De jeito nenhum, cara. Deve haver um carma ruim ligado ao que você está fazendo. Não quero participar disso.

— Ah, pelo amor de Deus. — Eu me abaixo e ajudo Sagan a retirar Wolfgang do que resta da terra. Sagan consegue levantar e carregá-lo sozinho para a van. Abro a porta traseira e ele o coloca dentro do carro.

— Preciso colocar a terra de volta na cova, para ninguém desconfiar — diz Sagan.

— Você está ficando muito bom nessa vida criminosa — provoco.

Sagan sorri e fecha a porta traseira da van.

— Você se sente atraída por criminosos experientes? — Ele ergue a sobrancelha e a sedução evidente faz meu coração girar no peito.

Ouço Honor resmungar ao passar por nós.

— Eu detesto isso.

Sagan revira os olhos e volta à lateral da igreja para preencher a cova. Quando todos, enfim, estamos dentro da van, Honor fala:

— Afinal, qual é o propósito disso? Papai detestava o cachorro. Acho que não importa a ele onde está enterrado.

Sagan discorda com a cabeça.

— Ele se importa, sim. Não sei por que ele teimou tanto em enterrar o cachorro com o pastor Brian, mas, seja qual for o motivo, ele quer os dois juntos.

Utah arranca do estacionamento da igreja e acende os faróis.

— Acho que papai sempre se sentiu meio culpado por comprar Dólar Voss, prejudicando o pastor Brian. Talvez isso seja sua penitência.

— Ele é ateu — diz Luck. — Acho que remorso é uma palavra mais adequada.

Honor tem o nariz e a boca cobertos pela mão.

— Por favor, alguém abra uma janela. Esse cachorro está fedendo muito, estou quase vomitando.

Ele estava fedendo mesmo. Utah abre as janelas da frente, mas não adianta. Tapo o nariz com a blusa e mantenho ali até chegarmos ao cemitério.

— Para que lado fica a sepultura do pastor Brian? — pergunta Utah. Sagan aponta um túmulo não muito longe do portão de entrada. Utah segue pela via circular até que o furgão fique de frente para a entrada do cemitério. Quando estaciona, ele diz a mim e a Honor para sentarmos na frente e vigiar.

— Não quero ficar vigiando — digo ao me aproximar da porta lateral da van. — Quero ajudar vocês a enterrá-lo.

Honor contorna até o banco do motorista.

— Vou ficar de vigia. — Utah e Luck vão até a traseira da van para pegar Wolfgang.

Sagan segura minha mão e aperta, olhando para mim.

— Fique na van — disse ele. — Não vai demorar muito.

Nego com a cabeça.

— Não vou ficar sozinha nessa van com Honor. Ela me odeia.

Sagan olha incisivamente para mim.

— É exatamente por isso que você deve ficar, Merit. Você é a única que pode consertar isso.

Dou uma bufada e cruzo os braços.

— Beleza — digo, nervosa. — Vou conversar com ela, mas não estou satisfeita com isso.

— Obrigado — ele fala em voz baixa pouco antes de se virar. Observo os três atravessarem o cemitério até o túmulo recém-cavado. Depois entro na porcaria da van.

Quando fecho a porta, Honor aumenta o volume do rádio, eliminando qualquer possibilidade de me ouvir, se eu tentar falar com ela. Curvo-me para a frente e abaixo o volume.

Ela se inclina e aumenta de novo.

Eu abaixo.

Ela aumenta.

Estendo o braço e desligo o motor. Retiro a chave e o rádio é desligado de vez.

— Vai se feder — ela fala em voz baixa.

Nós duas começamos a rir. *Vai se feder* era uma das coisas que mais gostávamos de dizer uma à outra. Ela não me diz isso há anos.

Antigamente, Utah tinha um amigo chamado Douglas, quando éramos crianças. Ele morava a pouco mais de um quilômetro na rua, então costumava aparecer o tempo todo quando morávamos em nossa antiga casa, atrás de Dólar Voss. Da última vez que Douglas apareceu foi no dia em que ele me acusou de trapacear na amarelinha. Quem trapaceia na amarelinha?

Lembro-me de Utah ficar tão chateado com ele por ter me acusado de trapaça que disse para Douglas ir para casa. Douglas rebateu com um grito, "Vai se feder!"

O insulto poderia ter sido mais prejudicial ao ego de Utah se Douglas tivesse usado o palavrão corretamente. Eu tinha só 8 ou 9 anos, mas até eu sabia que *vai se feder* era muito engraçado. Isso deixou Douglas ainda mais furioso, então ele fechou os punhos e ameaçou me bater.

O que Douglas não percebeu era que papai estava bem atrás dele.

— Douglas? — disse meu pai, o que o fez dar um salto. — Acho melhor você ir para casa agora. — Douglas nem mesmo se virou. Simplesmente andou o mais rápido que pôde para a rua. Quando estava a cerca de 5 metros, meu pai gritou: — E, para referência futura, é *vai se foder*! E não *vai se feder*!

Douglas nunca mais voltou, mas *vai se feder* virou nosso insulto preferido. Já faz muito tempo que não ouço, quase esqueci que costumava ser um lance nosso.

Honor passa as mãos no sistema de som e suspira.

— Ouvi o que você disse a papai ontem. — Ela passa a beliscar o volante com a unha, retirando pedaços mínimos de couro.

— Eu disse muita coisa a papai ontem. A que parte especificamente você está se referindo?

Ela se recosta no banco e olha pela janela.

— Você disse a ele que eu estava a um segundo de virar necrofílica.

Fecho os olhos e sinto uma onda de arrependimento que se tornou muito familiar essa semana. Eu não sabia que Honor ainda estava presente quando eu disse isso.

— Você faz parecer que toda a minha vida gira em torno da morte, Merit. Não é uma obsessão. Foram dois caras desde que Kirk morreu. Dois.

— Está contando Colby?

Honor revira os olhos.

— Não, ele ainda está vivo.

— E Kirk — observo. — Na verdade, são quatro. Você teve uma média de dois namorados mortos por ano.

— Tudo bem. — Ela fica exasperada. — Entendo seu argumento. Mas isso não torna você melhor do que eu.

— Eu nunca disse isso.

— Nem precisa. Vejo como você olha para mim. Está sempre me julgando.

Abro a boca para protestar, mas fecho, porque talvez ela tenha razão. Tenho opiniões muito fortes a respeito da minha irmã. Isso é julgar? Fico furiosa quando as pessoas me julgam, mas talvez eu não faça melhor do que isso.

Queria não ter desligado o rádio. Agora que não estou gostando da conversa.

— Você está apaixonada por Sagan? — pergunta ela.

— Do nada esse assunto?

— Só me responda. Tenho opiniões sobre isso.

Olho pela janela e vejo Sagan cavar o mesmo buraco que cavou mais cedo.

— Eu mal o conheço — digo a Honor. — Mas gosto de algumas coisas nele. Adoro o que ele me faz sentir. Adoro ficar com ele. Adoro seu riso baixo, sua arte mórbida e como ele parece pensar de um jeito diferente da maioria das pessoas da nossa idade. Mas não o conheço o suficiente para estar apaixonada por ele.

— Não me faz perder tempo, Merit. Olhe para ele e me diga se você não ficou balançada por ele.

Solto um suspiro. Balançada é pouco. Mais parece que desmoronei. Mergulhei. Me derreti aos pés dele. Qualquer coisa, menos balançada.

Puxo as pernas para cima e viro-me no banco, de frente para ela.

— Eu me sinto muito idiota falando isso, porque eu mal o conheço, mas sinto que o amei assim que pus os olhos nele. Por isso tenho estado tão rabugenta ultimamente, porque pensei que ele fosse seu namorado, então fiz tudo que pude para me afastar de vocês. E agora, quanto mais eu o conheço, mais gosto dele, mal consigo suportar. Só penso nele. É só no que quero pensar. É difícil respirar quando ele está perto de mim, mas também é difícil respirar quando ele não está. Ele me faz querer aprender, mudar, crescer e ser tudo que ele acredita que eu posso ser.

Respiro depois desse vômito verbal. Honor ri.

— Caramba. Então, tudo bem.

Fecho os olhos, constrangida por tudo isso ter saído de mim. Quando os abro, Honor está virada para mim. Sua cabeça pousa no descanso do banco e os olhos estão baixos.

— É exatamente o que eu sentia por Kirk — diz ela em voz baixa. — Quer dizer, sei que eu era uma criança, mas eu sentia essas mesmas coisas por ele. Achei que ele era minha alma gêmea. Achei que ficaríamos juntos pelo resto da vida. — Ela volta a me olhar. — E aí... ele morreu. Mas todos os sentimentos que eu tinha por ele ainda estavam presentes, sem ter para onde ir, nem a quem se agarrar. E eu me preocupava com ele constantemente porque não conseguia vê-lo, nem tocar nele. E pensei que talvez, onde quer que ele estivesse, estaria tão arrasado quanto eu. — Há certo constrangimento em sua voz quando ela me conta tudo isso. Ela dá de ombros. — Foi quando comecei a falar com os caras dos grupos de apoio na internet. A falar com outros garotos como Kirk, que estavam morrendo. E contei a eles tudo sobre Kirk. Eu queria que eles soubessem o quanto eu o amava e assim, quando eles fossem para o paraíso e o encontrassem, podiam dizer a Kirk: "Ei, conheço sua namorada. Ela ama você de verdade."

Ela se recosta de novo no banco e coloca os pés no painel.

— Não penso mais assim, mas foi desse jeito que tudo isso começou. Alguns meses depois da morte de Kirk, Trevor, um dos caras do grupo de apoio de Dallas, foi internado em um hospital. Eu não o amava como amei Kirk, mas gostava dele. E eu sabia que minha presença trouxe paz quando Kirk estava morrendo. Então, quando Trevor precisou disso, dei a ele. E foi ótimo. Eu me senti bem sabendo que tinha tornado a morte um pouco mais suportável para ele. E depois de Trevor, veio Micha. E agora... Colby. Sei que você acha isso horrível, como se eu estivesse me aproveitando das pessoas, ou tivesse alguma estranha atração por caras com doença terminal. — Ela me olha sugestivamente. — Mas você está enganada, Merit. Faço isso porque sei que, mesmo em uma escala pequena, eu os ajudo a passar pela coisa mais difícil que alguém deve suportar. É só o que estou fazendo. Me sinto bem em fazer com que eles se sintam um pouco mais em paz com sua morte. Mas você faz parecer tão terrível e constantemente fala que preciso de terapia. Isto é... *cruel.* Às vezes você sabe ser muito cruel.

Não falei uma só palavra o tempo todo. Só fiquei ouvindo... Estou olhando minha irmã... Minha gêmea idêntica... E nesse momento ela se tornou irreconhecível para mim. Pela primeira vez na vida, parece que vejo uma completa estranha. Como se talvez todas as opiniões que tive a respeito dela durante todos esses anos, na verdade, tenham sido graves erros de julgamento.

Viro o rosto e olho pela janela, observo os garotos trabalhando, enchendo a cova com terra. Tento imaginar como eu me sentiria se acontecesse alguma coisa com Sagan. Como eu me sentiria se tivesse de me sentar a seu lado e vê-lo morrer?

Quando Honor estava sofrendo pela morte de Kirk, nem uma vez eu tive alguma empatia. Eu não entendia esse tipo de amor. Éramos muito mais novas e eu pensava que ela estava fazendo drama.

Por todos esses anos, odiei Utah por não fazer um esforço para se aproximar mais de mim, e aqui estou eu tratando minha gêmea exatamente do mesmo jeito.

Viro-me, estendo o braço e puxo Honor para mim. Assim que faço isso, sinto que ela suspira, como se ela precisasse apenas de um simples abraço meu. Por tanto tempo guardei uma enorme mágoa da minha família por não me abraçar enquanto eles talvez se sentissem magoados comigo pelo mesmo motivo.

— Me desculpe, Honor. — Passo a mão em seu cabelo e digo a ela o que Utah me disse. — Serei uma irmã melhor. Eu prometo.

Ela solta um leve suspiro de alívio, mas não desgruda de mim. Ficamos abraçadas por um bom tempo e isso me fez questionar por que todos nessa família se opuseram tanto à sinceridade e aos abraços nos últimos anos. Na verdade, não é tão ruim. Acho que todos nós chegamos ao ponto em que esperávamos que alguém tomasse a iniciativa, mas ninguém jamais tomou. Talvez essa seja a origem de muitos problemas da minha família. Não são os problemas com que as pessoas ficam obcecadas por tanto tempo. É que ninguém tem a coragem de dar o primeiro passo para *falar* desses problemas.

Por fim, Honor se afasta de mim e baixa o para-sol. Passa os dedos embaixo dos olhos lacrimosos, limpando a maquiagem. Recosta-se no banco e procura minha mão, dando-lhe um aperto.

— Eu sinto muito por tudo que disse a você nos últimos dias. Sobre o que aconteceu com Utah. Eu só... acho que fiquei com raiva de você. Por nunca me contar. Por que nunca me contou uma coisa dessas, Merit? Eu sou sua irmã.

— Não sei. Fiquei com medo. E quanto mais eu guardava o segredo, mais meu medo se transformava em ressentimento. Especialmente vendo como você e Utah eram próximos. Eu queria isso também.

— Vocês dois são teimosos demais.

Concordo com ela. Nós duas puxamos o ar em silêncio enquanto passamos algum tempo olhando pela janela. Os garotos ainda estão trabalhando, mas Sagan tirou a camisa. Não consigo desgrudar os olhos enquanto ele se curva e enche o buraco repetidamente.

— Tem *alguma coisa* errada nele? Ele é perfeito demais.

— Não — diz ela. — Saudável demais para mim. Gosto deles um pouco mais frágeis.

— Ah, você pode fazer piada disso, mas eu não?

Ela ri, depois o riso se transforma em um sorriso.

— Ele é mesmo muito bom, Merit — diz ela com um suspiro. — Seja boazinha com ele, está bem?

Eu seria, se ele me desse essa chance.

— Ainda bem que eu estava enganada a respeito de vocês dois. Não sei se teria sido capaz de fazer as pazes se você estivesse apaixonada por ele.

Ela ri.

— Vai se feder.

Abro um sorriso. Meu Deus, eu sentia falta disso.

Depois de um instante, ela fala.

— Acha que ele consegue distinguir nós duas?

Dou de ombros.

Honor se endireita no banco. Seus olhos estão cheios de malícia.

— Vamos testar.

Nós duas estamos sorrindo. Vamos para a traseira da van e trocamos de roupa. Solto meu cabelo e entrego a ela o prendedor. Passo os dedos pelo cabelo enquanto ela prende o dela.

— Estou com vontade de fazer xixi — diz ela, rindo. — Já percebeu que quando a gente faz alguma coisa escondido, sempre tenho vontade de fazer xixi?

— Agora não!

Assim que trocamos nossas roupas vamos para a frente da van, mas dessa vez eu me sento no banco do motorista e ela no banco do carona. Justo quando acabamos de nos acomodar, os garotos colocam as pás nos ombros e partem em nossa direção. Meu coração começa a bater freneticamente porque fico com medo que ele não perceba. O que isso significaria? Que tudo que ele disse sobre a primeira vez que me viu era uma mentira? Que, na verdade, ele não vê nenhuma diferença entre nós? Mas ele deduziu tudo muito rápido no sofá, na outra noite...

Começo a me arrepender da brincadeira.

Utah chega primeiro à van.

— Eu dirijo — diz ele, gesticulando para que eu vá para o banco traseiro. Honor e eu passamos para trás. Sento-me no mesmo banco e Honor assume um dos assentos do meio. Sagan está falando com Luck quando entra na van, então nem olha para nenhuma de nós. Ele vai para o assento do meio e fecha a porta, justo quando Utah liga a van. Sagan dá um tapa atrás do banco de Utah.

— Rápido — diz ele, exortando Utah. — Não quero ser preso duas vezes no mesmo dia e pelo mesmo motivo.

Sagan se recosta no banco e olha para Honor com um sorriso meigo.

— Está com fome? — Ele olha para mim e diz: — E você? — Ele se vira para a frente. — Alguém está com fome? Estou faminto.

Honor concorda com a cabeça, mas não fala nada. Eu também não. Sei que somos parecidas, mas tenho certeza de que se começarmos a falar, será mais fácil para ele tirar suas conclusões.

— Vamos à Taco Bell — diz Luck.

— Honor detesta a Taco Bell — diz Utah. — Vamos à Arby's.

Ainda bem que estou fingindo ser Honor, porque a Taco Bell é minha preferida.

— Na verdade, a Taco Bell parece boa. Não me importo se formos lá.

Honor se vira e me fuzila com os olhos.

— Sabe de uma coisa? — diz Sagan, virando-se e ficando de frente para Honor. Ele pega sua mão. Ah, meu Deus. E se ele enfim decidir me beijar de novo e nem sou eu? Ele levanta a outra mão e toca a face de Honor. — Você fica muito esquisita com as roupas de Merit.

— Droga — resmunga Honor. — A gente pensou que tinha pegado você.

Ah, aleluia.

De imediato ele solta o rosto de Honor, vira-se e vem para o banco traseiro. Senta-se ao meu lado e passa o braço por meus ombros. Me dá um beijo rápido na cabeça e sussurra: "Obrigado."

Olho para Sagan e ele está sorrindo. No sorriso, vejo que ele está feliz porque Honor e eu tentamos fazer com que ele caísse em uma pegadinha. Significa que fizemos as pazes, e era essa a esperança dele.

— Você está fedendo a cachorro morto — digo.

— Não, estou fedendo a um criminoso experiente.

— Não — diz Honor. — Todos vocês fedem à morte. Abram as janelas!

O cheiro é dominador. Cubro a boca com minha blusa e mantenho os dedos no nariz até chegarmos à Taco Bell.

♥

Quando conseguimos voltar, já passa da meia-noite. Porém, apesar da hora, assim que entramos pela porta, Honor, Utah e eu recebemos uma mensagem de texto coletiva de mamãe. Acho que ela nos ouviu entrar.

Mamãe: Um de vocês pode descer aqui? Ouvi alguma coisa.

Levanto os olhos do meu telefone e Utah e Honor estão olhando para mim.

— De quem é a vez? — pergunta Utah.

Honor dá de ombros.

— Acho que é minha. Não desço há uns dois dias.

— Nem eu — diz Utah.

— Eu também não.

Nós três vamos ao porão. Formamos uma fila na escada e mamãe está de pé, do outro lado da sala, abaixo da janela do porão. Parece que ela esteve dormindo. Está de pijama e seu cabelo está uma zona.

— Ouviram isso? — diz ela, aproximando-se de nós, de olhos arregalados. — Passei o dia inteiro ouvindo de tempos em tempos.

Utah vai à janela, mas olha de lado para mim e Honor. Todos tentamos esconder o que sentimos, mas agora as coisas são diferentes. Depois de saber o que papai escondeu por todos esses anos, não sei se um dia vamos olhar mamãe do mesmo jeito. Nem sei se isso é ruim. Na verdade, é bom. Sinto mais solidariedade com ela agora do que jamais senti. E não há ressentimento nenhum ali, agora que tenho plena consciência do problema.

Mas existe a desconfiança. Já estou me perguntando se ela de fato está ouvindo coisas ou não, agora que sei da importância que sua saúde mental tem na vida diária. Sempre soubemos que mamãe tinha problemas, mas agora que papai, enfim, explicou sobre a profundidade deles, é provável que todos nós fiquemos mais desconfiados de seu comportamento errático. Utah fica abaixo da janela do porão por um momento. Todos ficamos em silêncio, mas não ouvimos nada.

— O que, exatamente, você está ouvindo? — Utah pergunta a ela.

Ela gesticula para a janela.

— Parece que tem alguma coisa errada com aquele cachorro. Esteve chorando dia e noite e não consigo dormir.

Honor me olha com uma expressão triste. Nossa mãe nem mesmo percebeu que Wolfgang morreu e foi enterrado. Na verdade, mais de uma vez.

— Mãe — digo. — O cachorro não está mais aqui. — Procuro dizer isso do jeito mais sincero possível, mas estou pensando: *coitadinha*.

— Não, estou falando, tem alguma coisa perto dessa janela. — Ela é tão inflexível nisso que começa a andar de um lado a outro.

Utah assente e vai para a escada.

— Vou dar uma olhada — diz ele, subindo os degraus.

Mamãe vai até sua cama e se senta na beira. Honor senta-se ao lado dela e passa a mão por seu cabelo, para tranquilizá-la.

— Está com fome? — Honor pergunta a ela.

Assim que ela diz isso, lembro-me de que nenhum de nós trouxe seu jantar hoje. Recebemos o telefonema de que papai foi preso e de imediato saímos sem cuidar disso. Nem mesmo pensei em trazer alguma coisa para ela da Taco Bell.

— Não, Victoria me trouxe um prato de comida. E vocês esqueceram que tenho minha própria geladeira aqui embaixo? Não vou passar fome se não tiver uma refeição.

Honor e eu nos olhamos, surpresas.

— Victoria trouxe sua comida?

Mamãe se levanta despreocupadamente, como se não tivesse acabado de dizer aquelas palavras. Eu achava que Victoria não entrava aqui desde o dia em que minha mãe se mudou para cá.

Mas se tem uma coisa que aprendi essa semana é que não conheço as pessoas tão bem como eu pensava.

Há uma batida na janela do porão.

— Merit — diz Utah, com a voz abafada atrás do vidro. — Vem aqui fora.

Subo a escada às pressas, saio e contorno até a janela do porão, onde Utah está ajoelhado no chão.

— Você não vai acreditar nisso — diz ele. Ele levanta uma coisa e gesticula para eu chegar mais perto.

— O que é?

— Um filhote — diz ele. — Dois deles.

De imediato me ajoelho ao lado dele.

— Tá brincando. Mas de onde é que eles vieram? — Pego um dos filhotes das mãos de Utah. É preto e mínimo, e não pode ter mais de um ou dois dias. Olho em volta. — Onde você acha que está a mãe deles?

Utah leva o outro filhote ao peito.

— Desconfio de que está enterrada ao lado do pastor Brian.

Peraí.

Peraí.

— Wolfgang era fêmea?

— Parece que sim — diz Utah, rindo.

— Mas... — Olho o filhotinho em minhas mãos. — Eles devem estar mortos de fome. E agora, como vamos mantê-los vivos?

Utah me passa o outro filhote e se levanta.

— Vou ver se consigo entrar em contato com uma veterinária de emergência. Leve até a mamãe, para ela ver o que não a deixava dormir.

Pego os dois filhotes nos braços e carrego para dentro de casa, descendo ao porão.

— Mas o que é isso? — diz Honor, de imediato pegando um deles. — De onde eles vieram?

Surpreendentemente, minha mãe pega o outro filhote.

— Ah, meu Deus — diz ela. — Então o culpado é você, hein? — Ela roça o nariz no focinho do filhote. — Ah, que gracinha você é.

— Por acaso Wolfgang era fêmea. Utah está telefonando para a veterinária para ver o que podemos fazer por eles.

— Quero ficar com um — diz minha mãe. — Acha que posso ficar com um?

Faço um carinho no filhote em seus braços.

— Não sei, mãe. Vai ser meio difícil criar um cachorro em um porão.

— É — diz Honor, lançando-me um olhar sugestivo antes de se virar para mamãe. — Mas aposto que Utah deixaria você ficar com um deles, se você se mudasse para a antiga casa com ele. Deve ficar pronta em algumas semanas.

Minha mãe passa alguns instantes sem dizer nada. Só olha o filhote, passando a mão em suas costas.

— Você acha que ele deixaria? — diz ela em voz baixa.

Honor olha para mim e sorri.

Não sei se ela vai mesmo se mudar para nossa antiga casa, mas isso é o mais próximo que ela chega de pensar na ideia de sair do porão em muito tempo. Já é um progresso.

Utah desce a escada.

— Encontrei uma veterinária que quer que eu leve os filhotes. Disseram que tem uma fórmula que podemos dar numa seringa, mas teremos de fazer isso de duas em duas horas na primeira semana.

— Eu posso ajudar — diz minha mãe, ansiosa. — Vocês me trazem os dois para cá, quando voltarem?

Utah concorda com a cabeça enquanto pega os filhotes com ela e Honor.

— Claro. Mas pode demorar um pouco. Eu acordo você quando chegar em casa.

— Vou junto com você — diz Honor, correndo escada acima atrás dele. Depois que os dois saem, olho para minha mãe. Ela está andando pelo porão, arrumando as coisas, preparando-se para a volta dos filhotes. Vê-la tão animada com alguma coisa me faz sorrir.

— Utah disse que Wolfgang é a mãe deles? Não é o cachorro que seu pai odiava tanto?

— O próprio.

Ela ri.

— Não sei por que, mas isso me faz gostar ainda mais desses filhotes. — Ela senta no sofá e boceja. Eu a observo por um momento, até que ela percebe que estou olhando. — O que foi?

Dou de ombros.

— Nada.

— Você parece incomodada.

Suspiro, depois me sento ao lado dela.

— Papai acha que preciso começar a fazer terapia na segunda-feira.

Ela acaricia meu joelho. Um gesto incomum, partindo dela.

— Seu pai acha que um médico pode dar um jeito em qualquer coisa. Mas meu médico nunca deu um jeito em mim. — Ela me olha. — Quer que eu fale com ele?

Passo algum tempo pensando nessa pergunta. Mas também penso na folha de papel amassada no chão do meu quarto.

— Acha que talvez você nunca tenha encontrado o médico certo?

Minha mãe me olha em silêncio por um momento. Fica mexendo as mãos e vejo a ansiedade começar a instalar. Ela desvia os olhos e fala:

— É tarde. Acho que vou dormir.

Suas palavras me decepcionam, mas não tanto quanto me entristecem.

— Tudo bem — digo. — Boa noite, mãe.

Ela se levanta do sofá e vai para a cama. Dirijo-me à escada, mas ela me chama.

— Sim? — digo, parando ao pé da escada.

Ela ergue o ombro esquerdo.

— Me conte se você gostar do médico.

Abro um sorriso para ela. *Outro passo na direção certa.* Mesmo que seja um passo bem pequeno.

Quando subo a escada, meu pai está olhando pela janela. Eu não o vejo desde que ele entrou aqui no início da noite. Hesito por um momento, perguntando-me se devo ir direto para o meu quarto ou se digo alguma coisa a ele. Por fim, vou até onde ele está e olho pela janela. Utah, Honor e Luck estão na van. Honor leva os dois filhotes dentro de uma caixa.

— Ele era fêmea? — pergunta meu pai, meneando a cabeça. — Aquele cachorro cretino era uma fêmea — repete ele. Ficamos olhando pela janela enquanto Honor se senta no banco do carona, mas antes de Luck ou Utah entrarem, Utah segura a mão de Luck e eles se beijam brevemente. É meigo, se você fizer vista grossa para toda a história de aparentados por casamento.

Meu pai resmunga depois de ver a demonstração de carinho.

— Espero que isso não dure.

Tenho de rir.

— Tenho certeza de que Utah será gay para sempre. Não é uma dessas coisas que desaparece.

Papai se vira da janela, meneando a cabeça.

— Sei disso, Merit. Não me importa que ele seja gay. Estou me referindo ao que está acontecendo entre ele e Luck. Como vou explicar a Moby que o tio dele e seu meio-irmão têm... um caso?

— Existem coisas piores que ele pode descobrir a nosso respeito.

— Por exemplo?

— Vocês foram presos hoje por exumar um cadáver. Isso é muito ruim.

Meu pai ri.

— É provável que Moby vá gostar dessa. — Ele olha pela janela de novo, pelo tempo que eles levam para sair do terreno.

Coloco as mãos nos bolsos traseiros dos jeans.

— Pai? — Não sei o que pretendo dizer a ele. Ele aguentou tanto peso na vida que não posso deixar de sentir que acabei contribuindo para isso por todos esses anos, em vez de tentar ajudar. Vou pedir desculpas? Agradecer a ele?

Meu pai assente, bem de leve, depois se aproxima de mim e me puxa para um abraço. O primeiro abraço que provavelmente ele sentiu que podia me dar em muito tempo.

— Eu sei, Merit — ele sussurra, aliviando-me do constrangimento de não saber o que dizer a ele. — Eu também.

Tiro as mãos dos bolsos e correspondo ao abraço. Meu pai coloca o queixo no alto da minha cabeça e não posso deixar de sorrir, porque provavelmente é o melhor abraço que já me deram. É o abraço de que eu mais precisava. Ficamos assim por um tempo, quase como se ele quisesse compensar o tempo perdido. E talvez eu também queira.

Se alguém me dissesse na semana passada que teríamos esse momento essa noite, eu teria rido e dito que seria um milagre.

Talvez seja.

Estou de frente para a sala de estar, com a cabeça apoiada no peito do meu pai. Olho para Jesus e pergunto se talvez ele tenha atendido a minhas orações, afinal. Foi só alguns dias atrás que fiquei de joelhos no meu quarto e rezei por um novo foco.

Eu diria que os acontecimentos depois disso, sem dúvida, me deram um novo foco.

Solto um pouco meu pai e o olho.

— Por que você não acredita em Deus?

Ele olha para Jesus e pensa por um momento em minha pergunta.

— Simplesmente porque sou uma pessoa pragmática. — Ele sorri para mim e puxa meu cabelo enquanto me solta. — Mas isso não quer dizer que você não possa acreditar nele. Não viemos para essa terra para ser cópias dos nossos pais. A paz não chega a todos da mesma forma.

Ele me dá boa noite e vai para o quarto. Olho o corredor e Sagan está encostado na parede, me observando. Tem um leve sorriso.

— Já passou da meia-noite — diz ele.

Olho o relógio na parede e é quase uma da manhã. O que quer dizer que... é sábado.

— É sábado! Minha tatuagem!

Sagan ri.

— Vamos ao banheiro para que você veja no espelho.

Eu o acompanho até o banheiro com o coração disparado de ansiedade. Procuro por um espelho de mão para ver mais atentamente.

— É melhor que seja bonita. Se você desenhou um emoji de cocô, eu vou te matar.

Ele ri baixinho enquanto puxa a manga da minha blusa para baixo e retira o curativo.

— É sério que você não deu nem uma espiada?

Faço que não com a cabeça.

— Prometi a você que não olharia.

Ele tira o espelho de mim e segura minhas costas.

— Tudo bem. Pode abrir os olhos.

Quando vejo, puxo silenciosamente o ar. Em uma letra pequena, estão as palavras, "Com Merit". Olho a tatuagem por vários segundos antes de entender o significado.

Na carta que escrevi a todos, assinei: "Sem Merit."

Sagan escreveu o contrário.

"*Com* Merit."

Logo as lágrimas voltam aos meus olhos enquanto passo os dedos por elas. Quase parece uma medalha de maturidade.

— Sagan — sussurro. — É perfeita.

Ele sorri para mim no espelho.

— Acho que vai ficar legal com uma aquarela no fundo. Vou colocar algumas cores depois que tiver mais experiência. — Ele toca a tatuagem e minha pele parece pegar fogo. — Que bom que você gostou.

— Eu adorei — sussurro.

Viro-me e fico de frente para ele. Ele está extremamente próximo e não se afasta. Olha para mim como se tivesse algo mais a dizer. Espero com o ar preso nos pulmões, mas ele apenas dá um pigarro e recua um passo. Meus pulmões murcham como balões quando ele aumenta o espaço entre nós.

— Boa noite, Merit. — Ele sai do banheiro e eu suspiro.

Vou para o meu quarto e sento-me na cama. Estendo a mão para trás e toco a tatuagem com os dedos de novo. *Com Merit*. Eu devia ter perguntado a Sagan por que ele escolheu esta tatuagem. Será que foi para que eu me sentisse melhor? Ultimamente estive me perguntando por que ele parece interessado até mesmo em uma amizade comigo. É claro que tivemos uma ligação incomum quando nos conhecemos, mas ele achou que eu era Honor. E depois daquele dia, só fui estúpida com ele. Ele até chegou a dizer que quanto mais me conhecia, menos gostava de mim. Apesar de tudo isso, ele ainda investe em mim. Não sei por que pressuponho automaticamente que ele tenha um bom motivo. Talvez ele de fato ache alguma coisa atraente em minha personalidade.

Vejo do outro lado do quarto o chumaço de papel ainda no chão. Vou até lá e pego, abrindo enquanto me sento na cama. Olho todos os quadrinhos assinalados e isso me faz perguntar se a lista tem alguma exatidão. Não entendo muito de doença mental, mas saber que posso ter herdado a instabilidade da minha mãe me enche de um medo que desconheço. Será que vou ficar igual a ela?

Estremeço ao pensar nisso.

Dobro o papel ao meio e o deixo de lado, me cobrindo. Deixo minha luminária acesa e olho os desenhos de Sagan por algum tempo. Penso na família dele. Penso na *minha* família. Tento dormir, apesar de pensar demais, mas minha mente tem outros planos. Fico acordada na cama até que ouço a porta de casa se abrir, quando todos voltam da veterinária com os filhotes.

Ainda não acredito que Wolfgang era fêmea.

Pelo menos outra meia hora se passa enquanto olho fixamente o teto. A parede. Ouço a água correndo dos chuveiros e portas se fechando. A casa, enfim, se aquieta, mas tomo um susto com uma batida na minha porta. Pego a lista que Luck me deu e meto embaixo do cobertor.

— Está aberta.

Luck entra e, a essa altura, eu não devia me surpreender com as roupas que ele escolhe, mas ainda assim tenho de rir. Ele está com um jaleco cor-de-rosa de Victoria.

— Precisa fazer compras? — pergunto, abrindo espaço na cama.

Ele se joga a meu lado.

— Não. Ainda encontro muita coisa na lavanderia.

Ele só se permite um leve sotaque na última palavra da frase inteira. Está se habituando. Pego a folha de papel dobrada embaixo das cobertas. Entrego a ele.

— E aí, o que isso quer dizer?

Luck abre a lista e olha. Observo atentamente sua expressão, mas ele não transparece o que lhe passa pela cabeça.

— Quer dizer que talvez você tenha depressão — diz ele com indiferença.

Solto um gemido e me deixo cair teatralmente na cama.

— Não pode significar simplesmente que tive um mês ruim?

Ele coloca a lista em meu peito, eu a apanho e embolo de novo, voltando a me sentar.

— Pode — diz ele. — Mas você só vai saber se conversar com alguém sobre isso.

Reviro os olhos.

— E se eu for a essa terapia idiota e descobrir que *tenho* depressão? Que vida vou ter daí em diante, Luck? Não quero passar o resto da vida como minha mãe.

Luck baixa a cabeça e me olha sugestivamente.

— Ainda não conheci sua mãe e não sou psicólogo, mas acho que ela sofre de muito mais do que apenas depressão. O principal pode ser agorafobia.

— É, mas ela só desenvolveu isso alguns anos atrás. Ela piora com o tempo. Provavelmente vai acontecer comigo também. — A ideia de que pode haver algo gravemente errado comigo deixa um vazio na boca do meu estômago. Não quero pensar nisso. Nem mesmo quero pensar no assunto que Luck levantou inicialmente. — Por que não posso ser simplesmente normal?

Luck ri da minha pergunta. Eu não esperava por essa reação.

— Normal? — diz ele. — Descreva normal para mim, Merit.

— Honor é normal. Utah também. E Sagan. A maioria das pessoas sem o cérebro lascado.

Luck rola a cabeça e se levanta. Abre a porta do meu quarto.

— Utah! Honor! Sagan! Venham aqui! — Ele fica à porta, mantendo-a aberta. Enterro minha cabeça nas mãos. *Mas o que ele está fazendo?*

— Por que está chamando todos eles? Estamos no meio da madrugada!

Apesar de ser tarde, Honor, Utah e Sagan entram em meu quarto, um por um. Luck gesticula para a cama.

— Sentem-se — ele diz a todos. Levanto a cabeça e Sagan está me olhando enquanto fecha a porta.

— Está tudo bem? — pergunta Sagan, olhando bem para mim. Dou de ombros, porque não sei o que Luck está aprontando.

— Sagan — diz Luck. — O que acontece quando você toma leite?

Sagan solta uma risada insegura.

— Eu evito leite. Tenho intolerância a lactose.

Não sabia que ele era intolerante a lactose, mas o que isso tem a ver com alguma coisa?

— Toma remédios para isso? — pergunta Luck.

Sagan assente.

— Às vezes, quando como alguma coisa que leva leite.

Luck volta a atenção a Utah.

— O que vai acontecer se você ficar no sol por muito tempo sem usar filtro solar?

Utah revira os olhos.

— Eu me queimo. Nem todos somos abençoados com uma pele que se bronzeia com facilidade — diz ele, assentindo para Sagan.

— E você — diz ele a Honor. — Por que você usa lentes de contato, e Merit não?

— Provavelmente porque ela tem a visão melhor do que a minha, Einstein.

Luck volta a olhar para mim.

— Eles não são normais — diz ele. — Ter depressão não está mais fora do seu controle do que a intolerância a leite de Sagan, a pele clara de Utah e a visão ruim de Honor. Não há nada de constrangedor nisso. Mas não é uma coisa que você possa ignorar ou corrigir sozinha. E não faz de você uma anormal. Faz de você uma pessoa tão normal quanto esses idiotas. — Ele gesticula para todos os outros.

Sinto meu rosto ruborizar com uma combinação de constrangimento e a atenção indesejada que tenho agora. Mas também não consigo parar de sorrir, porque gosto de verdade do meu meio-tio idiota. Estou feliz por ele ter aparecido.

— Também tenho pé de atleta — diz Sagan, torcendo o nariz. — É bem ruim. Principalmente no verão.

Eu rio e Honor fala:

— E por falar em coisas erradas conosco... lembra quando o papai foi diagnosticado com síndrome de Tourette?

— Sem essa — diz Luck.

— Não do tipo que solta palavrões o tempo todo. — Utah explica. — Isso é coisa que a TV aumenta. Ele tinha uns tiques e fazia uns ruídos com a garganta. O médico disse que eram provocados por estresse, então ele tomou remédios para isso por alguns anos. Não sei se ainda toma.

— Está vendo? — Luck fala, animado. — Toda a sua família sofre de todo tipo de coisas. Você não devia se sentir tão especial, Merit. Todos nós estamos fodidos, em um ou outro grau.

Isso me faz rir, mas nem mesmo sei o que dizer. É bom ter o encorajamento deles, por mais estranho que seja.

— Merit — diz Honor. Ela me olha com certa culpa. — Eu peço desculpas. Sinto que eu devia ter... — Ela dá de ombros e baixa os olhos. — Visto os sinais, quem sabe?

Nego com a cabeça.

— Honor, fui eu quem tentou se matar e *nem eu* sabia que estava deprimida.

Luck encosta a cabeça na parede.

— Merit tem razão — diz ele. — Muita gente que sofre de depressão nem sabe que tem. É uma transformação gradual. Ou pelo menos foi para mim. Antigamente eu sentia que estava no topo do mundo. E, então, um dia, percebi que não parecia mais estar lá. Eu só flutuava dentro dele. E um dia parecia que o mundo estava por cima *de mim*.

Assimilo o que Luck disse, porque é como se ele tivesse resumido todo meu ano passado em poucas frases. Abro a boca para dizer alguma coisa, mas sou interrompida pela súbita voz do meu pai, vinda do corredor.

— Merit, é melhor você não ter... — Assim que a porta se abre, meu pai tapa a boca. Estou supondo que ele ouviu vozes e pensou que algo mais sinistro estava acontecendo. Ele vê todos nós e é evidente que estava despreparado para isso. Já faz muito tempo que Honor, Utah e eu não ficamos juntos no mesmo quarto.

Ele hesita, assente de leve e sorri, depois fecha a porta. Recomeçamos a rir, mas ele abre a porta de novo e fala:

— Que bom que vocês estão todos juntos. Mas é tarde. Vão dormir.

— É fim de semana — Utah resmunga.

Meu pai ergue uma sobrancelha para Utah e aquele olhar é suficiente para que todos se levantem da cama. Sagan é o último a sair do quarto. Pouco antes de fechar a porta, ele sorri.

— Hoje foi muito fácil gostar de você, Merit.

Suspiro e me deito na cama. Que noite.

Que *semana*.

Apago a luminária e, pela segunda vez essa noite, tento desligar os pensamentos. Enfim, estou quase dormindo quando ouço uma batida leve na porta. Meu quarto está um breu, mas quando a porta se abre, a luz penetra. Sagan mete a cabeça para dentro.

— Ainda acordada? — sussurra ele.

Sento-me e acendo a luminária.

— Sim. — Minhas mãos já tremem com todos os possíveis motivos de ele ter voltado. Ele fecha a porta e se senta a meu lado. Agora está sem camisa. Só veste um moletom preto. Eu me sento reta, mas mantenho as cobertas até a barriga. Depois que todos saíram do meu quarto, tirei a calça do pijama. Agora só estou de camiseta. Juntos, daríamos uma pessoa totalmente nua.

— Tem outra coisa que quero dizer, mas não queria falar na frente de todos — diz ele.

— O que é?

— Na outra noite, você disse algo sobre se sentir uma idiota depois de ouvir minha história.

Faço que sim.

— Foi. E ainda me sinto.

Ele meneia a cabeça.

— Me incomoda que você pense assim. Não devia comparar seu estresse ao meu. Todos temos linhas basais diferentes.

Eu o olho sem entender.

— O que é isso?

Ele segura minha mão, puxando-a para seu colo. Vira a palma para cima e toca meu pulso, desenhando uma linha imaginária por ele.

— Faz de conta que isso é um nível de estresse normal. Sua linha basal. — Ele passa o dedo por minha palma até chegar à ponta do dedo médio. — E faz de conta que esse é seu nível máximo de estresse. — Ele desce o dedo e toca meu pulso de novo. — Sua linha basal é onde você está em um dia normal. Não tem estresse demais, tudo flui tranquilamente. Mas digamos que você quebre uma perna. — Ele corre o dedo da linha basal em meu pulso até o meio da palma da mão. — Seu nível de estresse aumentaria uns 50 por cento, porque você nunca quebrou uma perna na vida.

Ele me solta e vira a própria mão. Olha para mim.

— Sabe quantas vezes tive um osso quebrado?

Dou de ombros.

— Duas?

— Seis vezes — diz ele, sorrindo. — Eu era uma criança incontrolável. — Ele toca o próprio pulso e traça ali uma linha imaginária. — Assim, se eu quebrasse a perna, seria estressante, mas já passei por isso. Então só aumentaria meu nível de estresse em uns 10 por cento. Não 50. — Ele se interrompe. — Entende o que estou dizendo?

Sinceramente, não sei aonde ele quer chegar.

— Está dizendo que você é mais durão do que eu?

Ele ri.

— Não, Merit. Isto foi só um exemplo. Estou dizendo que a mesma coisa pode acontecer com duas pessoas, mas não quer dizer que elas vão viver o mesmo estresse por causa disso. Todos nós temos níveis diferentes de estresse com o qual lidar. Você deve sentir o mesmo nível de estresse com os problemas da sua família que eu às vezes sinto com a minha, embora as situações sejam completamente diferentes. Mas isso não torna você mais fraca. Não faz de você uma idiota. Simplesmente somos duas pessoas diferentes com experiências diferentes. — Ele pega minha mão de novo, mas não para provar um argumento. Só entrelaça nossos dedos e aperta. — Fico irritado quando as pessoas tentam convencer os outros de que sua raiva ou estresse não se justifica se outra pessoa no mundo está em pior situação do que eles. É papo furado. Suas emoções e reações são legítimas, Merit. Não deixe que ninguém lhe diga outra coisa. Você é a única que as sente.

Ele aperta minha mão e não sei a que altura dessa conversa me apaixonei por ele, mas aconteceu. Pode parecer que estou despreocupadamente sentada na cama a seu lado, mas metaforicamente estou derretida a seus pés.

Entre minha conversa com Luck e agora com Sagan, as últimas duas horas me abriram os olhos.

Nem mesmo tento responder a tudo que ele acaba de me dizer. Em vez disso, descanso a cabeça em seu ombro enquanto ele me envolve com o braço. Penso no que ele disse mais cedo, quando me falou que hoje foi fácil gostar de mim. Encontro algum conforto nisso, porque nas últimas 24 horas ele deve ter visto o lado mais autêntico de mim até agora. Fecho os olhos e me ajeito junto dele.

— É fácil gostar de você *todo dia* — sussurro, pouco antes de finalmente adormecer.

Capítulo dezessete

Embora seja sábado, um dia em que, enfim, não preciso fingir acordar para ir à escola, ainda acordo mais cedo do que queria. Sagan dormiu no meu quarto esta noite, então, assim que abro os olhos, viro-me para acordá-lo, para que meu pai não o encontre aqui dentro.

Mas ele não está mais aqui. No travesseiro que ele usou, há um desenho. Abro um sorriso e o pego. No verso, Sagan escreveu: "Nem mesmo sei o que é isso, mas desenhei enquanto te via dormir. Achei que você pudesse gostar."

Também não sei o que é, mas adoro. Talvez até seja meu preferido. Prendo na parede com uma tachinha.

Visto uma calça jeans e uma camiseta sem manga e vou à cozinha, mas paro repentinamente quando olho a porta do quarto de Sagan. Está uma bagunça. As gavetas estão abertas, as paredes não têm mais nada. Meu coração começa a bater loucamente no peito e tento conter o pânico que sinto surgir. Viro-me para ir à cozinha e descobrir o que houve, mas sou interceptada na porta do quarto de Sagan por meu pai.

— Onde está Sagan?

— Eu o expulsei — diz meu pai, sem rodeios.

Levo as mãos à cabeça.

— Como é?

— Ele dormiu na sua cama esta noite, Merit.

É inacreditável.

— E então você o expulsou? Sem nem mesmo falar comigo? — Viro-me e olho o quarto de hóspedes de novo, na esperança de estar sonhando. Quase tudo desapareceu. — Você não tem coração? — Giro o corpo e fico de frente para meu pai. — Não sabe sobre a família dele? O que ele está passando?

Meu pai suspira.

— Merit, calma. — Ele me segura pelo pulso e me puxa pelo corredor, atravessando a cozinha e saindo pela porta dos fundos. Sagan está quase do outro lado do quintal, carregando no ombro um saco de lixo de 100 litros. — Ele vai morar na nossa antiga casa.

Vejo Sagan abrir o portão e levar o saco de lixo para a varanda dos fundos da antiga casa.

— Ah.

— Eu disse a Sagan que ele podia morar nessa casa desde que não se envolvesse com nenhuma das meninas. Ele infringiu essa regra.

— Não estamos envolvidos, pai. Nem fizemos nada nessa noite. Só dormimos enquanto conversávamos.

Meu pai ergue uma sobrancelha.

— Então, por que ele concordou em se mudar quando eu disse a ele que era a única alternativa que ele tinha se quisesse namorar você?

Pressiono os lábios e olho a porta a tempo de ver Sagan desaparecer dentro da casa.

— Ele concordou em se mudar? — pergunto em voz baixa.

— Foi — diz meu pai.

Ah. De algum modo, isso muda toda a minha postura.

— Posso ir lá?

— Não. Você está de castigo.

Giro o corpo de novo.

— Por quê?

— Vejamos. Por ter um homem em seu quarto. Por roubar os remédios da sua mãe. Por pintar minha cerca de roxo. Por...

Levanto a mão.

— Tudo bem. É justo.

— Por faltar à escola — acrescenta ele.

Torço o nariz e recuo um passo.

— Ah. Você sabia disso?

— Sua mãe me contou que recebeu telefonemas da escola. — Meu pai entra na cozinha e abre o lava-louças. Aponta para ele, informando-me que fico com todas as tarefas enquanto estiver de castigo. Depois se vira para preparar uma xícara de café. Vou ao lava-louça e retiro alguns pratos.

— Tive uma reunião com o diretor da escola ontem — diz papai. — Ele está disposto a ajudar para que compense o atraso das tarefas perdidas, mas você não pode faltar a nenhum outro dia de aula pelo resto do ano. Levarei você à escola na segunda-feira. E depois vou buscá-la e nós vamos ao consultório do Dr. Criss.

Pego uma panela e abro outro armário.

— *Nós* vamos ao Dr. Criss? — digo. — Isso quer dizer que você também vai fazer terapia?

Falei meio de brincadeira, então fico chocada quando ele responde:

— *Todos nós* vamos fazer terapia.

Viro-me para ele.

— Todos nós?

Ele assente.

— Eu, você, Honor, Utah, Victoria. — Ele baixa a xícara de café. — Acho que temos um atraso de alguns anos.

Sorrio, porque fico aliviada. *Muito* aliviada. Eu já havia decidido que ia fazer terapia, principalmente depois daquela folha de papel idiota amassada no chão do meu quarto e da conversa brega que aconteceu noite passada. Mas pensei mesmo que era meio injusto que não exigissem que mais ninguém nessa família fizesse também. Meu pai tem razão. Essa família tem anos de atraso.

— E a mamãe? Ela vai fazer terapia?

Meu pai fecha a cara.

— Vou tentar ao máximo com ela. Prometo.

— Promete o quê? — pergunta Utah. Ele está entrando pela porta dos fundos com Honor.

Papai se levanta aprumado e pigarreia.

— Desmarquem tudo para segunda depois da escola. Vamos fazer terapia de família.

Honor geme.

— Isso parece horrível.

— É tarde demais para me emancipar? — pergunta Utah.

Meu pai ri.

— Você tem 18 anos, já é um adulto. — Ele ia sair da cozinha, mas para e volta um passo. — Merit? O que é isso nas suas costas? — Sinto os dedos do meu pai roçando minhas costas e de imediato fico petrificada. Droga. Vesti jeans e camiseta quando saí da cama, e isso não cobre inteiramente minha pele. *A tatuagem*.

— Hmm... — Ouço a porta de tela bater, olho e vejo Sagan parado ali.

Honor se curva para mim e olha a tatuagem.

— Er... eu desenhei. É só temporária.

— É — concordo rapidamente. — É... tipo hena.

— Honor não desenha tão bem assim — diz meu pai.

Viro-me de frente para ele, assim ele vai parar de olhar a tatuagem.

— Pai, é claro que desenha. Sagan vem ensinando a ela. — Olho para Sagan procurando apoio e de imediato ele assente.

— É, Honor quer ser artista. Ela é muito boa nisso.

— Sou muito boa nisso — diz Honor.

Meu pai olha para nós três, mas conclui que não sabe quem está mentindo. Desiste e se afasta.

— Obrigada — murmuro a Honor.

Ela pisca para mim, depois fala.

— Com vontade de preparar o café da manhã?

Estamos quase terminando os ovos quando Victoria sai de seu quarto.

— O que está havendo? — Ela nos olha com desconfiança.

Honor assumiu o preparo dos ovos enquanto eu começo com o resto das coisas.

— Estamos te dando uma folga — diz Honor.

— Isso é alguma brincadeira? — pergunta Victoria.

— Sem brincadeira. — Coloco leite na massa da panqueca. — Só preparando seu café da manhã.

A desconfiança de Victoria não cessa. Ela vai lentamente a um bule de café pronto e se serve de uma xícara, sem tirar os olhos de nós.

— Os ovos devem ser feitos por último.

Abro um sorriso.

— Estamos aprendendo. É nossa primeira vez.

Victoria senta-se à bancada.

— Estou gostando demais disso e não vou parar de olhar.

Ainda estou mexendo a massa da panqueca quando decido abrir o jogo com Victoria.

— Escute — digo a ela. — Sou irmã mais velha de Moby. E às vezes as irmãs mais velhas fazem coisas como passar donuts escondido ao irmão mais novo. Não vou parar de fazer isso porque é uma coisa minha com Moby. Mas... — Olho para ela. — Vou reduzir isso a uma vez por semana. Se não for problema para você.

Victoria me olha como se eu estivesse possuída. Depois concorda com a cabeça.

— Eu gostaria disso, Merit. Obrigada.

E assim, sem mais nem menos, chegamos a uma compreensão do que já deveria ter se resolvido há muito tempo.

Viro-me e despejo a primeira panqueca na frigideira, justo quando Sagan entra depois de outra ida à nossa antiga casa. Ele para de repente e olha a cena. Eu e Honor fazendo o café da manhã. Victoria de pé com um sorriso. Ele absorve tudo, depois se aproxima de Honor e lhe dá um beijo no rosto.

— Bom dia, linda.

Quando chega a mim, me abraça pelas costas em um gesto muito mais íntimo do que o cumprimento a Honor. Beija minha nuca e descansa o queixo em meu ombro enquanto olha a panqueca que tento fazer.

— Você ganhou concursos de beleza, torneios de boliche, atletismo e agora descubro que é chef? Acho que posso ficar com você, Merit.

— Se eu deixar — respondo friamente. *É claro que eu deixaria.*

— Sagan, olha! — diz Moby, entrando intempestivamente na cozinha. Sagan o pega no colo e o coloca na bancada. Moby lhe entrega um desenho.

— Ah. Puxa vida — diz Sagan, dobrando-o ao meio. De imediato ele o coloca no bolso.

— O que é? — pergunta Victoria.

Sagan meneia a cabeça, evidentemente escondendo alguma coisa.

— Nada, não. Não é nada.

— Desenhei todos os mortos que o rei colocou dentro da montanha! — diz Moby, todo animado.

Victoria olha para Sagan. Sagan apenas ri e tira Moby da bancada.

— Talvez a gente deva treinar o desenho de plantas antes de passar aos mortos.

Utah intercepta Sagan e Moby, pega Moby e o coloca numa cadeira à mesa.

— Está animado com o dia de hoje, Moby?

— Estou!

— O quanto está animado?

— Muito animado! — Moby ri.

— Quanto está animado?

— Animado pra caramba!

Honor se curva para mim e olha as duas panquecas que consegui queimar.

— Vamos precisar de alguma prática. Acho que acabo de estragar os ovos.

♥

Meia hora depois, está quase tudo pronto e estou terminando a última panqueca quando Luck entra na cozinha. Está com sua camisa do Starbucks... mas combinada com o kilt verde.

Ouço Utah rir da mesa.

— Quer ser demitido?

Luck pega uma xícara no armário.

— Se não me deixarem trabalhar de kilt, eu os processo por discriminação religiosa.

Tiro a última panqueca e viro no prato. Honor terminou de colocar o resto da comida na mesa da cozinha quando eu baixo as panquecas e me sento entre Sagan e Moby.

Moby dá uma mordida em uma panqueca e, de boca cheia, pergunta:

— Você é gay, Utah?

Todos olhamos de repente para Moby. Utah engasga com o riso.

Victoria pigarreia.

— Onde ouviu essa palavra, Moby?

Moby dá de ombros.

— Ouvi uns dez anos atrás. Alguém disse que Utah é gay. É igual a ser bastardo?

Utah ri.

— Ser gay só significa que um homem pode querer se casar com outro homem em vez de com uma mulher.

— Ou uma mulher pode se casar com uma mulher — acrescenta Victoria.

Luck concorda com a cabeça.

— E algumas pessoas gostam de homens *e* mulheres.

— Eu gosto de Lego — diz Moby.

— Não pode se casar com um Lego — diz Victoria a ele.

A cara de Moby mostra sua decepção.

— E por que não?

Meu pai aponta o garfo para Moby.

— Não é um ser vivo, filho.

— Então tem que ser vivo? — Moby pergunta a meu pai. — Como os filhotinhos que você me mostrou ontem à noite?

De imediato meu pai nega com a cabeça.

— Você deve se ater a sua própria espécie. Precisa se casar com um ser humano.

Moby faz beicinho.

— Isso não é justo. Quero casar com os filhotinhos.

Eu rio.

— Está aprendendo cedo que a vida não é justa. Eu levei 17 anos para isso.

Victoria usa o garfo para se servir de outra panqueca.

— Isso está muito bom, meninas.

— Está mesmo — meu pai concorda.

Todos os outros murmuram o mesmo com a boca cheia de comida, mas todos somos distraídos por uma súbita batida na porta da casa. Olho pela janela e vejo uma viatura da polícia em nossa entrada.

— Ah, não.

Meu pai corre os olhos por nós. Ninguém o encara.

— Por que todos vocês parecem culpados? — Ninguém responde. Na verdade, todos colocamos garfadas de comida na boca ao mesmo tempo, o que nos deixa ainda mais suspeitos. Papai meneia a cabeça e se afasta da mesa.

Ninguém se levanta quando ele abre a porta. Todos só ouvimos, em silêncio.

— Bom dia, Barnaby — diz o policial.

— Bom dia. Qual é o problema?

— Bom... depois que enterramos o cachorro do pastor Brian na igreja ontem à noite, seu túmulo foi mexido. E o do pastor Brian também. Parece que alguém transferiu o cachorro.

— É mesmo?

O policial solta um forte suspiro.

— Chega de papo furado, Barnaby. Você desenterrou o cachorro depois de ter sido preso por isso?

Meu pai ri.

— Claro que não. Vim direto para casa e fui dormir. — O policial recomeça a falar, mas meu pai o interrompe. — Com todo respeito, está perdendo seu tempo. A cadela morreu e me parece que ela está exatamente onde o pastor Brian ia querer. Vocês não têm coisas mais importantes para fazer?

O policial mais uma vez tenta falar, mas meu pai diz:

— Vocês têm um mandado?

— Bom, não. Só viemos falar com você sobre...

— Ótimo. Vocês falaram comigo. Gostaria de voltar ao meu café da manhã. Tenha um ótimo dia, combatente do crime. — Papai bate a porta. Observo enquanto ele volta à mesa. É difícil saber se está zangado ou não. Ele arrasta a cadeira para a frente e pega seu garfo. Golpeia vários pedaços de panqueca e olha para todos nós.

— Vocês são um bando de hereges.

Capítulo dezoito

— Que nome vamos dar a eles? — pergunta Moby. Ele está sentado comigo no quintal. Meu pai não disse se eu estava de castigo até para brincar no quintal, então acho que não.

— Não sei. Por que você não dá nome a um deles e eu dou ao outro?

— Tudo bem — diz Moby, todo animado. Ele levanta um dos filhotes e fala: — Esse eu vou chamar de Dick.

Eu rio porque sei o significado de Dick em inglês.

— Não sei se sua mãe vai concordar com isso.

Ele franze a testa.

— Por que não? Ela me deu o nome de Moby. Quero que o filhote se chame Dick, assim podemos ser irmãos.

— Desde que você use esse argumento — digo a ele. Sagan sai pela porta dos fundos da casa nova e vem em nossa direção. Senta-se na grama ao meu lado. Levanto o filhote que ainda não foi batizado. — Precisamos de um nome para este. Tem alguma sugestão?

Sagan nem hesita.

— *Tuqburni*. Podemos chamá-lo de Tuck.

Abro um sorriso. *Você me enterra.* Levanto o filhote à altura dos meus olhos e beijo seu focinho.

— Gostei. Tuqburni. — Moby se levanta e tira Tuck das minhas mãos. — Cuidado com eles, Moby.

— Pode deixar. Só quero mostrar Tuck e Dick para a mamãe. — Ele aninha os dois filhotes nos braços e vai para a porta dos fundos.

Tuck e Dick? Eu queria ser uma mosquinha para estar lá quando ele contar a ela desses nomes...

Moby desaparece dentro da casa e Sagan olha para mim.

— Quer ver minha nova toca?

Dou uma risada e me jogo de costas na grama.

— Não posso. Estou de castigo. E, por favor, nunca mais se refira a esse lugar como sua *toca*.

— Está de castigo? Por quanto tempo?

— Papai ainda não decidiu.

Sagan deita do meu lado e ambos ficamos olhando o céu.

— Mas ele não saiu mais cedo para resolver umas coisas? Ele nem está em casa.

Viro-me para ele com um sorriso. Gosto desse seu lado rebelde.

— Tem razão. Vamos ver sua nova toca. — Nós dois nos levantamos e vamos para a antiga casa. Não entro ali há mais de seis meses, desde que Utah começou a reforma do piso. Ficou vazia por tanto tempo que me sinto meio mal por Sagan ter de morar nessas condições, mas quando passo pela porta dos fundos tenho uma surpresa agradável. Quer dizer, a casa ainda precisa de muito trabalho. Mas ele já foi muito longe em seis meses.

— Nossa. Utah se dedicou bastante a este lugar. — O piso está quase completo, só falta a sala de estar, depois parece que a casa estará praticamente terminada. Acompanho Sagan pelo corredor e ele aponta o antigo quarto de Utah.

— Utah ficou com este quarto. — Ele se vira e anda de costas, apontando o antigo quarto de Honor. — E se ele conseguir convencer sua mãe a se mudar para cá, ela ficará no antigo quarto de Honor. — Ele se vira de novo para a frente e para na porta do meu antigo quarto. — E seu quarto antigo... agora é meu quarto. — Ele abre a porta e está uma completa bagunça. Todas as coisas dele ainda estão em sacos de lixo e o colchão nem tem lençóis.

Vou até a cama e me jogo no colchão.

— É horrível — digo com um sorriso.

Ele ri.

— Eu sei. Mas é de graça. — Ele se senta ao meu lado na cama e seu telefone toca. Agora que sei o que cada telefonema pode significar, tenho quase a mesma ansiedade quando ele pega o aparelho no bolso. Vejo a decepção aparecer quando surge o nome de Utah. Ele atende no viva voz. — Sim?

"Você levou o rolo de sacos de lixo para lá?"

— Não, estão na cômoda do quarto de hóspedes.

"Tudo bem, valeu", diz Utah e encerra a ligação. Sagan se joga no colchão e olha seu telefone por um momento, depois o recoloca no bolso.

Puxo minhas pernas para a cama e as cruzo, de frente para ele. Quero perguntar mais sobre sua família... o que ele acha que aconteceu... se ele acredita que existe alguma esperança de descobrir o que houve com eles. Ele deve enxergar minha expressão dividida, porque segura minha mão e entrelaça os dedos nos meus.

— Sei que com o tempo vou me acostumar a nunca estar com eles — diz Sagan. — Mas ainda tenho esperança.

Procuro abrir um sorriso tranquilizador, mas não sei se sai como espero. Porque vejo nos olhos dele que, na verdade, Sagan não tem mais esperança nenhuma pela situação deles. Fico triste por ele. Olho o braço ligado à mão que segura a minha. Toco a tatuagem que diz "Sua vez, Doutor", e acompanho as letras com o dedo.

Ele pressiona o polegar na minha testa, bem entre meus olhos.

— Pare de se preocupar comigo — ele fala aos sussurros, alisando minha testa franzida. — Tive anos para me acostumar com isso. Eu estou bem.

Faço que sim com a cabeça, depois ele me puxa para a cama ao seu lado. Encosto o rosto em seu peito e ficamos deitados em silêncio por um tempo.

Quero perguntar a ele o que meu pai disse de manhã, sobre como ele decidiu se mudar para cá e, assim, poder se envolver comigo. Mas também não quero que ele saiba que eu sei.

Em vez disso, puxo seu braço para mais perto e acompanho outra tatuagem. Toco as coordenadas numeradas.

— Para onde levam essas coordenadas?

— Não é assim tão difícil de deduzir. Só precisa digitar as coordenadas no seu telefone.

Por que não pensei nisso?

Pego o telefone, abro o Google Maps e digito as coordenadas, 33º08'16.8"N, 95º36'04.4"O. Quando a localização aparece em meu telefone, fico olhando. Dou um zoom. Olho um pouco mais.

— Mas... não entendo. Outro dia você disse que essas coordenadas são de onde você nasceu.

Sagan se apoia no cotovelo e tira o telefone das minhas mãos, colocando na cama ao lado da minha cabeça. Curva-se sobre mim quando fala.

— Não foi o que eu disse. Você me perguntou se foi onde nasci e eu falei, "Chegou perto".

— Você disse que nasceu no Kansas, e essas coordenadas levam à praça da nossa cidade, onde você me beijou. No Texas. Não é nada perto de onde você nasceu.

— Exatamente — diz ele, tirando o cabelo de minha testa. — Não foi onde eu nasci. Foi onde você me enterrou.

Eu o encaro num silêncio por um momento. Tento esconder o sorriso, mas é difícil, enquanto ele fica sorrindo para mim.

— Aquele beijo valeu uma tatuagem para você?

Ele nega com a cabeça.

— Não fiz a tatuagem porque foi onde beijei você pela primeira vez. Fiz porque foi onde te conheci. — Ele desliza a mão por meu pescoço, depois lentamente aproxima a boca da minha. — Mas o beijo foi ótimo, não foi?

Nossas bocas fazem contato e é macio e delicado. Não é acidental, como nosso primeiro beijo, não é enganador, como o segundo, e não é frenético, como o terceiro. Esse beijo é o primeiro beijo verdadeiro que partilhamos e quero prolongá-lo pelo maior tempo possível. Seus lábios se mexem sobre os meus com paciência e adoro isso mais do que qualquer outra coisa. Significa que nós dois sabemos que virão muitos outros pela frente.

Ele fica por cima de mim e, assim que encontramos a posição mais perfeita que já tivemos enquanto eu o beijava, meu telefone toca. Sagan ri encostado em minha boca e se afasta com relutância. Pego o aparelho e vejo que é Honor. Não sei se devo atender, mas estou empolgada por ela estar me telefonando. Nunca conversamos por telefone, então é só mais uma prova de que talvez as coisas de fato tenham mudado entre nós.

— Alô?

— Oi — diz ela. — Papai chegou em casa agora. É melhor trazer sua bunda para cá.

Desligo e dou um beijo rápido na boca de Sagan.

— Papai voltou, preciso ir.

Ele passa um braço firme em volta de mim e me puxa para ele, dando-me outro beijo rápido antes de me deixar ir.

— Te vejo no jantar, Mer.

Abro um sorriso e corro de volta para casa.

Casa.

Esta é a primeira vez em que me refiro a Dólar Voss como uma casa.

Agradecimentos

O que mais adoro no ato de escrever é ter a liberdade de falar sobre o que me inspira. Às vezes essas histórias são mais pesadas do que os livros que as contêm, e às vezes são peculiares e divertidas. Mas uma constante em todo livro que escrevo é o apoio que recebo de vocês, leitores. Obrigada por me permitirem a liberdade de continuar a amar o que faço, ano após ano.

Um enorme obrigada à CoHorts. O ano de 2017 foi o meu preferido com todos vocês. Rimos juntos, choramos juntos, falamos sobre livros juntos. Estou convencida de que tenho o maior grupo online com o menor número de cretinos. Adoro isso sobre nós.

A minha família. Foi mais difícil cumprir este prazo do que a maioria, mas nenhum de vocês reclamou. Pelo menos na minha cara. Obrigada por isso.

Ao meu marido, que é meu coração, minha alma, meu melhor amigo. Não posso fazer isso sem você. Literalmente. Não posso fazer nada sem você. A vida, lavar a roupa, essa carreira. Fique por aqui pela eternidade, está bem?

A Levi. Você é meu filho preferido. Eu te amo.

Aos poucos que arrastei comigo durante essa experiência de escrita. Brooke Howard, Joy Nichols, Kay Miles e minha mãe. EU AMO TODOS VOCÊS!

A minha preparadora de texto, que seria quase mentalmente sã se não fosse por sua escritora favorita. É sério, Johanna Castillo, vou valorizar para sempre sua enorme paciência com este livro e comigo.

A Beckham. Você é meu filho preferido. Eu te amo.

Um enorme obrigada a meus agentes da Dystel & Goderich. A meus editores na Atria Books. A minha agente, Ariele Fredman, por sempre arrasar, mesmo criando uma nova vida.

A Cale. Você é minha filha preferida. Eu te amo.

E um obrigada IMENSO a Brandon Adams, por fornecer os desenhos de Sagan e também por decorar The Bookwork Box com seu talento. Você é maravilhoso e generoso, e fico feliz de poder chamá-lo de amigo.

Guia de leitura em grupo

Este guia de leitura em um grupo para As mil partes do meu coração *inclui uma introduçao, perguntas para discussão e ideias para melhorar seu clube do livro. As perguntas sugeridas pretendem ajudar seu grupo de leitura a encontrar ângulos novos e interessantes e temas para discussão. É nossa esperança que essas ideias venham a enriquecer suas conversas e aumentem seu prazer pela leitura.*

Introdução

A família Voss é peculiar, imperfeita e cheia de segredos. Com tudo que acontece em Dólar Voss, é fácil para Merit se sentir deixada de lado ou inteiramente ignorada. Ela começa a acreditar que não seria uma grande perda para sua família se um dia ela morresse. Mas, antes de morrer, Merit decide que é hora de quebrar o gelo e revelar os segredos mais sombrios da família e obrigá-los a, enfim, encarar a verdade a respeito dos outros. Quando, de súbito, ela percebe que, no fim das contas, não quer partir, já é tarde demais. Merit e os demais do clã Voss são obrigados a lidar com as camadas de mentiras que mantiveram a família unida e o poder assombroso do amor e da verdade.

Temas e Questões para Discussão

1. Merit coleciona troféus que não ganhou, comprando um novo sempre que algo sai muito mal em sua vida. Você coleciona alguma coisa? Por quê?
2. A sinceridade é um tema comum e tem muito valor para Merit no decorrer do romance. Que diferença haveria nas relações da família Voss se eles fossem mais sinceros e abertos uns com os outros?
3. Outro tema predominante é a perspectiva. Luck diz a Merit que depois de apenas uma semana ele sabia que ela vivia em sua própria versão da realidade. Como a perspectiva de Merit distorceu o jeito como ela trata e julga a si mesma e os outros?
4. Merit está constantemente se comparando com a gêmea, Honor; sempre se vendo de forma severa e implacável. Como isso afetou sua identidade e valor pessoal? Como afetou seu relacionamento com Honor?
5. Enquanto a identidade de Merit está em constante conflito com a de Honor, a de Utah é firmemente baseada no que os outros pensam dele. Como isso levou ao que ele fez com Merit? Como isso alertou para seu comportamento depois?
6. Merit guarda seus sentimentos bem enterrados, como uma panela tampada que está prestes a explodir, deixando pedaços abrasadores da verdade se derramarem de vez em quando, até que, por fim, despeja todo o segredo escaldante em sua carta. Por que é tão fácil para ela ser

franca com o segredo dos outros, mas tão difícil expressar suas próprias verdades?

7. "Nem todo erro merece uma consequência. Às vezes a única coisa que ele merece é o perdão." Considere a carta que Merit escreveu e todos os segredos e erros que foram revelados nela e depois da carta. Você concorda com isso? Por quê?
8. Sagan disse a Merit: "*Tuqburni* é usado para descrever o sentimento geral de não ser capaz de viver sem alguém. É por isso que a tradução literal é 'você me enterra'". Como Merit interpreta essas palavras? O que revela sobre a percepção que ela tem de si mesma?
9. Luck se abre a respeito da própria luta com a depressão e a tentativa de tirar a própria vida. Compare a experiência dele com a de Merit. O que levou cada um a acreditar que o suicídio era a única solução? Ou que sua ausência só seria recebida com indiferença?
10. Enquanto passa pelo *checklist* dos Sintomas de Depressão (páginas 244-246), Merit confirma que experimentou todos eles. Pense no comportamento de Merit por todo o romance e identifique exemplos de cada sintoma. Por que tantos sintomas são facilmente deixados de lado por algumas pessoas que consideram isso um comportamento adolescente normal? Quando é que eles se tornam um sinal de desequilíbrio mais profundo?
11. Apesar dos esforços para aumentar a consciência das doenças mentais, a saúde mental e seu tratamento são extremamente estigmatizados. Como Luck tenta ajudar Merit a enxergar que sofrer de doença mental e procurar tratamento não a torna diferente de ninguém?

12. No fim, por que é tão importante que Barnaby Voss decida que é hora de toda a família fazer terapia? O que isso significa para Merit e como a ajuda, em particular?

Melhore Seu Clube do Livro

1. Tenha uma discussão aberta e franca sobre saúde mental com os integrantes do seu clube do livro e/ou em casa com seus familiares e amigos.
2. Visite sites como Centro de Valorização da Vida — CVV, https://www.cvv.org.br/, Associação de Apoio aos Doentes Depressivos e Bipolares — Associação Brasileira de Familiares, Amigos e Portadores de Transtornos Afetivos — Abrata, http://www.abrata.org.br/new/oqueE/depressao.aspx.
3. Saiba mais sobre Colleen Hoover, dê uma olhada em seus outros livros e a encontre em turnê, acompanhando-a nas redes sociais e visitando http://www.colleenhoover.com.

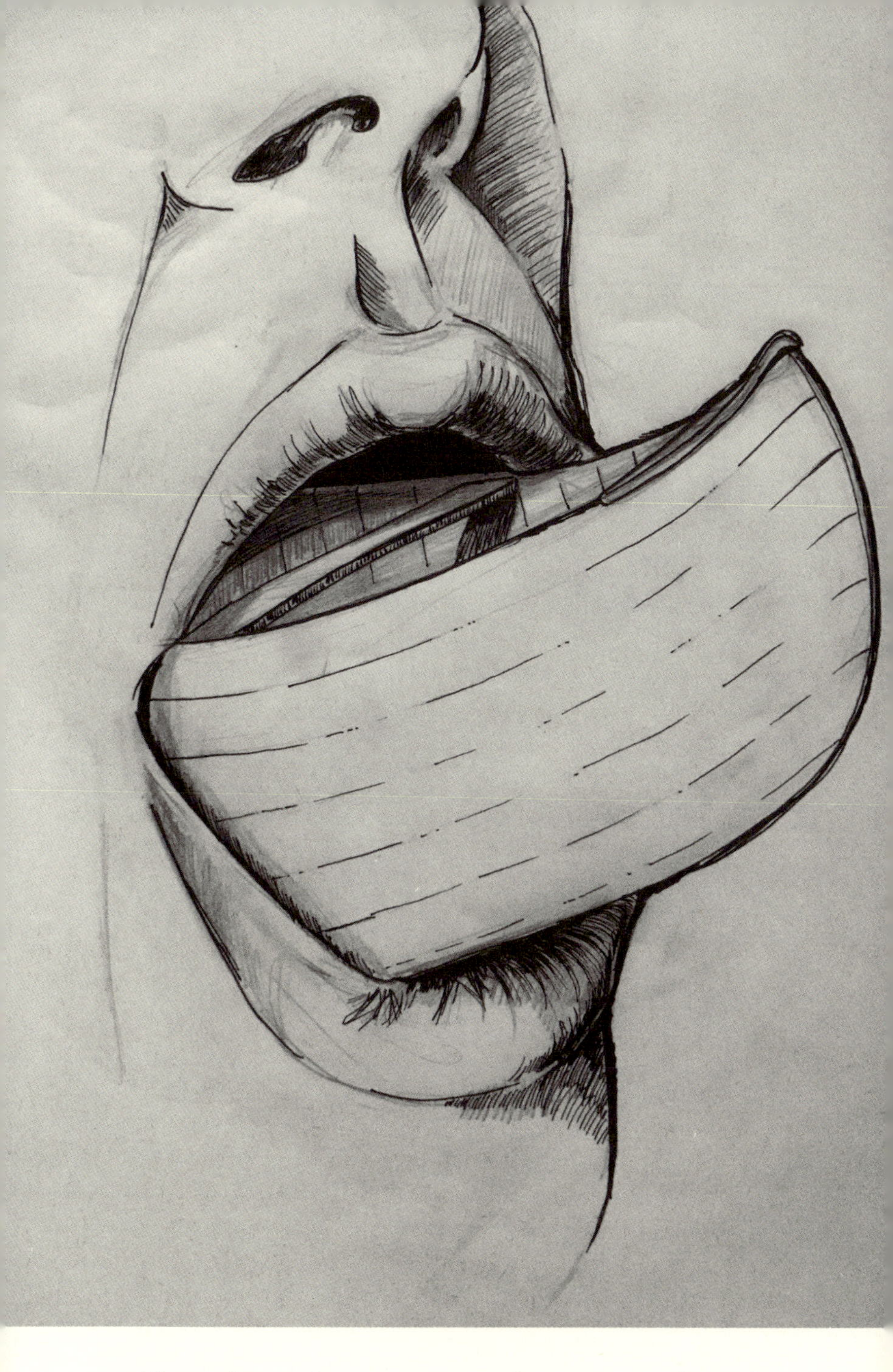

“Se o silêncio fosse um rio, sua língua seria o barco.”

“Mergulho em busca de ar.”

“Coração < carcaça.”

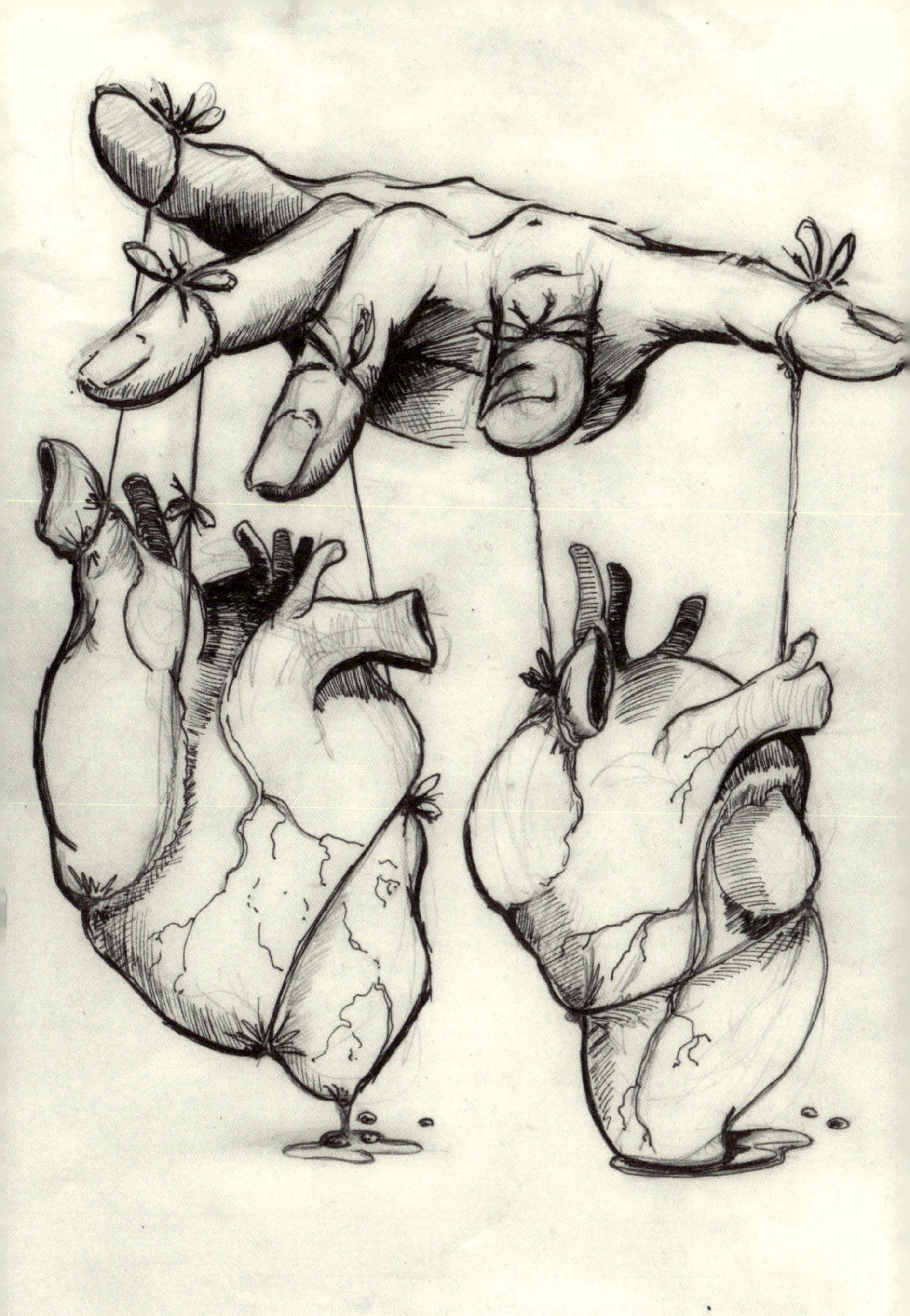

Este livro foi composto na tipologia Adobe Caslon Pro,
em corpo 11/16, e impresso em papel off-white,
no Sistema Cameron da Divisão Gráfica
da Distribuidora Record.